## MONNA LISA: LA GIOCONDA

𝕳𝖊𝖆𝖙𝖍'𝖘 𝕸𝖔𝖉𝖊𝖗𝖓 𝕷𝖆𝖓𝖌𝖚𝖆𝖌𝖊 𝕾𝖊𝖗𝖎𝖊𝖘

# NEL PAESE DEL SOLE

## *Italian Readings for Beginners*

By

JOSEPH LOUIS RUSSO, Ph.D.

*University of Wisconsin*

D. C. HEATH AND COMPANY

BOSTON

PRINTED IN THE UNITED STATES OF AMERICA

A

Mamma, Margherita

e Maria

# PREFACE

THE AIM of this book is to provide reading material suitable for beginners in both High School and College classes.

That the form of such material should be simple and its contents interesting, is quite obvious. Probably there is no elementary Italian reader that does not lay claim to such qualities; yet, as every experienced teacher knows, the books so far available attain their objective only to a limited degree. Perhaps the trouble lies in the fact that, in their desire to present easy prose, the editors felt compelled to resort to fairy tales and children's stories. But such stories seem childish even to High School pupils, to say nothing of College students, and the language in which they are written, though perhaps simple enough for Italian children for whom they were intended, is far from easy from the point of view of our beginners.

The author of this book has therefore felt that to secure easy and at the same time dignified prose, the selections had to be written or adapted expressly for this double purpose, and not merely taken unaltered from various sources. Furthermore, in writing or simplifying the selections, he has followed the principle that for greater ease and effectiveness there ought to be a constant relation between the stage of linguistic knowledge the student has attained and the material he is asked to read. In other words, that *reading ought to follow step by step the grammar work*.

That this principle implied great limitations, goes without saying; and that the task was not an easy one will be readily understood once it is realized, for instance, that

the student was not assumed to know at the outset any
other verbal form than the present and any other grammar
points than the general use of the articles and the regular
formation of the plural of nouns and adjectives.

*Est modus in rebus*, however, and the general principle
has been modified in certain cases where it seemed wiser
to require a greater effort from the student. Thus, certain
exceptional forms, some very common idiomatic expressions, and irregular verb forms of frequent usage have
been introduced in anticipation of the regular grammar
work, — not, however, without due mention in the Notes.

In regard to form and style, a certain uniformity has
been deemed advisable, and some limitations were an
evident necessity. While the prose had to be idiomatically
correct, it had at the same time to avoid anything which
might not conform to very common usage; local expressions, forms peculiar to certain regions, even to Tuscany,
literary frills of all kinds, had to be shunned, and the
simplest expressions preferred. The reading material
offered is that sound, conservative prose daily used in
conversation among educated Italians. Literary elegance,
originality of expression, color, these are qualities that a
beginner cannot be expected to appreciate, and which,
therefore, should be reserved for a more advanced stage
of his study.

It has been thought best also to help the beginner by
providing a ready and accurate guide for correct pronunciation, and hence certain phonetic symbols have been
used in the Text, Notes, Exercises, and Vocabulary. It
is hoped that this feature, adopted in the author's *Elementary Italian Grammar*, will be found equally valuable
in this Reader.

So much for the form. With regard to the contents,
the book is conveniently divided into four parts:

The first, *Per Cominciare*, contains short passages in

which a variety of themes are developed: different phases of student life here and in Italy alternating with information on Italy, its past and present, its cities and natural beauties.  Some of the selections deal with the nature and importance of the Italian language.

The fourteen passages of the first part are followed by thirty *Facezie e Storielle*.  They are little stories and anecdotes taken mostly from representative authors of different centuries of Italian literature and presented in simplified form.  Most of them sparkle with humor, give a fine picture of the "sunny" Italian temperament, and all of them offer an opportunity for the student to become acquainted at least with a few outstanding names in the literature of the language which he is studying.

*Poesie*, the third part, consists of twelve excellent poems graded according to difficulty of form.  Besides being good material for memory work (an important function in the study of a language), they afford an opportunity to instill in the students an early appreciation of real poetry.

The book is concluded by four *Novelle*, two by early writers, two by modern ones.  These short stories, though rewritten in simplified form, are progressively more difficult than the preceding prose sections.  The last of them, *Carmela*, by Edmondo De Amicis, should be used only in a course in which students show exceptional ability, or else assigned for optional outside reading.

Except for one or two exclamations and for a single instance in the first of the *Novelle*, the only subjunctive forms to be found in the prose text are in *Carmela*, and they are all listed in the Vocabulary and explained in the Notes.

Footnotes furnish information concerning the authors from whose works the selections were taken, and Notes at the end of the text give the necessary grammatical and informational explanations.

Particular care has been given to the Exercises, which

also follow step by step the regular grammar work. They offer a good opportunity for varied direct-method drill, strengthen the knowledge of grammar, and reinforce the student's vocabulary by means of reviews which are based on the words used in the preceding readings, rather than on those of the reading just done.

The Vocabulary lists every word in the text, even articles, contractions, irregular forms of verbs and nouns, and all conditional and subjunctive forms used.

In conclusion, the author wishes to express sincere thanks to his wife and his assistants, Miss Marie Davis, Mrs. Esther Marhofer Cook, Mr. Edward E. Milligan and Mr. Joseph Rossi, for the valuable aid they have given him in reading proofs of the book, and to his friend, Dr. Alexander Green of D. C. Heath and Company, for suggestions received.

J. L. R.

UNIVERSITY OF WISCONSIN

# INDICE

## PER COMINCIARE

PAGINA

1. IN CLASSE . . . . . . . . . . . . . . . . . 3
2. ANDANDO A CASA . . . . . . . . . . . . . . 3
3. LA LINGUA ITALIANA . . . . . . . . . . . . 4
4. OTTOBRATA . . . . . . . . . . . . . . . . . 6
5. UNO STUDIO INTERESSANTE . . . . . . . . . 8
6. AL CIRCOLO ITALIANO . . . . . . . . . . . . 9
7. ITALIA . . . . . . . . . . . . . . . . . . . 10
8. CORRISPONDENZA CON L'ITALIA . . . . . . . . 12
9. ROMA . . . . . . . . . . . . . . . . . . . 14
10. CLARA ANDRÀ IN EUROPA . . . . . . . . . . 16
11. LA LETTERA DA NAPOLI . . . . . . . . . . . 20
12. DUE ALTRE METROPOLI . . . . . . . . . . . 21
13. NELLA BIBLIOTECA . . . . . . . . . . . . . 22
14. ALTRE FAMOSE CITTÀ ITALIANE . . . . . . . . 27

## FACEZIE E STORIELLE

15. NON LO DOVEVA FARE (*Garibaldo Cepparelli*) . . . . 31
16. COME MI PIACE . . . (*Garibaldo Cepparelli*) . . . . . 31
17. LA RICOTTA (*Giuseppe Pitrè*) . . . . . . . . . . 32
18. BENEFICENZA E RICONOSCENZA (*Alfredo Panzini*) . . 33
19. IL FILOSOFO DIOGENE (« *Novellino* ») . . . . . . 33
20. IL GIUDICE NELL'IMBARAZZO (*Alessandro Manzoni*) . 34
21. IL GALLETTO E LA VOLPE (*Idelfonso Nieri*) . . . . 36
22. IN PELLICCERIA (*Idelfonso Nieri*) . . . . . . . . 36
23. DANTE E LE DONNE DI VERONA (*Giovanni Boccaccio*) 37
24. DANTE E IL BUFFONE (*Poggio Bracciolini*) . . . . . 37
25. IL NOVELLATORE ASSONNATO (« *Novellino* ») . . . . 38
26. CRISTO E L'ORO (« *Novellino* ») . . . . . . . . . . 39
27. UN GIUDIZIO SALOMONICO (« *Novellino* ») . . . . . 40

PAGINA

28. I TRE ANELLI (« *Novellino* ») . . . . . . . . . . . 42
29. IL MONACO AL MERCATO (« *Fiore di Virtù* ») . . . . 43
30. GIANNI SCHICCHI (« *Anonimo Fiorentino* ») . . . . 44
31. IL MONACO E IL NOVIZIO (*San Bernardino da Siena*). 46
32. UNA PREDICA TROPPO BELLA (*San Bernardino da Siena*) . . . . . . . . . . . . . . . . . 47
33. UNA SPIRITOSA VENDETTA (*Leonardo da Vinci*) . . . 48
34. BORIA SPAGNOLA E ARGUZIA FRANCESE (*Matteo Bandello*) . . . . . . . . . . . . . . . . . 51
35. NON MOLTO CORTESE (*Baldassarre Castiglione*) . . . 52
36. UNA BURLA CRUDELE (*Baldassarre Castiglione*) . . . 52
37. L'UOVO DI COLOMBO (*Gerolamo Benzoni*) . . . . . 55
38. VIVO O MORTO ? (*Giovanni Sagredo*) . . . . . . . 57
39. IL RE DELLE CANARIE E GIOCONDO DEI FIFANTI (*Lorenzo Magalotti*) . . . . . . . . . . . . . . 58
40. BOZZETTI (*Gaspare Gozzi*) . . . . . . . . . . . . 60
41. IL GATTO (*Giovanni Rajberti*) . . . . . . . . . . . 61
42. UNA DISGRAZIA (*Garibaldo Cepparelli*) . . . . . . 62
43. SOMIGLIANZE (*Giovanni Rajberti*) . . . . . . . . 65
44. NON HA FERMATO IL SOLE (*Renzo Sacchetti*) . . . . 66


POESIE

45. I MESI DELL'ANNO (*Angiolo Silvio Novaro*) . . . . . 69
46. IL SEGNO DELLA CROCE (*Edvige Pesce Gorini*) . . . 69
47. A MEZZO MAGGIO (*Enrico Panzacchi*) . . . . . . . 70
48. IL SOLE E LA LUCERNA (*Giovanni Pascoli*) . . . . . 72
49. PANTEISMO (*Giosuè Carducci*) . . . . . . . . . 73
50. A GIUSEPPE GARIBALDI (*Giosuè Carducci*) . . . . . 74
51. I PASTORI (*Gabriele D'Annunzio*) . . . . . . . . . 75
52. LAGO MONTANO (*Luigi Pirandello*). . . . . . . . . 76
53. LA SVENTURATA NAVICELLA (*Angelo Poliziano*) . . . 79
54. LA FANCIULLA E LA ROSA (*Lodovico Ariosto*) . . . . 79
55. IL SABATO DEL VILLAGGIO (*Giacomo Leopardi*) . . . 80
56. NEGLI OCCHI PORTA . . . (*Dante Alighieri*) . . . . . 81

## NOVELLE

                                                                    PAGINA
57. CHICHIBIO CUOCO (*Giovanni Boccaccio*) . . . . . .   85
58. L'ABATE E IL MUGNAIO (*Franco Sacchetti*) . . . . .   88
59. IL BABBO (*Renato Fucini*) . . . . . . . . . . . .   91
60. CARMELA (*Edmondo De Amicis*) . . . . . . . . .   97

NOTE . . . . . . . . . . . . . . . . . . . . . . . .  141
ESERCIZI . . . . . . . . . . . . . . . . . . . . . .  159
VOCABOLARIO . . . . . . . . . . . . . . . . . . . .  205

# ILLUSTRAZIONI

PAGINA

Monna Lisa: La Gioconda . . . . . . . . . *Frontespizio*
Altare della Patria e Tomba del Milite Ignoto, Roma . 2
Arco di Costantino, Roma . . . . . . . . . . . . 5
Panorama di Salerno . . . . . . . . . . . . . . 7
Cime nevose delle Alpi . . . . . . . . . . . . . 10
Panorama delle Isole Borromee, Lago Maggiore . . . . 11
Carta geografica dell'Italia . . . . . . . *Dopo pagina* 12
Piazza Dante, Napoli . . . . . . . . . . . . . . 13
Il Tevere, Ponte e Castel Sant'Angelo, Roma . . . . . 15
Una via sull'idilliaca Isola di Capri. . . . . . . . . 17
Vallone di Furore, tra Amalfi e Sorrento . . . . . . . 18
Piazza e Teatro della Scala, Milano . . . . . . . . . 21
Panorama di Napoli dalla Tomba di Virgilio . . . . . 23
Ponte Vecchio, Firenze . . . . . . . . . . . . . 25
Il Canal Grande e la Chiesa della Salute, Venezia . . 26
Piazza di S. Marco, Venezia . . . . . . . . . . . 30
Alessandro Manzoni . . . . . . . . . . . . . . 35
Via Appia con in fondo l'Arco di Druso, Roma . . . . 41
Piazza della Signoria, Firenze . . . . . . . . . . 45
Autoritratto di Leonardo da Vinci . . . . . . . . . 49
Baldassarre Castiglione . . . . . . . . . . . . . 53
Cristoforo Colombo . . . . . . . . . . . . . . . 56
Niccolò Machiavelli . . . . . . . . . . . . . . . 63
Dante . . . . . . . . . . . . . . . . . . . . 68
Interno della Basilica di S. Pietro, Roma . . . . . . 71
Giosuè Carducci . . . . . . . . . . . . . . . . 73
Lodovico Ariosto . . . . . . . . . . . . . . . . 77
Il Tasso ed Eleonora d'Este . . . . . . . . . . . 78
Giovanni Boccaccio . . . . . . . . . . . . . . . 84
Panorama di Firenze dal Piazzale Michelangelo . . . . 87
Notte di luna, Venezia . . . . . . . . . . . . . 93
Chiesa di S. Maria della Salute, Venezia . . . . . . 94

PAGINA

Un oliveto in Toscana. . . . . . . . . . . . . . . . 96
Una tipica cittadina siciliana: Monreale . . . . . . . 101
Carretto siciliano . . . . . . . . . . . . . . . . . 107
Villa Tasca, Siracusa . . . . . . . . . . . . . . . 111
Balestrata, Sicilia . . . . . . . . . . . . . . . . 115
La strada d'Amalfi . . . . . . . . . . . . . . . . 119
Il Foro di Pompei . . . . . . . . . . . . . . . . . 120
Taormina e, in fondo, l'Etna coperto di neve . . . . . 123
Porta Nuova, Palermo. . . . . . . . . . . . . . . . 127
Veduta di Messina . . . . . . . . . . . . . . . . . 128
Chiostro di S. Giovanni degli Eremiti, Palermo . . . . 135
La Cattedrale di Monreale, Sicilia . . . . . . . . . . 139

# PER COMINCIARE

ALTARE DELLA PATRIA E TOMBA DEL MILITE IGNOTO, ROMA

# 1. IN CLASSE

Questo è il nostro ° primo esercizio di lettura italiana.

Abbiamo studiato ° le regole di pronunzia e le prime cinque lezioni della nostra grammatica, abbiamo imparato un certo numero di parole, e ora tentiamo di leggere alcune semplici frasi italiane.                                                     5

Che cosa vediamo in questa classe?

Vediamo due porte, tre finestre, quattro muri, una scrivania e una sedia per il professore, e molti banchi ° per gli studenti.   Vediamo anche le lavagne.

Ogni studente ha alcuni libri, uno o più quaderni e una 10 penna stilografica.   Questo ragazzo, invece di una penna stilografica, ha una matita.   Con la penna stilografica o con la matita scriviamo i compiti e prendiamo appunti. Quando andiamo alla lavagna, scriviamo con un pezzo di gesso.                                                               15

Il professore parla, e noi ascoltiamo.   Ascoltiamo con attenzione per imparare bene.   Ripetiamo le parole e le frasi che il professore pronunzia; le ° ripetiamo fedelmente per acquistare una pronunzia corretta.

La lezione finisce, ed è ora d'andare a casa.             20

— Arrivederla,° professore!

— Arrivederci, ragazzi!


# 2. ANDANDO A CASA

— Andiamo ° a casa, Roberto?

— Sì, ma prima desidero di comprare un quaderno per il dettato italiano.   Il professore ha detto alla classe di 25

The ° refers to the Notes on page 141 ff.

3

usare per ogni specie di lavoro un quaderno separato; uno
per le traduzioni, uno per le note di grammatica e uno per
il dettato.

— Io non ho bisogno di comprar ° nulla perchè ho
5 tutti i quaderni necessari.° Ma andiamo insieme! Tanto, il cartolaio è sulla via di casa.

— Bravo! Non mi piace ° camminar solo. Andiamo!

E i due giovani attraversano la piazza. Parlano un po'
d'italiano perchè sono d'origine italiana, ma non è cosa
10 facile per loro. Hanno buona volontà però, e questo è
l'essenziale.

Poco dopo incontrano una studentessa, Clara Rinelli.
Anch'essa è un'italo-americana.

— Buon giorno, Ugo! Come sta?

15 — Bene, grazie. E come sta Lei, Clara? Conosce il
mio amico Roberto?

— No.

— Roberto Narni. La signorina Rinelli.°

— Piacere.

20 — Il piacere è tutto mio.°

Roberto e Ugo camminano ora uno a destra, l'altro a
sinistra della ragazza, e i tre chiacchierano e sorridono.
Passano anche davanti alla bottega del cartolaio, ma non
entrano. Roberto non pensa più al quaderno per il det-
25 tato.


# 3. LA LINGUA ITALIANA

La pronunzia della lingua italiana non presenta grandi
difficoltà.° Basta ° imparare alcune regole, che non sono
nè molte nè difficili; basta fare un piccolo sforzo per
imitare alcuni suoni che sono nuovi per noi. Attenzione
30 alla pronunzia del professore!

La scrittura italiana poi è estremamente facile perchè

essa è quasi fonetica, cioè le parole sono scritte quasi come sono pronunziate.°

Avete osservato che molte parole italiane sono simili a parole inglesi ? Questo dipende dal fatto che tali parole derivano da una comune origine, la lingua latina. E che 5 cosa è la lingua latina, se non italiano antico ?

La pronunzia dunque è facile, è facile la scrittura, ed è

ARCO DI COSTANTINO, ROMA

facile riconoscere il significato di molte parole. Questo è specialmente il caso per gli studenti che hanno studiato un po' di francese o di spagnolo. Anche la lingua francese 10 e la lingua spagnola derivano dal latino.

Ma la lingua italiana non è soltanto facile; essa è anche molto bella, armoniosa e ricca d'espressioni. Queste sono qualità però che non è possibile apprezzare senza un lungo e intenso studio. 15

## 4. OTTOBRATA

— Che buon'idea ha avuto il nostro professore, d'inaugurare il Circolo Italiano con questa scampagnata!

— Sì, davvero! E che bella giornata!° Il mese d'ottobre è forse il mese più bello dell'anno. L'aria è dolce, la
5 temperatura è mite, gli alberi hanno foglie di mille colori,
e il sole splende nell'azzurro del cielo.

— Perchè non aggiungi qualche cosa sul canto degli
uccelli? Sei un vero poeta!°

— Burlone! Eppure son° certo che anche tu noti che
10 tutto questo è bello!

— Quello ch'io noto è che ho molto appetito, e che la
merenda che le signorine preparano in questo momento
dev'°esser buona.

— E gli spaghetti che il signor Rossi sta cucinando?°
15 — E le polpette di carne col sugo di pomodoro?

— Ghiottone! Ma è una vera merenda italiana, questa!
Non manca che° il vino.

— Beviamo acqua.

— Acqua fresca!
20 Ma il signor Rossi già avverte che gli spaghetti son pronti,
e tutti accorrono. Una signorina distribuisce alcuni
tovagliolini di carta velina, un'altra dà piatti e forchette di
cartone. E intanto Ida e Clara arrivano in un'automobile:
portano una grande torta e i gelati. Proprio a tempo!
25 Non manca nulla, e nemmeno l'appetito e l'allegria.

Mentre studenti e studentesse mangiano, un fonografo
riproduce alcuni canti popolari italiani che tutti cono-
scono e che aggiungono una nota d'allegria: *Santa Lucia;
Addio, mia bella Napoli; Funiculì, Funiculà; O sole mio;*
30 *Maria, Marì.*

Quando, una mezz'ora dopo, tutti hanno finito di
mangiare, la musica del fonografo cambia, e la piccola
festa è chiusa con un po' di ballo sul prato.

PANORAMA DI SALERNO     *Photo Alinari.*

Bella città, sede una volta della più antica scuola di medicina del mondo.

## 5. UNO STUDIO INTERESSANTE

Grande, e in continuo progresso, è lo sviluppo industriale e commerciale dell'Italia.°; e se consideriamo che essa è una nazione di circa quarantacinque milioni d'abitanti, e che altri dieci milioni d'Italiani vivono all'estero,
5 è fuor° di dubbio che lo studio della lingua italiana offre grande utilità per tutti, ma specialmente per noi, perchè molti Italiani vivono nel nostro paese.

Forse nessun'altra lingua estera è così frequentemente parlata, nelle nostre città, come l'italiana.

10 È però dal lato culturale che questo studio è particolarmente utile e interessante. L'Italia è la madre della civiltà moderna, essa ha una gloriosa storia di circa tremila anni, e ha occupato e occupa anche oggi un posto d'onore in ogni campo dell'attività umana.

15 La letteratura italiana è estremamente bella e ricca, e ha avuto sulla letteratura inglese un'influenza considerevole. Chaucer, Spenser, Shakespeare, Milton, Byron, Shelley, Browning, Rossetti, per citare soltanto alcuni nomi, furono tutti più o meno ispirati dall'Italia.

20 Nel campo delle scienze fisiche e matematiche,° e in quello della filosofia, dell'economia e della politica, il contributo dell'Italia è stato fra i primi in ordine di tempo e fra i più importanti. Nel campo delle arti, chi non sa che il più alto grado di perfezione è stato raggiunto
25 dal genio italiano?

Che dire dell'importanza della lingua italiana nella musica, e specialmente nel canto? Le opere più belle, i canti più deliziosi, sono italiani, e tutte le espressioni musicali, anche nella musica d'altri paesi, son italiane.

30 Per finire, chi non desidera d'imparare quest'armoniosa lingua anche soltanto perchè con essa è possibile godere in modo completo un viaggio nel Giardino d'Europa? °

## 6. AL CIRCOLO ITALIANO

— Perchè non venisti ieri sera alla riunione del Circolo Italiano ? Guardai dovunque, Ugo, ma tu non c'eri.

Roberto e Ugo sono amici ° inseparabili, ed era un po' strano ieri sera veder l'uno senza l'altro. Anche il professore l'osservò, tra uno scherzo e l'altro.                                5

— Avevo l'intenzione di venire, Roberto, ma all'ultimo momento arrivarono mia zia e mia cugina, e così non uscii.

— Peccato ! Perchè passammo una serata veramente deliziosa.

— Esageri come al solito ! Scommetto che c'era qualche 10 bella ragazza.

— C'erano parecchie belle ragazze, e anche quella signorina che incontrammo in piazza giorni fa, Clara Rinelli.

— Ahah ! Ora capisco ! Ora capisco perchè la serata fu così deliziosa !                                                          15

— No, fu il programma della riunione che affascinò tutti. Sentimmo la Cavalleria Rusticana.°

— L'opera di Mascagni ?

— Precisamente !

— E come ?                                                                20

— Ecco come. Tu sai, Ugo, che la Cavalleria Rusticana ha un atto solo. Il circolo ha acquistato una serie di dischi fonografici ° che comprende tutta l'opera, dal preludio alla scena finale. Questi dischi furono sonati sul fonografo, uno dopo l'altro, e noi non solo godemmo la 25 musica, ma capimmo quasi ogni parola.

— Impossibile !

— Nient'affatto impossibile. Prima di tutto, il professore parlò di Mascagni in modo molto interessante, poi spiegò l'intreccio dell'opera, e finalmente passò a ogni 30 membro del circolo alcuni fogli su cui erano scritte a macchina tutte le parole dei dischi. Fu cosa relativamente facile, così, seguire le arie e i recitativi dei cantanti.

## 7. ITALIA

Nessun paese del continente europeo ha confini così belli e, al tempo stesso, così precisi come l'Italia.    Basta guardare una carta geografica.

L'imponente catena delle Alpi separa l'Italia dalla 5 Francia, dalla Svizzera, dall'Austria e dalla Iugoslavia.

*Photo Alinari*

CIME NEVOSE DELLE ALPI
Monte della Disgrazia

Il mare Adriatico e il mare Mediterraneo la circondano dagli altri lati.

Un'altra catena di monti, quella degli Appennini, percorre la penisola da nord a sud.

10    L'Italia è circondata da molte isole.  Di queste, alcune sono grandi e importanti, quali la Sicilia, la Sardegna e la Corsica; altre sono piccole ma amenissime,° quali l'Elba,

PANORAMA DELLE ISOLE BORROMEE, LAGO MAGGIORE

Photo Alinari

tra la Corsica e la Toscana, le Lìpari e le Egadi, lungo le
coste della Sicìlia, e specialmente Ischia e Capri, presso
il golfo di Napoli.  Chi non ha mai udito parlare di Capri e
della sua meravigliosa Grotta Azzurra ?

5    Una speciale caratterìstica dell'Italia, ma anche una
causa di frequenti disastri, sono i vulcani:  il Vesuvio,
nelle vicinanze di Napoli;  l'Etna, in Sicìlia;  e lo Stromboli,
nell'isola dello stesso nome.

L'Italia è ricca di fiumi e di laghi ° di straordinaria
10 bellezza.   Tra i fiumi, i principali sono il Po, che nasce
dalle Alpi, passa per Torino, attraversa la pianura lombarda, e finisce nell'Adriatico;  l'Adige, che nasce presso i
confini dell'Austria e passa per Trento e Verona;  il
Piave, di gloriosa fama per le vittorie italiane nella Guerra
15 Mondiale;  l'Arno, che attraversa la Toscana e passa per
Firenze e Pisa;  e il Tevere, sulle sponde del quale è situata
Roma, capitale d'Italia.   I laghi più importanti e più
belli sono appiè delle Alpi.   Essi sono:  il Lago Maggiore, il
Lago di Lugano, e quelli di Como, d'Iseo e di Garda.
20 Nell'Italia Centrale sono degni di nota il Lago Trasimeno
e quello di Bolsena.


## 8. CORRISPONDENZA CON L'ITALIA

— Ida, hai scritto a quella studentessa italiana ?

— Quella del Lìceo Vittorio Emanuele ° di Napoli ?
Sicuro !  Ieri stesso, dopo che il professore consigliò alla
25 classe questa corrispondenza, e dette i nomi e gl'indirizzi
degli studenti italiani che desìderano di corrispondere
con noi, appena arrivai a casa scrissi la mia lettera;
stamani il professore l'ha corretta,° e ora la còpio e la
mando.

30    — E di che cosa hai scritto ?

— Della scuola, del nostro programma di studi...
Vuoi sentire, Clara ?

— Con piacere.

— Ecco la lettera: « Gentilíssima Signorina... » °

— Perchè « gentilíssima » e non « cara » ?            5

— È una parola suggerita dal professore.  Io volevo dir
« cara », ma egli ha corretto così.  Ha spiegato che « cara »

*Photo Alinari*

PIAZZA DANTE, NAPOLI
R. Liceo Vittorio Emanuele e statua di Dante

è una parola un po' troppo familiare, usata tra parenti e
amici, ma non tra estranei.

— Continua.            10

— Dunque senti:

« Gentilíssima Signorina,

« Il mio professore d'italiano ha dato oggi alla classe

diversi indirizzi di studenti e studentesse di Napoli, e a
me è capitato il suo. L'idea di scrivere a una compagna di
studi così lontana è davvero attraente. Certo, questa
corrispondenza è per me un incitamento grandissimo a
5 intensificare lo studio della bella lingua italiana, ma forse
essa segna anche il principio d'una cordiale amicizia tra
noi due.

« A questa lettera Lei può rispondere in inglese o in
italiano, come preferisce.

10 « Questa volta dirò qualche cosa della scuola ch'io frequento.

« Essa è situata all'estremità nord della nostra città, su
d'una ° collina ricca di molti alberi. Noi ragazze abitiamo
in uno dei dormitori, recentemente costruito e fornito di
15 tutte le comodità moderne. L'edifizio scolastico principale
è a poca distanza da dov'io abito.

« Sono studentessa di primo anno (qui siamo chiamate
*freshmen*), e, come tale, sono obbligata a seguire un programma di studi alquanto rigido: un corso di composi-
20 zione inglese, uno di storia, uno di scienza e uno di lingua
straniera. Ho scelto storia antica, geografia e lingua italiana.

« E basta per una prima lettera ! Spero di ricever presto
una sua risposta, e intanto La prego di gradire distinti
25 saluti.

« IDA C. ROGERS »


## 9. ROMA

Roma è la capitale d'Italia e la città più popolosa della
penisola. Essa ha più d'un milione ° d'abitanti, ed è
situata sulle sponde del Tevere, a breve distanza dal mare.

La Città Eterna, che per molti secoli dominò il mondo,
30 ancora conserva il fascino della passata grandezza. I

IL TEVERE, PONTE E CASTEL SANT'ANGELO, ROMA
Cupola di S. Pietro in fondo

*Photo Alinari.*

fori, le terme, gli archi trionfali, il Pantheon e l'immenso
Colosseo, capolavoro dell'architettura romana e simbolo
della potenza dell'impero, attestano, malgrado le ingiurie
del tempo e degli uomini, lo splendore di quella civiltà.

5 Ma Roma è anche il centro del mondo cattolico, e nella
Città del Vaticano,° minuscolo stato del tutto indipen-
dente benchè parte di Roma, risiede il Papa, Vicario di
Cristo e Successore di San Pietro.

Monumenti di questa seconda Roma, per citare soltanto
10 i principali, sono San Pietro, San Paolo, San Giovanni in
Laterano e Santa Maria Maggiore,° le quattro basiliche
che, per grandezza, splendore e importanza storica, sono
tra le più celebri chiese del mondo.

Roma d'oggi, quella che dal 1870 (mille ottocento set-
15 tanta) è capitale del Regno d'Italia, è una città moderna
nel pieno senso della parola, che col rapido aumentare della
sua popolazione e con nuove, magnifiche opere diventa
ogni giorno più grande e più bella.

Di questa moderna Roma le opere d'arte più tipiche
20 sono il grandioso monumento nazionale a Vittorio Emanuele II (secondo), Padre della Patria,° e il Palazzo di Giustizia.


## 10. CLARA ANDRÀ IN EUROPA

— Hai udito ?   Clara andrà in Europa l'estate ventura.

— No, come lo sai ?

25 — Ella stessa lo disse, ieri sera, alla riunione del Circolo
Italiano.   Andrà con la comitiva di studenti e studentesse
che il professore d'italiano riunisce ogni anno.

— Quando partiranno ?

— Il ventiquattro giugno,° da New York.   Poco dopo la
30 chiusura delle scuole.

— E costa molto questo viaggio ?

Una via sull'idilliaca Isola di Capri

R. *Raffius*

Vallone di Furore, tra Amalfi e Sorrento
Case di pescatori

— Nɔ, anzi il prezzo è molto basso perchè viaggiano in classe turistica e perchè la comitiva è organizzata senza il tramite di alcuna ditta commerciale.

— Che splendida occasione! E dove andranno l'estate ventura?                                                                          5

— La prima fermata sarà a Gibilterra, pɔi andranno ad Algeri . . .

— Dunque andranno per la via del Mediterraneo?

— Sicuro! Su d'uno di quei magnifici piroscafi italiani, rapidi, moderni, con una cucina deliziosa, sul mare più 10 azzurro, lontano dalle nebbie del nɔrd.

— Continua. E pɔi dove andranno?

— Sbarcheranno° a Napoli, dove resteranno qualche giorno. Visiteranno le rovine di Pompei,° Amalfi, Sorrento, l'incantevole isola di Capri con la Grɔtta Azzurra . . .      15

— Tu parli di questo viaggio con un entusiasmo straordinario: parti anche tu?

— Volesse il Cielo! Da Napoli pɔi andranno a Roma, a Firenze, a Milano, e, passandɔ per i meravigliosi laghi di Cɔmo e di Lugano, raggiungeranno la Svizzera.            20

— Non andranno a Venezia?

— Sì, al ritorno. È assurdo immaginare un viaggio in Eurɔpa senza una sɔsta alla Città delle Lagune.

— Va' avanti!

— Dunque visiteranno la Svizzera, pɔi andranno a 25 Parigi, dove resteranno diversi giorni, e a Londra, dove faranno un'escursione a Stratford-on-Avon, luɔgo di nascita di Shakespeare.° Dall'Inghilterra passeranno all'Olanda, pɔi visiteranno la Germania e l'Austria, ripasseranno le Alpi e raggiungeranno Venezia. L'im- 30 barco per il viaggio di ritorno avrà luɔgo al pɔrto di Trieste.

— Un giro ideale! Andiamo anche noi?

— Perchè nɔ? Se tu fornisci i sɔldi . . .

## 11. LA LETTERA DA NAPOLI

Ida Rogers ha ricevuto la risposta alla lettera da lei mandata all'ignota amica di Napoli. Eccola:

Napoli, 15 novembre 19..

« Gentilissima Miss Rogers,

5 « Grazie della sua lettera e dell'invito che mi fa di corrispondere con Lei. Accetto con entusiasmo, sicura di fare una cosa utile e dilettevole al tempo stesso. E per questa volta scrivo in italiano. Mi scuserà, non è vero ? ° Ma conosco così poco la lingua inglese che temo di far troppi
10 errori e forse di non essere neppur capita.

« Ho letto con vivo interesse quello che mi ha scritto della scuola che frequenta e degli studi che segue. A Lei pare rigido il programma che ha ? E che dirà del mio ?

« Ecco i corsi che devo seguire quale studentessa della
15 prima classe di liceo°: italiano, latino, inglese, storia antica, filosofia, chimica, matematica e storia dell'arte. Come vede, son otto materie, una più difficile dell'altra, specialmente la matematica, che non è di gusto mio. Preferisco gli studi linguistici.

20 « Tra le classi, che occupano ventisei ore della settimana (noi andiamo a scuola anche il sabato), e le lunghe ore di studio a casa, c'è poco tempo per i divertimenti, eccetto la domenica e i sospirati giorni di vacanza.

« Vedo dalla sua descrizione che la scuola da Lei fre-
25 quentata dev'esser bella, tra quegli alberi, e moderna. La mia, invece, è antica ed è situata nel centro della città.

« Prima di chiudere questa lettera, permette una domanda ? Perchè ha scritto che le studentesse di primo anno sono chiamate *freshmen ?* In inglese la parola per
30 « donna » è *woman*, plurale *women*, e a me pare che tanto Lei che io siamo *freshwomen:* ho torto ?

« Cordiali saluti ° dalla sua amica

« VANNA DEL GIUDICE »

## 12. DUE ALTRE METROPOLI

Mentre in altri paesi che hanno goduto per secoli unità
politica tutto sembra accentrato nelle loro capitali, in
Italia, a causa di differenti vicende storiche, numerosi sono
i centri di prima importanza per il loro contributo alla

*Photo Alinari*

PIAZZA E TEATRO DELLA SCALA, MILANO
A destra, monumento a Leonardo da Vinci

civiltà mondiale e per splendore e bellezza. Ecco perchè 5
un viaggio in Italia presenta maggiore varietà e quindi
maggiore interesse.

Dopo Roma, le più grandi città italiane sono Milano,
situata nella fertile pianura lombarda, e Napoli, sul suo
incantevole golfo. Esse hanno quasi la stessa popolazione, 10
di circa un milione d'abitanti.

Milano occupa il primo posto in Italia per il commercio

e l'industria, è uno dei più importanti mercati del mondo
per i tessuti, specialmente per quelli di seta, ed è un centro
culturale e artistico di prim'ordine.   Il suo Duomo ° è
il più famoso monumento gotico dell'arte italiana, una
5 meraviglia in marmo bianco che, per le sue grandiose
proporzioni, le sue cento trentacinque guglie e le sue duemila trecento statue, offre un aspetto quasi fantastico.
Altre belle chiese abbondano, e in quella di Santa Maria
delle Grazie ° c'è il grande affresco di Leonardo da Vinci,°
10 « L'Ultima Cena ».   Milano vanta anche il famoso Teatro
della Scala, d'insuperata gloria nel campo dell'opera.

Bellezze naturali, storia, arte, poesia, hanno una parte
così grande nell'incanto di Napoli e del suo golfo, che il
viaggiatore è attirato alla metropoli del sud da una forza
15 irresistibile.   Col suo Museo, che contiene la più vasta e
più importante collezione d'arte greco-romana, e dove
sono conservati tutti gli oggetti scavati a Ercolano e a
Pompei, col suo superbo Castello Angioino,° col Teatro
di San Carlo, col Belvedere di San Martino, ma special-
20 mente con le sue passeggiate lungo il mare in vista delle
azzurre isole e del fumante Vesuvio, la Città delle Sirene °
offre incanti così rari che il detto popolare « Vedi Napoli
e poi muori » non sembra un'esagerazione.

## 13. NELLA BIBLIOTECA

— Ed ecco la nostra biblioteca ! — esclamò Roberto,
25 non senza un certo orgoglio.   E indicò al suo giovane fratello Luigi il bianco edifizio di stile coloniale che risaltava
in mezzo al verde degli alberi e dei prati sulla sommità
della collina.

Quest'era la prima visita che Roberto riceveva da suo
30 fratello dacchè aveva cominciato gli studi in quell'istituto,

PANORAMA DI NAPOLI DALLA TOMBA DI VIRGILIO
Castello dell' Ovo e Vesuvio in fondo

Photo Alinari

ed era per lui un vero piacere guidare Luigi da un edifizio all'altro spiegando ogni cosa.

Pochi minuti dopo essi entrarono nella biblioteca.

Nella grande sala di lettura al pian terreno, seduti
5 attorno a numerose tavole, molti studenti e studentesse studiavano. Regnava un assoluto silenzio, e i due giovani scambiarono poche parole a bassa voce.

— Qui a sinistra è il catalogo, — disse Roberto, — e là in fondo è l'uffizio del bibliotecario. Quelle signorine
10 dietro a quel banco ricevono le schede che gli studenti presentano quando hanno bisogno d'un libro, e i libri che sono restituiti.

— Ma dove son conservati i libri?

— Al piano superiore.

15 — E quell'altra sala laggiù ?

— È la sala dei periodici. Andiamo a dare uno sguardo.

Anche colà c'erano diversi lettori. Alcuni leggevano articoli d'enciclopedie e prendevano appunti sui loro quaderni, altri avevano nelle mani delle riviste.

20 — C'è qualche cosa d'italiano ? — domandò Luigi.

— Sì, su questo scaffale.

E Roberto mostrò a suo fratello alcune riviste. C'era La Nuova Antologia, la Rassegna Italiana, La Critica, L'Illustrazione Italiana . . .

25 — Questa è la rivista che ha più lettori, — mormorò Roberto con un sorriso, — perchè non occorre saper molto italiano per capire le parole sotto le illustrazioni. Ma dimenticavo la cosa più interessante. Vieni qua ! Vedi questa serie di grandi volumi così elegantemente rilegati ?
30 È la nuova Enciclopedia Italiana, un'opera monumentale . . .

Ma a questo punto la visita alla biblioteca fu interrotta da un improvviso suono di banda che veniva dal di fuori, e i due fratelli uscirono in fretta per vedere quel che
35 accadeva.

PONTE VECCHIO, FIRENZE

Al piano superiore v' è un passaggio che unisce la Galleria degli Uffizi a Palazzo Pitti

Il Canal Grande e la Chiesa della Salute, Venezia
A sinistra, il Palazzo Cavalli

Photo Alinari

## 14. ALTRE FAMOSE CITTÀ ITALIANE

Una delle principali e più belle città d'Italia è Firenze, dove la lingua italiana ebbe il suo primo sviluppo e dove anche oggi essa è parlata con maggiore purezza. Da Firenze cominciò quel grandioso movimento, origine d'ogni moderno progresso, che va sotto il nome di Rinascimento, 5 e per alcuni secoli in essa brillò una luce di civiltà comparabile solo a quella dell'Atene di Pericle.° In letteratura, nelle scienze e nelle arti, nessuna città al mondo può vantare un numero così imponente di geni immortali, a cominciare da Dante.° 10

Situata tra verdi colline, sulle sponde dell'Arno, la Città dei Fiori abbonda di chiese monumentali, maestosi palazzi, ricchissimi musei e biblioteche. Basta ricordare il suo bel Duomo, il Battistero, il Campanile di Giotto,° le chiese di Santa Croce,° di Santa Maria Novella e di San Lorenzo, 15 la Galleria degli Uffizi, quella di Palazzo Pitti, la Loggia dei Lanzi, e quel gioiello d'arte medioevale, Palazzo Vecchio.

Sogno di tutti quelli che in Italia cercano sentimento e poesia è Venezia, l'antica Regina del Mare,° coi mi- 20 steriosi suoi canali e le sue gondole. E che tesori d'arte anche colà! Il Palazzo dei Dogi,° la vicina cattedrale di San Marco, capolavoro di stile bizantino sulla magnifica piazza dello stesso nome, il famoso Campanile, i palazzi di marmo che adornano il Canal Grande, il Ponte di 25 Rialto e quello dei Sospiri...

Torino, sulle sponde del Po, con le sue ampie piazze e le sue belle vie diritte, col verde degli alberi e dei prati, ha un aspetto molto moderno e differente da quello delle altre città d'Italia. Essa fu la culla dell'indipendenza della 30 Patria, e ora è il centro maggiore dell'industria automobilistica italiana.

Genova, principale porto del Mediterraneo, è ricca di superbi edifizi, e vanta una storia gloriosa sui mari e la grande attività dei traffici moderni. Tutti sanno ch'essa è la città nativa di Cristoforo Colombo.

Incantevole per la bellezza del suo golfo e del suo cielo, 5 e una delle più popolose città d'Italia, è Palermo, la metropoli siciliana.

Bologna ha la più antica università del mondo,° ma altre università egualmente famose son quelle di Padova, Pavia e Pisa, e quelle di alcune tra le grandi città già 10 nominate.

Care a ogni cuore italiano perchè recentemente liberate dallo straniero,° son le città di Trieste, Fiume, Trento e Bolzano. Le prime due hanno i migliori porti dell'Adriatico; Trento e Bolzano son situate tra le Alpi, a nord di 15 Venezia.

# FACEZIE E STORIELLE

PIAZZA DI S. MARCO, VENEZIA
La famosa Cattedrale e il Campanile visti attraverso un arco

## 15. NON LO DOVEVA FARE *

Venendo dal villaggio sul suo calesse, il dottor Cantoni incontra sulla strada Maso, contadino.° Ferma allora il cavallo, e lo chiama.

— Oh! Maso!

— Signor dottore . . . ° Buon giorno, signor dottore!     5

— Vieni dal mulino, Maso?

— Signorsì.°

— Il mugnaio come sta? Ha preso la medicina che ordinai?

— Signorsì.     10

— Gli ha fatto bene?

— Dopo i primi sorsi cominciò a sudare . . .

— Era cosa certa.

— . . . poi a battere i denti . . .

— Lo doveva fare.°     15

— Tutt'a un tratto s'addormentò . . .

— Lo doveva fare.

— Poi gli venne un singhiozzo . . . un singhiozzo, signor dottore . . .

— Lo doveva fare . . .     20

— Poi morì!

— Oh! . . . Questo non lo doveva fare.°


## 16. COME MI PIACE . . . †

Un vecchio mendico s'avvicina a una donna seduta sulla soglia della sua casupola.

— Buona donna, un po' di carità!     25

* After Garibaldo Cepparelli, Tuscan folklorist of last century.
† After Garibaldo Cepparelli.

31

— Non hɔ nulla da darvi, galantuɔmo.

— Un boccone di pane.

— Andate alla villa lassù. Forse vi daranno qualche cɔsa . . .

5 E *i*ndica al vecchio l'elegante residenza d'uno dei ricchi signori del paese, sulla vicina collina.

Il mendico saluta e va via lentamente in quella direzione. Arriva; bussa. Viene ad aprire il cancello una servetta con un grembiulino bianco.

10 — Un boccone di pane a questo pɔver'uɔmo . . .

— Ne ° son venuti una diecina da stamani !

— Bah ! Io hɔ fame lo stesso !

— Il padrone è a desinare : « se è un pɔvero, » m'ha detto, « digli ° d'andare in pace. »

15 — Se non mi vuɔl dar ° nulla, vɔglio andare come mi piace !

## 17. LA RICOTTA *

Matilde, una giovane campagnɔla, ha avuto in dono dalla sua vecchia zia un piatto di ricɔtta. Tutta contenta, s'avvia verso la città portando il piatto sotto il braccio°; 20 invece di mangiar la ricɔtta, la vuɔl vendere.

Mentre cammina, pensa : « Ora vado ° in città. Venderɔ la ricɔtta per una lira, e con questa lira comprerɔ due uɔva.° Pɔi metterɔ queste uɔva sotto una chiɔccia e nasceranno due pulcini. Questi pulcini cresceranno e di-25 venteranno due bei polli; quando i polli saranno belli e grandi, li venderɔ e comprerɔ un'agnellina. Pɔi l'agnellina figlierà e farà due agnellini; quando questi saranno cre-sciuti, li venderɔ e acquisterɔ una vitellina. La vitellina crescerà a sua vɔlta, la venderɔ e comprerɔ due vitelli. 30 Pɔi i vitelli diventeranno grandi, li venderɔ e mi farɔ una

* After Giuseppe Pitrè, Sicilian folklorist of the last century.

bella casina; in questa casina ci sarà un bel terrazzino dove starò a sedere, e la gente che passerà dirà: — Buon giorno, signora Matilde . . . » °

Mentre dice così, fa una riverenza, e la ricotta schizza in mezzo alla strada.                                                                                     5

## 18. BENEFICENZA E RICONOSCENZA *

Un giorno Dio volle dare una festa nel suo palazzo azzurro.

Tutte le Virtù furono invitate, le sole Virtù. Molte di esse andarono, grandi e piccole. Le Virtù piccoline erano più graziose e più amabili delle altre,° ma tutte erano con- 10 tentissime, e conversavano allegramente fra loro come fra intime e parenti.

Ora, ecco che Dio notò due belle signore che avevano tutta l'aria di non conoscersi.° Prese una di loro per la mano, e la condusse verso l'altra.                                            15

— La Beneficenza,° — disse, additando la prima.

— La Riconoscenza, — rispose la seconda.

Le due Virtù restarono stupite. Da che mondo è mondo, era la prima volta che s'incontravano.

## 19. IL FILOSOFO DIOGENE †

Ci fu un filosofo molto saggio, il quale aveva nome Dio- 20 gene.°

Questo filosofo un giorno aveva fatto un bagno in un

* After Alfredo Panzini, one of the outstanding contemporary novelists of Italy, born in Senigallia in 1863. His best novel is perhaps *Il Padrone sono me*, a realistic picture of life in Italy during and immediately following the World War.

† Adapted from *Il Novellino*, the best known and most important collection of stories written before Boccaccio's *Decameron*. It is by an anonymous writer of the 13th century.

ruscello, e s'era seduto al sole ad asciugarsi ° sopra una pietra vicina.

Alessandro, re di Macedonia,° che in quel momento passava con numeroso seguito, vide questo filosofo, si
5 fermò e disse:

— Pover'uomo, che non hai nemmeno con che asciugarti, di' che vuoi, e tutto ti sarà dato.

E Diogene rispose:

— Ti prego di levarti dal sole.

## 20. IL GIUDICE NELL'IMBARAZZO *

10  Un mio amico ° raccontava una scena curiosa alla quale era stato presente in casa di un giudice di pace in Milano, molti anni fa. Lo aveva trovato tra due litiganti, uno dei quali perorava caldamente la sua causa; e quando costui ebbe finito, il giudice gli disse:
15  — Avete ragione.

— Ma, signor giudice, — disse subito l'altro, — Lei deve sentire anche me, prima di decidere.

— È troppo giusto, — rispose il giudice: — dite anche voi; v'ascolterò attentamente.
20  Allora quell'uomo cominciò con tanto più impegno a difendere la sua causa, e con tale successo che il giudice gli disse:

— Avete ragione anche voi.°

C'era là vicino un suo bambino ° di sette o otto anni, il
25 quale, giocando pian piano con un suo balocco, non aveva

* After Alessandro Manzoni (1785–1873), born in Milan, the greatest prose writer and one of the finest poets of Italy in the last century. His *I Promessi Sposi*, one of the best novels ever written, and the most important in Italian literature, contributed more than anything else to his fame.

perduto una parola della discussione, e a quel punto, alzando un visino stupefatto, con una cert'aria d'autorità esclamò:

*Photo Alinari*

ALESSANDRO MANZONI
(Hayes)
Galleria Brera, Milano

— Ma babbo! Non può essere! Non possono aver ragione tutti e due!

—— Hai ragione anche tu, — gli disse il giudice.

5

## 21. IL GALLETTO E LA VOLPE *

Una volta un galletto beccava dell'uva.   Arrivò la
volpe e disse: « Beccala a occhi chiusi, sentirai com'è
buona! »

Il galletto seguì il consiglio, ma aveva appena chiusi gli
5 occhi,° che la volpe lo prese in una boccata e scappò via
col galletto in bocca.

Dopo una lunga corsa, arrivò a un bosco di castagni.
Allora il galletto disse alla volpe: « Di' un po': che belle
castagne! »   E la volpe disse: « Che belle castagne! »
10 Il galletto: « Ma di' forte: che belle castagne! »   E la
volpe disse forte: « Che belle castagne! »   Dicendo così
però aprì la bocca tanto che il galletto approfittò dell'opportunità e volò via.

Disse la volpe: « Maledetto galletto che m'hai fatto
15 parlar senza bisogno! »   Disse il galletto: « E te ° che
m'hai fatto dormire senza sonno! »

## 22. IN PELLICCERIA †

Raccontano che la volpe una volta fece una nidiata di
volpacchiotti.   Li allevò tutti per bene, li ammaestrò in
tutte le malizie, e insegnò loro tutti i mezzi per rubare con
20 meno pericolo.°   Quando furono cresciuti e capaci di
provvedere ai loro bisogni, li menò a un crocicchio, e
disse: « Figlioli, queste son le vie; andate dove volete;
io resto qui; ma se non ci troviamo più, ci rivedremo in
pelliccería. »

---

* After Idelfonso Nieri, Tuscan folklorist of the last century,
noted for his collections of folk tales and folk songs from the province of Lucca.
† After Idelfonso Nieri.

## 23. DANTE E LE DONNE DI VERONA *

Un giorno, a Verona, Dante° passò davanti a una porta, dove alcune donne sedevano. E una di queste, a bassa voce, ma non tanto da non essere udita dal Poeta, disse alle altre:

— Vedete colui che va all'inferno, e ritorna quando gli 5 piace, e porta a noi quassù notizie di coloro che son dannati?

— Certamente tu devi dire il vero, — rispose un'altra: — non vedi come ha la barba crespa e il colore bruno per il caldo e per il fumo che son laggiù? 10

Dante, che aveva udito ogni cosa, e aveva capito che queste parole venivano da sincera credenza delle donne, continuò per la sua via con un lieve sorriso, contento di conoscere l'opinione ch'esse avevano di lui.

## 24. DANTE E IL BUFFONE †

Dante dimorò alquanto tempo alla corte di Can Grande 15 della Scala,° principe di Verona.

In quella corte c'era un altro fiorentino, un buffone ignobile, ignorante, impudente e buono solamente a far ridere la gente, ma le cui ° facezie erano riccamente ricompensate dal principe. 20

Quest'uomo una volta disse a Dante:

* After Giovanni Boccaccio (1313–1375), one of the greatest Italian writers, often called " the Father of Italian prose." The most important of his works is *Il Decameron*, a collection of one hundred stories widely imitated in all literatures. He wrote also, besides a large number of works in Latin and Italian, a biography of Dante and a commentary on the *Divina Commedia*.

† After Poggio Bracciolini (1380–1459), one of the outstanding humanists of the Renaissance, author, among other things, of a collection of *Facetiae*, from which this little anecdote is taken.

— Che signífica che tu, che sɛi poɛta e savio, sɛi povero,
e io, che son pazzo e ignorante, sono assai più ricco di te ?

— Quando, — rispose Dante, — io troverò un signore
simile ai miɛi costumi, come l'hai trovato tu simile ai tuoi,
5 allora sarò anch'io ricco come te, e più di te.


## 25.  IL NOVELLATORE ASSONNATO *

Messɛr Ezzelino da Romano ° aveva alla sua corte un
novellatore che lo divertiva raccontando delle storie
durante le lunghe notti d'inverno.

Una notte il novellatore aveva grande voglia di dormire,
10 ed Ezzelino gli ordinò di raccontare.  Allora egli cominciò
a dire:

— C'ɛra un villano che aveva cɛnto bisanti.°  Andò
a un mercato per comprare delle pɛcore, e ne acquistò
duecɛnto, al prezzo di mɛzzo bisante l'una.  Tornava con
15 le pɛcore, quando arrivò a un fiume che ɛra in piɛna per le
recɛnti piogge.  Che fare ?  Per sua fortuna, fu avvicinato
poco dopo da un pescatore che gli offrì, per una liɛve ri-
compɛnsa, la sua barca.  Ma questa ɛra così piccola che
poteva contenere soltanto il villano e una delle pɛcore.
20 Con una sola pɛcora, dunque, il villano s'imbarcò e cominciò a remare . . .

A questo punto il novellatore cessò di raccontare, e non
diceva più nulla.

Messɛr Ezzelino disse:

25 — Ebbɛne ? . . . Continua !

E il novellatore rispose:

— Messɛre, lasciate passar le pɛcore; poi conteremo il
fatto.

* Adapted from *Il Novellino.*

## 26. CRISTO E L'ORO *

Un giorno Cristo andava coi suoi discepoli per un luogo
selvaggio, quando vide un mucchio di monete d'oro fino
che risplendevano per terra. Anche i discepoli le videro, e
si meravigliarono perchè Cristo non s'era fermato a raccoglierle. E lo chiamarono, e dissero:　　　　　　　　　5

— Signore, prendiamo quell'oro che ci sarà utile in molti
nostri bisogni.

Ma Cristo li rimproverò, e disse:

— Voi volete quelle cose che rubano la maggior parte
delle anime al nostro regno ! Al ritorno vedrete la prova 10
di quello che dico !

E passarono oltre.

Poco dopo, due cari compagni trovarono quell'oro, e,
molto lieti, di buon accordo, uno andò al villaggio più
vicino per menare un mulo, e l'altro restò a guardia dell'oro. 15

Quando quello col mulo ritornò, disse al compagno:

— Io ho mangiato al villaggio, e tu devi aver fame:
mangia questi due pani che ho portati, e poi caricheremo.°

L'altro rispose:　　　　　　　　　　　　　　　　20

— Io non ho voglia di mangiare ora; carichiamo prima.

Allora cominciarono a caricare. Ma quando il lavoro fu
finito e quello che era andato per il mulo si chinò per legare
la soma, l'altro corse dietro a lui a tradimento, e con un
appuntato coltello lo uccise. Poi prese uno di quei pani, 25
lo diede al mulo, e mangiò l'altro lui stesso; ma il pane era
avvelenato, ed egli e il mulo caddero morti prima di poter
fare un passo da quel luogo.

L'oro restò senza possessore, com'era prima.

Nostro Signore ° ripassò per quel cammino coi suoi 30
discepoli, e mostrò l'esempio che aveva predetto.

* Adapted from *Il Novellino.*

## 27. UN GIUDIZIO SALOMONICO *

Un uomo di Bari,° che desiderava d'andare a Roma in pellegrinaggio, andò a visitare un suo amico, gli affidò trecento bisanti, e gli disse:

— Domattina io partirò con la buona grazia di Dio;
5 se non ritornerò, darai questa somma ai poveri per la salvezza dell'anima mia; se ritornerò, mi restituirai quello che tu vorrai.

La mattina seguente il pellegrino partì.

Ritornò alcuni mesi dopo, e domandò la restituzione del
10 suo danaro. Ma l'amico rispose:

— Ricordi il nostro patto? Come diceva?

E il pellegrino, che aveva buona memoria, lo ripetè parola per parola.

— Benissimo! — disse l'amico. — Prendi questi dieci
15 bisanti: è tutto quello che ti voglio dare. Gli altri duecento novanta li voglio tenere per me.

Il pellegrino cominciò a perdere la pazienza, ed esclamò irritato:

— Che fede è questa? Tu approfitti disonestamente
20 della mia bontà, e mi rubi del mio!

Ma l'amico restò impassibile.

— Io non ti faccio torto, — disse, — e se credi d'essere ingannato, ricorri alla giustizia.

Naturalmente la cosa andò a finire davanti al giudice, il
25 quale, udite le parti,° pronunziò questa sentenza, parlando a colui che teneva il danaro:

—Restituisci i duecento novanta bisanti al pellegrino, e il pellegrino ti ridarà i dieci che tu gli hai consegnati. Il patto era che tu dovevi dare a lui quello che volevi. Vo-
30 levi duecento novanta bisanti?... Daglieli. Gli altri dieci non li volevi?... Prendili.

* Adapted from *Il Novellino*.

Via Appia con in fondo l'Arco di Druso, Roma
Il carro che si vede è típico della campagna romana

## 28. I TRE ANELLI *

Il Saladino,° che aveva bisogno di danaro per la sua fastosa corte, pensò un giorno di trovare un pretesto per incolpare un ricco ebreo che viveva nella sua città, e ciò con lo scopo segreto d'appropriarsi poi delle immense 5 ricchezze di lui.

L'ebreo fu chiamato alla sua presenza, e il Saladino gli domandò di dichiarare la propria opinione circa la migliore religione.

Egli pensava tra sè: « se dirà l'ebrea, io dirò che egli 10 pecca contro la mia; e se dirà la maomettana, io dirò: allora, perchè segui la tua ? »

L'ebreo, udendo la domanda del Saladino, rispose:

— Signore, ci fu un padre che aveva tre figliuoli, e aveva un anello con una pietra preziosa, la migliore del mondo.° 15 Ciascuno dei figli pregava il padre di lasciare a lui ° quest'anello, alla sua morte. Allora il padre, vedendo che ciascuno lo voleva, mandò a chiamare un abile artefice, e gli disse: « Maestro, fammi due anelli precisamente come questo, e metti in ciascuno d'essi una pietra falsa 20 somigliante a questa. » Il maestro copiò gli anelli con tanta precisione che nessuno, eccetto il padre, poteva conoscere quale era il vero. E il padre allora mandò a chiamare i figliuoli a uno a uno, e a ciascuno diede il suo anello in segreto. Ciascuno credeva d'avere quello pre- 25 zioso, e nessuno sapeva la verità. E così dico che è delle religioni. Anch'esse sono tre, e il Padre che sta nel Cielo è il solo che sa quale è la migliore. Ciascuno di noi, suoi figliuoli, crede d'aver la buona.

Il Saladino, udita questa saggia risposta, restò così 30 sorpreso che non seppe che dire o che fare, e mandò libero l'ebreo.

* Adapted from *Il Novellino*.

## 29. IL MONACO AL MERCATO *

Un gentiluomo aveva rinunziato a molte ricchezze per andare al servizio di Dio in un monastero. Un giorno l'abate, che sapeva ch'egli era stato molto esperto nelle cose del mondo e di coscienza poco scrupolosa, volle provare la sua onestà. Lo mandò dunque a un mercato in 5 compagnia d'un converso per vendere certi asini del monastero, ch'erano vecchi, e per comprarne dei giovani.

Il monaco non si rifiutò perchè era ubbidiente, ma andò mal volentieri.                                              10

Mentr'era al mercato, la gente gli domandava: « Sono buoni questi tuoi asini ? » Ed egli rispondeva: « Sapete bene che il nostro monastero non è povero. Se li vende, è segno che non son buoni. » E, udendo ciò, domandavano ancora: « Perchè hanno la coda ° così spelata ? » E il 15 monaco diceva: « Perchè son vecchi, e cadono spesso sotto i pesi; allora bisogna pigliarli per la coda per farli alzare: perciò l'hanno così spelata. »

In tal modo il monaco, non potendo vendere gli asini, ritornò al monastero con essi; ma il converso, che era 20 andato al mercato con lui, disse all'abate ciò ch'egli aveva fatto e detto. L'abate allora mandò a chiamare il monaco e finse di rimproverarlo.

Rispose il monaco:

— Non son venuto qui per ingannare gli altri con le 25 bugie; ho lasciato anzi tutte le mie ricchezze per uscire dalle bugie del mondo, e non è adesso che voglio cominciare . . .

Ma l'abate l'interruppe ridendo.

— Figlio mio, — disse, — non sapete come son contento 30 di vedere da che nobili sentimenti è guidato il vostro cuore.

* Adapted from *Fiore di Virtù*, an anonymous work of the 13th century.

Ho voluto assicurarmi della vostra onestà mettendola a
prova, e vedo che davvero, abbandonando il mondo, avete
abbandonato le sue bugie.

## 30.  GIANNI SCHICCHI *

Buoso Donati, soffrendo d'una grave malattia ed essendo
5 d'avanzata età, desiderava di far testamento.   Invece di
contentarlo però, suo figlio Simone tanto rimandò la cosa,
per suoi interessi, che il vecchio morì.

Temendo l'esistenza d'un testamento che il padre poteva
aver fatto mentr'era in buona salute, — e i vicini dice-
10 vano che c'era un testamento, — Simone non disse nulla
dell'avvenuta morte, e non sapeva che fare.   Confidò il suo
segreto a Gianni Schicchi,° e domandò il suo consiglio.

Questo Gianni Schicchi era un uomo che sapeva imitare
la voce e i gesti d'ognuno, e specialmente quelli di Messer °
15 Buoso, col quale aveva avuto molta familiarità.   Egli
disse a Simone:

— Chiama un notaio e di' che tuo padre vuol far testamento.   Io entrerò nel suo letto con la sua papalina in
capo, e farò testamento come tu desideri.   Naturalmente,
20 guadagnerò qualche cosetta anch'io.

Il consiglio fu accettato.   Gianni entrò nel letto al posto
del morto e, poco dopo, imitando la voce di Messer Buoso
così bene che pareva proprio lui, cominciò a testare:

— Lascio venti lire alla chiesa di Santa Riparata,° e
25 cinque lire ai Frati Minori,° e altre cinque ai Predicatori . . . °

E continuò così a distribuire del danaro per opere di
carità, ma somme piccolissime.   Simone era contento.

* After the so-called Anonimo Fiorentino, an anonymous com-
mentator of Dante in the 14th century.

— E lascio, — continuò a dire, — cinquecento fiorini
d'oro ° a Gianni Schicchi . . .

Qui Simone interruppe:

— Non c'è bisogno di mettere questo nel testamento;
darò io stesso a Gianni quello che voi gli lascerete.  5

*Photo Alinari*

PIAZZA DELLA SIGNORIA, FIRENZE
Palazzo Vecchio e Loggia dei Lanzi

— Simone, lascia fare a tuo padre che ha giudizio ! Ti
lascio così bene che devi esser contento.

Simone dovette star zitto per paura; e il finto padre
continuò:

— E lascio a Gianni Schicchi il mio cavallo . . .  10

Messer Buoso aveva il miglior cavallo di Toscana.

— Oh ! — esclamò Simone, — Gianni si cura poco di
codesto cavallo; son certo che non lo vuole.

— Io so meglio ° di te quello che Gianni vuole !

Simone cominciava ad adirarsi, ma per paura non osava dir altro. Gianni Schicchi continuò:

— E lascio a Gianni Schicchi cento fiorini che devo avere dal tal vicino. Per il resto nomino erede universale 5 mio figlio Simone.

Poi dettò una clausola che diceva che il testamento doveva essere eseguito dentro quindici giorni, altrimenti tutto andava ai Frati Minori del convento di Santa Croce.°

Il testamento era finito, e ognuno andò via. Gianni 10 uscì dal letto, il morto Messer Buoso fu rimesso a posto, e i due compagnoni cominciarono a piangere e a gridare, dicendo che il vecchio era morto.

## 31. IL MONACO E IL NOVIZIO *

Chi vive a questo mondo, anche se fa tutto il bene possibile e cerca d'agir sempre onestamente, non può 15 evitare la maldicenza della gente.

Un santo padre uscì dal suo convento su d'un asinello, in compagnia d'un giovane novizio che lo seguiva a piedi. Andavano a dir messa a una piccola chiesa alquanto distante, in fondo al paese. A causa d'una pioggia recente, le 20 vie erano fangose.

Non avevano fatto molto cammino, quando qualcuno li osservò e disse:

— Guarda, guarda quel monaco come tratta quel povero ragazzo! Lo fa andare a piedi mentr'egli cavalca como- 25 damente sull'asino!

Appena il monaco udì questo, discese dalla sella e vi fece montare il novizio; ma, andando poco più lontano,

---

* After San Bernardino da Siena (1380–1444), learned and saintly friar of the Franciscan Order whose sermons, containing charmingly told little stories, were taken down almost word for word by an obscure writer.

incontrarono una donna che, con voce piena di pietà,
disse alle sue vicine:

— Che strano mondo ! Quel povero vecchio cammina
nel fango, e lascia andar sull'asino quel poltrone di ragazzo,
che certo ha gambe buone !                                    5

Il monaco udì queste parole, e allora montò anche lui
sull'asino. Non passò molto però che dei mormorii arrivarono fino a loro, e qualcuno diceva:

— Povera bestia ! Avete mai veduto una crudeltà simile ? Con quei fannulloni addosso, quell'asinello può  10
a mala pena andare avanti !

Questa volta il monaco ebbe un'altra idea.

— Pazienza ! — disse, e subito discese dall'asino invi-
tando il ragazzo a fare lo stesso.

Preceduti dall'animale, camminavano ora tutti e due  15
per la via, quando, tra le risate generali, un giovanotto
disse ad alta voce:

— Che imbecilli ! Hanno un asino e non ne fanno
uso. Preferiscono andare a piedi in questo fango !


## 32. UNA PREDICA TROPPO BELLA *

Vi fu nel nostro Ordine ° un frate molto famoso per le  20
sue prediche: parlava in modo così dotto ch'era una meraviglia.

Questo frate aveva un fratello ch'era il contrario di lui,
stupido e ignorante, ma che tuttavia non mancava mai
d'andare alle prediche ch'egli faceva.                       25

Avvenne che quest'ultimo, dopo aver udito, una volta
fra le altre, la predica del suo dotto fratello, s'avvicinò a
un cerchio d'amici, e con un'aria d'importanza cominciò:

— Dite, siete stati alla predica che mio fratello ha fatta
stamani ? Come ha parlato bene !                             30

* After San Bernardino da Siena.

— E che ha detto ? — domandò uno di quelli, mentre gli altri mostravano grand'interesse.

— Che ha detto ? ... Le più nobili cose, e con che eloquenza !

5    — Ma di' che ha detto.

— Ha detto le più nobili cose del cielo e della terra. Perchè non siete venuti ad ascoltare ? Ha fatto la più bella predica della sua vita !

— Ma insomma, — esclamò un altro, — possiamo sapere 10 che cosa ha detto ?

E quel semplicione rispose:

— Ha parlato di cose così alte, di cose così nobili, come non ne ho udite mai in vita mia ! Ha parlato in modo così sublime che non ho capito nulla ! °

## 33.  UNA SPIRITOSA VENDETTA *

15   I Frati Minori fanno, in certi tempi dell'anno, alcune penitenze durante le quali essi non mangiano carne nei loro monasteri; tuttavia, quando si trovano in viaggio, poichè vivono d'elemosine, hanno dal loro Ordine il permesso speciale di mangiare qualunque cibo è posto da- 20 vanti a loro.

Ora avvenne che due di questi frati, essendo in viaggio, arrivarono a un'osteria di campagna insieme con un mercantuccio.°

I tre sedettero a una stessa tavola, alla quale non fu 25 portato, per la povertà dell'osteria, che un piccolo pollo

* After Leonardo da Vinci (1452–1519).  History tells of no other man whose genius revealed itself to such a high degree in so many different fields.  Equally versed in arts and sciences, he was painter, sculptor, architect, musician, brilliant writer, mathematician, engineer, mechanician, anatomist, and natural philosopher, — a great master in each of his activities.  To him we owe the first idea of a submarine and the first studies on aërial navigation.

AUTORITRATTO DI LEONARDO DA VINCI
Galleria degli Uffizi, Firenze

bollito. Allora il mercantuccio, vedendo che questo ba-
stava appena per lui solo, si volse ai due frati e disse
loro:

— Se ben ricordo, voi monaci non mangiate carne di
5 nessuna specie nei vostri conventi, in questi giorni di
penitenza.

A queste parole, i frati dovettero ammettere, per la
regola di San Francesco, che era vero. E il mercantuccio,
contento di poter appagare il suo desiderio, mangiò lui
10 solo tutto il pollo, mentre i frati dovettero contentarsi
d'un po' di pane e formaggio.

Dopo tale desinare, i tre partirono insieme, com'erano
venuti.

Camminarono per un buon tratto di strada, e arrivarono
15 a un fiume, non molto profondo ma considerevolmente
largo, che non aveva ponte.

Essendo tutti e tre a piedi, — i frati per povertà e l'altro per avarizia, — fu necessario passare il fiume a guado,
e uno dei frati offrì al mercantuccio di portarlo sulle spalle.
20 L'offerta fu volentieri accettata, e il frate si caricò addosso quell'uomo.

Tutto procedette abbastanza bene fino a un certo punto,
quando il frate, avendo raggiunto il mezzo del fiume, si
ricordò anche lui d'una delle regole del suo Ordine, e si
25 fermò.

Alzò la testa verso colui che portava sulle spalle, e
domandò:

— Buon uomo, avete voi per caso del danaro addosso?

— Lo sapete bene! — rispose quello, non senza una
30 certa importanza. — Come potete credere che noi mercanti ° viaggiamo senza danaro?

— Ahimè! — esclamò il frate allora: — La nostra
regola ci vieta in modo assoluto di portare danaro addosso!

35   E lo gettò nell'acqua.

## 34. BORIA SPAGNOLA E ARGUZIA FRANCESE *

Un francese, chiamato Pierre Nicol, viaggiando da Bologna a Firenze, arrivò a un'osteria a Bianovo,° dove trovò che l'oste aveva allora allora finito d'arrostire un'anitra giovane e grassa.

Quand'egli la vide, disse all'oste che aveva un grande 5 appetito, e che voleva per desinare tutta quell'anitra e una bottiglia di buon vino.

Sedette a una delle tavole e, appena ebbe l'anitra davanti, cominciò a tagliarla, mentre ancora fumava e mandava un odore delizioso. 10

Proprio in quel momento entrò nell'osteria un giovane signore spagnolo, il quale, come sentì l'odore dell'arrosto, diede un ingordo sguardo all'anitra, s'avvicinò alla tavola alla quale il francese sedeva e, facendo un profondo inchino, gli disse: 15

— *Señor*,° vi piace far posto a questa tavola a un vostro amico?

Pierre Nicol gli domandò chi era.

— Chi sono, *señor*? — disse lo spagnolo con orgoglio: — Il mio nome è Salvador Alcalà de Madariaga y 20 Espronceda!

— *Parbleu!* — esclamò allora il francese. — Un'anitra così piccola non può certo bastare a quattro così grandi baroni quali voi m'avete nominati, e tanto meno se sono spagnoli. Quest'anitra basta appena a un semplice Pierre 25 Nicol quale io sono... Per voi, grandi signori, l'oste dovrà apparecchiare vivande convenienti a così magnifica grandezza.°

---

* After Matteo Bandello (1485–1561), of Castelnuovo Scrivia (Piedmont), the most important short-story writer of the 16th century. In his 215 *Novelle* are splendidly portrayed the customs and events of his time.

## 35. NON MOLTO CORTESE *

Scipione ° ɛra andato a casa di Ɛnnio ° per parlar di alcuni affari. Arrivɔ, lo chiamɔ dalla via, e una sɛrva gli rispose ch'egli non ɛra in casa. Scipione perɔ udì chiaramente che Ɛnnio stesso aveva ordinato alla sɛrva di dire 5 così; e andɔ via.

Non molto tɛmpo dopo, andɔ Ɛnnio a casa di Scipione, e anche lui chiamɔ l'amico dalla via. Fu Scipione in persona che gli rispose, dicɛndo ad alta voce che non ɛra in casa.

— Come! — esclamɔ Ɛnnio: — Non conosco io la voce 10 tua?

— L'altro giorno, — rispose Scipione, — io credɛtti alla sɛrva tua quando m'avvertì che non ɛri in casa, e ora tu non vuɔi credere a me stesso? Non sɛi molto cortese!

## 36. UNA BURLA CRUDELE †

Tre amici che alloggiavano in un'osteria cominciarono, 15 dopo cena, a giocare a carte. Non passɔ molto tɛmpo che uno di loro, avɛndo perduto tutto il danaro che aveva, scoppiɔ in maledizioni e bestɛmmie, e così imprecando andɔ a dormire.

Gli altri due, dopo aver giocato ancora un pɔco, deli-20 berarono di fare una burla a quello ch'ɛra andato a lɛtto e, sentɛndo ch'egli già dormiva, spɛnsero i lumi e cominciarono a parlare ad alta voce fingɛndo di leticare a causa del loro giɔco. Lo strɛpito che fecero fu tanto che quello

---

* After Baldassarre Castiglione (1478–1529), born at Castiglione, near Mantua, one of the most elegant writers of the 16th century. His masterpiece is *Il Cortegiano*, dialogues in four books bearing on the ideal qualities of a perfect courtier.

† After Baldassarre Castiglione.

BALDASSARRE CASTIGLIONE
(Raffaello Sanzio)
Museo del Louvre, Parigi

che dormiva si destò e, sentendo che gli amici giocavano
e gridavano, aprì un poco un occhio,° vide che la camera
era in piena oscurità, e disse:

— Che diavolo ! Leticherete tutta la notte ? Dormite !
5   E si voltò sotto le coperte per riprender sonno.

Senza rispondere, i due continuarono a parlare ad alta
voce, in modo che quello ch'era a letto, destatosi completamente, cominciò a meravigliarsi vedendo che non
c'era luce e che tuttavia quelli giocavano e leticavano.
10 Disse:

— E come potete voi veder le carte senza luce ?

— Tu devi aver perduto la vista, — rispose uno dei
due, — come hai perduto il danaro: non vedi che abbiamo
due candele ?

15   Quello ch'era a letto si mise a sedere, e con voce adirata
esclamò:

— O sono ubriaco, o cieco, o voi dite bugie !

I due s'avvicinarono al letto ridendo e mostrando di
credere d'essere burlati, mentre quello continuava:
20   — Vi dico che non vi vedo !

Finalmente gli amici cominciarono a mostrar meraviglia,
e uno disse all'altro:

— Ohimè, deve dire il vero ! Porta qua quella candela
e vediamo che è.

25   Allora quel poveretto credette davvero d'aver perduto la
vista, e piangendo disse:

— Fratelli miei, io son cieco !

E subito cominciò a chiamare la Madonna di Loreto °
domandando perdono per le bestemmie e le maledizioni
30 dette prima d'andare a letto. I due compagni lo conforta-
vano e dicevano:

— Non è possibile ! È tutta una fantasia tua !

— Ohimè ! — replicava l'altro, — Questa non è fantasia ! Io non vi vedo affatto ... È tutto buio !

35   — Eppure la tua vista è chiara, — rispondevano i due, e

dicevano l'un l'altro: — Guarda com'egli apre bene gli
occhi ! Ti pare cieco ?

Il poveretto piangeva sempre più forte, e domandava
misericordia a Dio. In ultimo quei due dissero:

— Fa' voto d'andare alla Madonna di Loreto devota- 5
mente scalzo: è il miglior rimedio. Noi intanto andremo a
cercare un medico e provvederemo a tutto.

Allora quel meschino subito s'inginocchiò sul letto, e con
lacrime amare fece voto solenne d'andare a piedi nudi al
santuario della Madonna di Loreto, di non mangiar carne 10
il mercoledì, nè uova il venerdì, e prendere soltanto pane e
acqua il sabato, pur di ricuperare la vista.

I due compagni, dopo aver acceso un lume in un'altra
camera, ritornarono ridendo come pazzi davanti a quel
poveretto, il quale, pur essendo libero da così grande af- 15
fanno, restò tanto stupefatto dalla passata paura, che non
poteva nè parlare nè ridere. E i due compagni continua-
vano a tormentarlo dicendo ch'era obbligato a osservare
tutti i suoi voti perchè aveva ottenuto la grazia doman-
data. 20

## 37. L'UOVO DI COLOMBO *

Pedro Gonzales de Mendoza, gran cardinale di Spagna e
primo suddito del regno, invitò Cristoforo Colombo a un
banchetto. A tavola gli diede il posto d'onore, alla sua
destra, e per suo ordine il pranzo fu servito col minuzioso
cerimoniale ch'era riservato ai principi reali. 25

Naturalmente, le scoperte del grande navigatore furono
il soggetto principale della conversazione.

* After Gerolamo Benzoni, traveler and author of the 16th century whose interesting *Historia del Mondo Nuovo* was published in
Venice in 1572.

A un certo punto, uno stupido cortigiano che prendeva parte al banchetto, invidioso degli onori che Colombo

CRISTOFORO COLOMBO
(Ritratto d'autore ignoto)
Galleria degli Uffizi, Firenze

riceveva, e pieno di rancore perchè tanta gloria toccava a uno straniero, disse:

5    — Avete scoperto le *Indie*,° *señor*, ma senza dubbio

molti altri uomini qui di Spagna erano capaci di far lo
stesso: che ne dite ? *what do you say.*

A queste parole Colombo non rispose subito, ma prese un
uovo e invitò i commensali a farlo star diritto. Ognuno
tentò, ma invano. Allora egli battè lievemente l'uovo sulla  5
tavola, tanto da rompere il guscio a una delle estremità,
e lo lasciò diritto sull'estremità rotta.

In tal semplice maniera Colombo mostrò che, dopo che
egli aveva scoperto la via del Nuovo Mondo, nulla era
più facile che seguirla.  10

*up to here for final —*

## 38. VIVO O MORTO ? *

Gli Ugonotti,° durante le terribili guerre di religione che
nel cinquecento devastarono la Francia, avevano diroccato
la chiesa d'un villaggio e infranto una statua di San Sebastiano, che stava sull'altare di detta chiesa.

Il curato, un giorno, dopo aver detto messa, spiegò ai  15
suoi fedeli ch'era un peccato lasciare la statua del loro santo
in quelle condizioni, cioè senza testa e con un braccio solo,
e li esortò a ordinare una nuova immagine.

La mattina dopo, il guardiano e altri contadini andarono
in città, trovarono uno scultore, e gli ordinarono un San  20
Sebastiano.

— Di che legno lo volete ? — domandò l'artista.

— Di legno durevole, — risposero, — e poi lo indorerete.

— Devo farlo trafitto da molte ferite ?

— Certamente !  25

— Devo rappresentarlo vivo o morto ?

A quella domanda, i contadini furono molto imbarazzati,

* After Giovanni Sagredo (1616–1691), member of a noble Venetian family, author of a collection of stories entitled *L'Arcadia in
Brenta.*

e restarono muti. Poi uno disse che non sapeva; un altro, che bisognava ritornare al villaggio a domandare al prete. Ma un terzo, che voleva mostrare più intelligenza degli altri, esclamò:

5 — Fratelli, volete, per questo dubbio, ritornare a casa senza conchiuder nulla ?

E, rivoltosi allo scultore, continuò:

— Fatelo vivo, fratello, perchè se il prete e gli altri non saranno contenti e lo vorranno morto, potranno ammaz-
10 zarlo.

## 39. IL RE DELLE CANARIE E GIOCONDO DEI FIFANTI *

Nei tempi in cui Americo Vespucci ° strabiliava il mondo coi suoi viaggi, c'era a Firenze un mercante chiamato Ansaldo degli Ormanini, il quale, benchè ricco, forse per spirito d'avventura, cominciò a trafficare nelle parti di
15 ponente recentemente scoperte.

Dopo due o tre viaggi che gli procurarono gran guadagno, volle andare una quarta volta, ma appena ebbe raggiunto l'Atlantico fu sorpreso da un furiosissimo vento che mise in pericolo la nave, e fu sua fortuna se, alcuni
20 giorni dopo, potè approdare a una delle isole Canarie.°

Appena fu arrivato colà, il re di quell'isola venne con numeroso seguito a incontrarlo; gli fece una cordiale accoglienza e, per mostrargli il suo favore, lo condusse alla sua residenza, dove fu servito un gran pranzo.

25 Seduto alla destra del re, Ansaldo notò con meraviglia che, tra i giovanetti assegnati al servizio, ve n'erano alcuni che tenevano in mano delle bacchette lunghissime.

* After Lorenzo Magalotti (1637–1712), famous scientist and writer, a native of Rome.

Ma capì subito la ragione di tal servizio quando le vivande furono portate a tavola, poichè tanti e tanti topi, venendo da ogni parte, si precipitarono sul cibo, che quei giovani potevano a mala pena proteggere i piatti in cui il re e i principali personaggi mangiavano.                                     5

Non fu difficile ad Ansaldo capire che in quell'isola non v'erano gatti, e allora egli cercò di spiegare con cenni al re che voleva fornire un rimedio.   Corse subito alla sua nave, prese due bellissimi gatti, un maschio e una femmina, li fece portare al banchetto e li regalò al sovrano.         10

Inutile dire che i due animali, appena videro quei topi, saltarono su di loro e ne fecero un macello.

Lieto del dono ricevuto, che lo liberava per sempre da così gran fastidio, il re volle allora ricompensare degnamente il suo ospite, e gli diede reti di perle, oro e argento 15 in grande quantità.   Ansaldo, ricco ora più che mai, abbandonando ogni idea di traffico, si congedò dal generoso re e ritornò in patria.

La sua strana avventura naturalmente corse sulle bocche d'ognuno a Firenze dopo ch'egli l'ebbe raccontata; e uno 20 dei suoi amici, un certo Giocondo dei Fifanti, decise di navigare anche lui verso le Canarie per tentar la sua fortuna.   Vendè una proprietà che aveva; col danaro ottenuto comprò molti gioielli, anelli e cinture di gran valore, e, imbarcatosi, veleggiò verso ponente.         25

Dopo molti giorni di navigazione arrivò alle Canarie, sbarcò e presentò al re quelle ricchezze, pensando: «Se egli è stato così generoso con Ansaldo perchè questi gli ha donato due gatti, qual dono sarà degno di me che gli ho portato tutti questi gioielli ? »                                    30

Ma il poveretto s'ingannò, perchè il re, grandemente stimando i doni di lui, non seppe trovare nulla di meglio, per disobbligarsi, che un gatto, e regalò a Giocondo un gattino nato da quelli che aveva ricevuti da Ansaldo.

Giocondo ritornò a Firenze scornato e poverissimo, 35

) il re, le Canarie, i topi, Ansaldo e i suoi

egli aveva torto, perchè quel buon re, dandogli

li aveva dato la cosa più pregiata del suo paese.


## 40. BOZZETTI *

### I. L'UOMO CORDIALE

Alessandro,° se il cameriere annunzia che un amico viene
5 a visitarlo, stringe i denti, borbotta. L'amico entra, ed
egli cambia subito espressione, fa un viso lieto e piacevole;
riceve l'amico con affabilità, lo saluta, lo abbraccia; si
lagna che non lo ha veduto da lungo tempo e lo minaccia
se lo farà un'altra volta. Gli domanda notizie della mo-
10 glie, dei figli, degli affari; se le notizie son buone, mostra
contentezza; se son cattive, fa un viso triste. A ogni
parola ha una faccia nuova. L'amico è sul punto d'andar
via: « Oh perchè così presto? » egli dice, e vuol tratte-
nerlo. Le sue ultime parole sono: « Ricordatevi di me.
15 Venite. La mia casa è sempre vostra. » L'amico va, e
appena la porta è chiusa, Alessandro comincia a inveire
contro il servo: « Non ho detto mille volte che non voglio
visite importune? Da ora in poi dirai che non sono in
casa. Non lo voglio costui! »
20 Alessandro è lodato in ogni luogo come uomo cordiale.


### II. L'UOMO DI CUOR DURO

Cornelio ° saluta raramente; se uno lo saluta, risponde
a stento. Non fa domande inutili; se uno domanda
qualche cosa a lui, la sua risposta è di poche sillabe. Non

* After Gaspare Gozzi (1713–1786), Venetian author and one of
the earliest journalists of Italy. The newspaper *L'Osservatore*,
written almost entirely by him, contains his best prose.

fa inchini, non abbraccia nessuno; non parla mai per schernire, è burbero; volta con dispetto le spalle se uno lo loda. Se qualcuno dice cose che significano poco, s'addormenta o sbadiglia. Se un amico gli racconta una sua disgrazia, diventa triste e pallido, ha lacrime negli occhi. 5 In caso di bisogno presta la sua opera e la sua borsa senza parole inutili.

Cornelio è generalmente giudicato un uomo di cuor duro.

## 41. IL GATTO

Nessuno è più machiavellico ° del gatto, che per scienza 10 innata praticò le stesse massime del segretario fiorentino tanti secoli prima di lui.

Prendiamo a caso un solo esempio tra mille. Quel gran politico insegna che « i nemici bisogna vezzeggiarli o spegnerli. » Ebbene, il gatto ha inimicizia grande 15 col topo e col cane: spegne inesorabilmente il primo, che è più debole di lui, ma tollera prudentemente il secondo se lo mettete nella necessità di convivere con lui, e finisce col mangiare nello stesso piatto e dormir sullo stesso giaciglio. 20

È il procedere del vero talento, che fa di necessità virtù, senza rancori segreti, e lo rende sincero amico d'un naturale nemico. Non come noi uomini, che se ci troviamo nella necessità di blandire qualche nemico importante, d'ordinario lo facciamo così goffamente e con tali indizi di 25 sforzo, che lasciamo intatto l'odio, e ci attiriamo anzi il disprezzo.

Quando poi il gatto è assalito dal cane, spiega una così fina tattica da sorpassare quella dell'*Arte della Guerra* del

After Giovanni Rajberti (1805–1861), a humorist noted also as a poet in his native Milanese dialect.

Machiavelli; tanto più che quel trattato è ormai inservibile per le mutate condizioni delle armi, mentre il gatto guerreggiò fin dal principio dei secoli in sì perfetta maniera che non ci fu bisogno di miglioramenti. Se non è più
5 in tempo ° a fuggire, prende una posizione vantaggiosa vicino al muro che lo protegge alle spalle. Poi, rivolto al nemico, spiega tutto l'apparato delle sue forze reali o fittizie, inarcandosi, mettendo fuori le unghie e mostrando i denti. Tenta di comparire più grosso e terribile, e fa
10 crescere di volume perfino la coda sollevando tutto il pelo, e spalanca gli occhi, e mena schiaffi in aria, e sbuffa, e soffia . . . Il cane, che con un salto e due colpi di mascelle può metterlo in brani, si lascia imporre da quegli apparati di difesa e quasi ammaliare da sì furibondi sforzi del-
15 l'impotenza; e, invece di agire, si sfiata (come tutte le persone di buon cuore) in vani abbaiamenti; finchè l'altro, cogliendo con accorgimento squisito un'istantanea divagazione, fugge precipitoso, guadagna un uscio, una finestra, un buco di cantina.

## 42. UNA DISGRAZIA *

20 — Eccolo ! Ecco Fiore con l'asino !
— È già ritornato ?
— Ma sì ! Eccolo che viene per la viottola. Guardate.
— È segno che l'ospedale era aperto, e l'hanno potuto medicar subito il povero Pietro.
25 — Ma sul barroccio non c'è che Fiore: voglio andare a sentire . . .
— Poso queste cose e corro giù anch'io.
Un momento dopo le due donne correvano, insieme con molt'altra gente, incontro al barroccio di Fiore che allora

* After Garibaldo Cepparelli.

NICCOLÒ MACHIAVELLI
(Stefano Ussi)
Galleria Nazionale d'Arte Moderna, Roma

allora arrivava.  E mentre Fiore scende, quante voci,
quante domande a un tempo tra quella folla gesticolante !

— Dunque, Fiore, che è avvenuto ? ... Che ha detto
il medico ? ... Ha sofferto molto il povero Pietro per la
5 strada ?

— Lasciatemi rifiatare !

— Stacco io l'asino ... ° Porto io il materasso e le coperte a casa mia ... Uh ! c'è ancora un po' di sangue qui
dove posava il capo, poverino ! ... Che disgrazia ! ...
10 Fiore, non indugiate tanto a dire qualche cosa, per l'amor
di Dio !

— C'è poco da dire, donne mie !  Per la strada il povero
Pietro non faceva che lamentarsi continuamente, e sua
sorella Dina ° piangeva e piangeva vedendolo con un viso
15 di cadavere, con un tremito per tutta la persona ...

— E noi che l'abbiamo veduto cadere dal susino, di-
temi, Rosa ?

— Non me ne parlate più, l'ho sempre davanti a gli
occhi !

20 — Dunque ?

— Dunque ! ... Appena siamo arrivati in città abbiamo
preso la via più corta per andare all'ospedale, e poco dopo
eravamo già là.  L'hanno sollevato dal barroccio e l'hanno
portato dentro.  Io sono restato fuori a badare all'asino,
25 e dopo un bel pezzo è venuta fuori sua sorella Dina, con
un viso tutto sconvolto, e m'ha detto: « Fiore, se volete
ritornare a casa, andate; e dite a quelle donne: San
Venanzio ° benedetto gli ha fatto un bel miracolo. » —
« Pietro ritornerà a casa da sè ? » ho esclamato io con un
30 cuore che batteva così. — « Sì, » — ha risposto essa —
« ma dopo due mesi, perchè il medico ha trovato che ha
soltanto le gambe rotte e quattro fratture alla testa. »

— Meglio così, povero ragazzo !  Pensare a quello °
che poteva essere !

35 — Oh ! ... Che sollievo !

— Rosa mia cara, è inutile dire! Quand'uno ha la protezione di San Venanzio può cadere come vuole, cade sempre bene!


## 43. SOMIGLIANZE *

Dalle similitudini dell'antica epopea fino ai proverbi del popolo, è un continuo rassomigliare gli uomini alle 5 bestie.°

Se siamo tardi d'ingegno, ci chiamano buoi; se sudici e grassi, porci °; se villani e selvatici, orsi; se ignoranti, asini. Chi ripete i discorsi altrui è un pappagallo; chi ripete i gesti altrui, è una scimmia; chi esercita un poco 10 d'usura a sollievo dei disperati, è una sanguisuga. Siete uomo di tutti i colori? vi chiamano camaleonte. Siete astuto? oh! che volpe! Siete vorace? oh! che lupo! Oh che talpa, se non vedete le cose più chiare! Oh che mulo, se siete ostinato! Oh che gufo, se aborrite la luce 15 della verità! La donna iraconda e vendicativa è una vipera, la volubile è una farfalla, e coloro che cadono sotto alle sue smorfie sono chiamati merlotti.

Ma qui, osserverà taluno, soltanto qualità viziose sono considerate. Oh!... La forza con generosità (e anche 20 senza) ha l'eterno suo modello nel leone. La fedeltà e l'amicizia hanno per tipo inevitabile il cane. Gli amanti teneri sono chiamati colombe; gl'ingegni sublimi, aquile; i buoni poeti, cigni. Chi ha occhio di mente acuto, è paragonato alla lince; l'uomo mansueto è onorato col 25 titolo d'agnello; chi fa risparmi per futuri bisogni, è chiamato provvido come la formica. Insomma, son certo che ogni individuo rassomiglia, in bene o in male, a tre o quattro bestie almeno.

* After Giovanni Rajberti.

## 44. NON HA FERMATO IL SOLE *

Edmondo De Amicis ° e Giosuè Carducci °: due scrittori che andavano per diverse vie e non parevano destinati a urtarsi mai.  Ma il Carducci era uno spirito polemico, e mandava frecciate anche ai lontani.  Come tutti sanno,
5 egli definì il De Amicis « Edmondo dai languori », ° e questa definizione andò per le bocche di tutti.

Edmondo la prese a male, pur cercando di mostrare il contrario sotto la maschera di un forzato sorriso; ma non era temperamento da ribattere.

10    Un giorno soltanto, quando l'editore Emilio Treves ° gli portò la trionfante notizia che *Cuore*,° il libro della letteratura italiana contemporanea più letto e tradotto in tutte le lingue, aveva raggiunto nella sola edizione del nostro paese le trecento mila copie, il De Amicis fissò
15 raggiante il suo editore, e disse forte nella libreria per fare udire anche a gli altri:

— Giosuè non ha fermato il sole ! °

* After Renzo Sacchetti (1872– ), Piedmontese journalist and author.

POESIE

DANTE
Bronzo del Quattrocento, Museo Nazionale di Napoli

## 45. I MESI DELL'ANNO

Gennaio mette ai monti la parrucca,
febbraio grandi e piccoli imbacucca;

marzo libera il sol di prigionia,
april di bei color gli orna la via;

maggio vive tra musiche d'uccelli,                    5
giugno ama i frutti appesi ai ramoscelli;

luglio falcia le messi al solleone,
agosto, avaro, ansando le ripone;

settembre i dolci grappoli arrubina,
ottobre di vendemmia empie le tina;                  10

novembre ammucchia aride foglie in terra,
decembre ammazza l'anno e lo sotterra.

*— Angiolo Silvio Novaro* *

## 46. IL SEGNO DELLA CROCE

Gesù, s'è addormentato il mio bambino
dicendo il nome tuo come preghiera
con un segno di croce piccolino,                     15
raggio di luce nella buia sera.

Balbetta ° ancora come un uccellino,
ma già conosce la parola vera

* Angiolo Silvio Novaro (1866– ), of Diano Marina (Liguria),
poet, novelist, and author of books for children.

che dona pace: il nome tuo divino.
Gesù, salvalo tu da ogni bufera !

Ricordati, Gesù, quest'innocente
preghiera, questo fremito di mamma,
5    quando saran le mie pupille spente.

E il piccoletto suo segno di croce,
ricordati, Gesù, quando mio figlio
pregherà solo, senza la mia voce !

*— Edvige Pesce Gorini* *


## 47. A MEZZO MAGGIO

A mezzo maggio migrano dai prati
10    le lucciolette e vanno sul frumento,
come un soave aroma le conduce;
e, balenando dentro l'aria scura,
cercano i fiori delle verdi ariste.
   Tutta  la  vasta  piana  è  un luccichìo.

15    A mezzo maggio presso i casolari
le fragolette odorano negli orti
soavemente.  Dalle vie propinque
i bei garzoni accordan le chitarre
per liberar le allegre serenate . . .
20       Va nella cheta notte un arpeggìo.

*— Enrico Panzacchi* †

* Edvige Pesce Gorini, of Sellano (Umbria), present-day poet and
teacher.
† Enrico Panzacchi (1841–1904), of Bologna, a lyric poet known
for the elegance of his style.  He was also a brilliant art critic and a
journalist.

INTERNO DELLA BASILICA DI S. PIETRO, ROMA

R. Rafjius

## 48. IL SOLE E LA LUCERNA

In mezzo ad uno scampanare fioco
sorse e battè su taciturne case
il sole, e trasse d'ogni vetro un fuoco.

C'era ad un vetro tuttavia rossastro
5    un lumicino. Ed ecco il sol l'invase,
lo travolse in un gran folgorio d'astro.

E disse il sole: « Atomo fumido ! io
guardo e tu fosti. » — A lui l'umile fiamma:
« Ma questa notte tu non c'eri, o dio;
10    e un malatino vide la sua mamma

alla mia luce, fin che tu sei sorto.
Oh! grande sei, ma non ti vede: è morto !»

\*    \*    \*

E poi, guizzando appena:
« Chiedeva te ! che tosse !
15    Voleva te ! che pena !

Tu ricordavi al cuore
suo le farfalle rosse
su le ginestre in fiore !

Io stavo lì da parte . . .
20    gli rammentavo sere
lunghe di veglia e carte
piene di righe nere ! °

Stavo velata e trista
per fargli il ben non vista. »

*— Giovanni Pascoli* \*

* Giovanni Pascoli (1855–1912), of S. Mauro (Romagna), one of
the best lyric poets of modern Italy. He was also one of the leading
scholars in classic philology, an elegant Latin poet, and succeeded
Carducci to the chair of Italian literature at the University of Bologna.

## 49. PANTEISMO

Io non lo dissi a voi, vigili stelle,
a te no'l dissi, onniveggente sol:

*Photo Alinari*

Giosuè Carducci

il nome suo, fior de le ° cose belle,
nel mio tacito petto echeggiò sol.

Pur l'una de le stelle a l'altra conta          5
il mio secreto ne la notte bruna,

e ne sorride il sol, quando tramonta,
ne' suoi colloqui con la bianca luna.

Su i colli ombrosi e ne la piaggia lieta
ogni arbusto ne parla ad ogni fior:
5   cantan gli augelli a vol: — Fosco poeta,
ti apprese al fine i dolci sogni amor.

Io mai no'l dissi: e con divin fragore
la terra e il ciel l'amato nome chiama,
e tra gli effluvi de le acacie in fiore
10   mi mormora il gran tutto: — Ella, ella t'ama.

*— Giosuè Carducci* *

## 50. A GIUSEPPE GARIBALDI

Il dittatore,° solo, a la lugubre
schiera d'avanti, ravvolto e tacito
cavalca: la terra ed il cielo
squallidi, plumbei, freddi intorno.

15   Del suo cavallo la pesta udivasi
guazzar nel fango: dietro s'udivano
passi in cadenza, ed i sospiri
de' petti eroici ne la notte.

Ma da le zolle di strage livide,
20   ma da i cespugli di sangue roridi,

Giosuè Carducci (1835–1907), of Val di Castello (Tuscany),
one of Italy's greatest poets. Imbued with the spirit of ancient
Rome, he stirred the emotions of all Italians with a poetry which
either recalled the glorious past of the race or violently attacked all
alien tendencies, particularly romanticism and soft sentimentalism.
He also held the chair of letters at the University of Bologna, and
was granted the Nobel prize in 1906.

dovunque era un povero brano,
o madri italiche, de i cuor vostri,

saliano fiamme ch'astri parevano,
sorgeano voci ch'inni suonavano:
splendea Roma olimpica in fondo,                    5
correa per l'aëre una peana . . .

— *Giosuè Carducci*


## 51.  I PASTORI

Settembre, andiamo.° È tempo di migrare.
Ora in terra d'Abruzzi i miei pastori
lascian gli stazzi e vanno verso il mare:
scendono all'Adrïatico selvaggio                    10
che verde è come i pascoli dei monti.

Han bevuto profondamente ai fonti
alpestri, che sapor d'acqua natia
rimanga ° ne' cuori esuli a conforto,
che lungo illuda la lor sete in via.                    15
Rinnovato hanno verga d'avellano.

E vanno pel tratturo antico al piano,
quasi per un erbal fiume silente,
su le vestigia degli antichi padri.
O voce di colui che primamente                    20
conosce ° il tremolar della marina !

Ora lungh'esso il litoral cammina
la greggia.  Senza mutamento è l'aria.
Il sole imbionda sì la viva lana

che quasi dalla sabbia non divaria.
Isciacquìo, calpestìo, dolci romori.

Ah perchè non son io co' miei pastori ?

— *Gabriele D'Annunzio* *

## 52. LAGO MONTANO

Chi penserebbe quì, lago, rotonda
conca tranquilla, in cui dal chiaro e piano
suo sonno mai non si ridesta l'onda,
che atroce bocca d'orrido vulcano °

tu fosti un tempo ?  Alta, boscosa sponda
or ti ricinge e nel lucente vano
la capovolta immagine sprofonda,
cupa, smaltata, e il borghicciol soprano.

Lìmpido ° in mezzo ti s'incurva il cielo.
Lustreggiar qualche nuvola raminga °
forse ti vede e, curïosa, intenta,

zeffiro prega che su te la spinga °;
lieve si specchia, via dilegua lenta,
come fantasma avvolto in bianco velo.

— *Luigi Pirandello* †

* Gabriele D'Annunzio, who was born in 1863 at Pescara (Abruzzi), is the latest of the great poets of Italy.  His prodigious literary activity extends also into the fields of drama and fiction.  D'Annunzio's heroic deeds in the great war against Austria raised him high in the esteem of Young Italy.

† Luigi Pirandello, born in 1867 at Girgenti, in Sicily, is one of Italy's best modern writers.  His novels and short stories, in which all classes of Italians are pictured with humorous realism, but even more his dramas, strikingly original and bold in their conclusions, have given him world renown.  He is also a good poet.

LODOVICO ARIOSTO

(De Bacci-Venuti)

Il Tasso ed Eleonora d'Este
(Domenico Morelli)
Galleria Nazionale d'Arte Moderna, Roma

## 53. LA SVENTURATA NAVICELLA

Io son la sventurata navicella
in alto mar tra l'onda ° irata e bruna,
tra le secche e li scogli, meschinella,
combattuta da venti e da fortuna,
senz'albero o timon; nè veggio stella,                    5
e il ciel suo sforzo contro me rauna:
pure il cammin da tal nocchier ° m'è scorto,
ch'io spero salvo pervenire in porto.

— *Angelo Poliziano* *

## 54. LA FANCIULLA E LA ROSA

La verginella è simile alla rosa
ch'in bel giardin su la nativa spina                      10
mentre sola e sicura si riposa,
nè gregge nè pastor se le avvicina:
l'aura soave e l'alba rugiadosa,
l'acqua, la terra al suo favor s'inchina °:
giovani vaghi e donne innamorate                          15
amano averne e seni e tempie ornate.

Ma non sì tosto dal materno stelo
rimossa viene, e dal suo ceppo verde,
che quanto ° avea agli uomini e dal cielo
favor, grazia e bellezza, tutto perde.                    20

— *Lodovico Ariosto* †

* Angelo Poliziano (1454–1494), of Montepulciano (Tuscany),
was one of the leading humanists of the 15th century, and a poet
famous for the classic elegance of his style.

† Lodovico Ariosto (1474–1533), of Reggio Emilia, is one of the
world's greatest poets. His masterpiece is *Orlando Furioso*, an
epic of chivalry, from which the lines above have been taken. Suc-
ceeding him in the second half of that century stands the equally

## 55. IL SABATO DEL VILLAGGIO

La donzelletta vien dalla campagna,
 in sul calar del sole,
 col suo fascio dell'erba; e reca in mano
 un mazzolin di rose e di vïole,
5 onde, siccome suole,
 ornare ella si appresta,
 dimani, al dì di festa, il petto e il crine.
 Siede con le vicine
 sulla scala a filar la vecchierella,
10 incontro là dove si perde il giorno;
 e novellando vien del suo buon tempo,
 quando al dì della festa ella si ornava,
 ed ancor sana e snella
 solea danzar la sera intra di quei
15 ch'ebbe compagni dell'età più bella.
 Già tutta l'aria imbruna,
 torna azzurro il sereno, e tornan l'ombre
 giù da' colli e da' tetti,
 al biancheggiar della recente luna.
20 Or la squilla dà segno
 della festa che viene;
 ed a quel suon diresti
 che il cor si riconforta.
 I fanciulli gridando
25 sulla piazzuola in frotta,
 e qua e là saltando,
 fanno un lieto romore:
 e intanto riede alla sua parca mensa,
 fischiando, il zappatore,°
30 e seco pensa al dì del suo riposo.

---

famous poet Torquato Tasso (1544–1595), of Sorrento, near Naples, whom the illustration on page 78 shows reading his epic *Gerusalemme Liberata* (Jerusalem Delivered) to his patroness, Eleonora of Este.

Poi quando intorno è spenta ogni altra face,
  e tutto l'altro tace,
  odi il martel picchiare, odi la sega
  del legnaiuol, che veglia
  nella chiusa bottega alla lucerna,                    5
  e s'affretta, e s'adopra
  di fornir l'opra anzi il chiarir dell'alba.

Questo di sette è il più gradito giorno,
  pien di speme e di gioia:
  diman tristezza e noia                                10
  recheran l'ore, ed al travaglio usato
  ciascuno in suo pensier farà ritorno.°

                        — *Giacomo Leopardi* *


## 56. NEGLI OCCHI PORTA ...

Negli occhi porta la mia donna Amore,
per che si fa gentil ciò ch'ella mira:
ov'ella passa, ogni uom ver lei si gira,               15
e cui saluta fa tremar lo core.

Sicchè, bassando il viso, tutto smuore,
e d'ogni suo difetto allor sospira:
fuggon dinanzi a lei superbia ed ira:
aiutatemi, donne, a farle onore.                       20

Ogni dolcezza, ogni pensiero umile
nasce nel core a chi parlar la sente;
ond'è laudato chi prima la vide.

* Giacomo Leopardi (1798–1837), of Recanati, near Ancona, the
greatest lyric poet of Italy since Petrarch, an accomplished scholar
and philologist. His poems, of tragic grandeur, are imbued with the
blackest pessimism, owing, in part at least, to his chronic ill health.

Quel ch'ella par quand'un poco sorride,
non si può dicer, nè tener a mente:
si è nuovo miracolo gentile.

— *Dante Alighieri* *

* Dante Alighieri, born in Florence in 1265, died in Ravenna
after a life of exile, in 1321.  His *Divina Commedia*, probably the loftı
est and most powerful poem ever written, and at the same time a real
encyclopedia of the Middle Ages, places him among the greatest
geniuses humanity has ever produced.  Of his minor works, the finest
is his *Vita Nuova*, from which this wonderful sonnet was chosen.

# NOVELLE

DOMINVS OHANNES BOCCACCIVS

GIOVANNI BOCCACCIO
(Andrea del Castagno)
Sant'Apollonia, Firenze

## 57. CHICHIBIO CUOCO *

Corrado Gianfigliazzi fu un nobile cittadino fiorentino, liberale e magnifico, e molto amante della caccia. Un giorno, avendo ammazzato una gru con un suo falcone, e trovandola grassa e giovane, la mandò al suo cuoco, chiamato Chichibio, con l'ordine d'arrostirla per la cena. 5

Chichibio, ch'era uno sciocco e ne aveva anche l'aspetto, preparò la gru, la mise al fuoco, e cominciò a cuocerla con sollecitudine.

Già era quasi cotta, e ne veniva grandissimo odore, quando avvenne che una donnina del vicinato, chiamata 10 Brunetta, e di cui Chichibio era molto innamorato, entrò nella cucina. Sentendo l'odore della gru, e vedendola, ella pregò caramente Chichibio di dargliene una coscia.

Chichibio rispose cantarellando:

— Voi non l'avrete da me, donna Brunetta,° voi non 15 l'avrete da me . . .

Irritata a queste parole, Brunetta gli disse:

— In fe' di Dio, se tu non me la dai, non avrai mai più favori da me !

Vi furon molte parole, ma alla fine Chichibio, per non 20 crucciar la sua donna, spiccò una delle cosce della gru e gliela diede.

Più tardi, quando la gru fu servita a tavola con una coscia sola davanti a Corrado e ai suoi ospiti, la meraviglia di tutti fu grande, e Corrado fece chiamar Chichi- 25 bio e gli domandò perchè mancava l'altra coscia della gru.

— Signore, — rispose prontamente quel bugiardo, — le gru non hanno che una coscia e un piede.

* After Giovanni Boccaccio.  See footnote, p. 37.

— Come diavol non hanno che una coscia e un piede?
— disse allora Corrado, turbato — È questa la prima volta
che ho veduto una gru?

Chichibio insistè:

5    — È come vi dico io, signore! E quando vi piacerà,
ve lo farò vedere nelle gru vive.

Corrado, per rispetto ai suoi ospiti, non volle attaccar
briga, ma rispose:

— Poichè dici che me lo mostrerai nelle gru vive, aspet-
10 terò fino a domani mattina per vederlo; ma ti giuro che, se
sarà altrimenti, ti farò conciare in tal maniera che tu ti
ricorderai del nome mio finchè vivrai!

E per quella sera non se ne parlò più. La mattina seguente, come il giorno apparve, Corrado, la cui ira non
15 era cessata col dormire, si levò e comandò di far venire i
cavalli. Fece montar Chichibio su d'un ronzino, e lo
menò verso un fiume sulle rive del quale, all'ora dell'alba,
solevano vedersi delle gru, dicendo:

— Presto vedremo chi mentì ieri sera, tu o io.

20 Chichibio, vedendo che ancora durava l'ira di Corrado,
e che egli doveva cercar di dar prova della sua bugia, non
sapendo come fare, cavalcava affianco a Corrado con la
maggior paura del mondo e una voglia matta di fuggire;
ma siccome non poteva farlo, guardava ora avanti, ora
25 indietro, ora di lato, e gli pareva di veder dovunque gru
su due piedi.

Ma, essendo già arrivati vicino al fiume, gli avvenne
d'essere il primo a vedere una dozzina di gru che stavano
tutte su d'un piede, come sogliono fare quando dormono;
30 perciò si volse subito a Corrado, e le mostrò dicendo:

— Ecco, potete vedere, signore, ch'era vero quel che vi
dissi ieri sera, che le gru non hanno che una coscia e un
piede, se guardate quelle che stanno laggiù!

Corrado le vide, e disse:

35    — Aspetta, che io ti mostrerò che n'hanno due!

Panorama di Firenze dal Piazzale Michelangelo

R. Raffius

E appena fu un po' più vicino a quelle, gridò:

— Oh! Oh!

A quel grido le gru mandaron giù l'altro piede e cominciarono a fuggire; allora Corrado, rivoltosi a Chichìbio, 5 disse:

— Che ti pare, ghiottone: ne hanno una o due ?

Nel suo sbigottimento, Chichìbio, non sapendo che dire, rispose:

— Sì, signore ! Ma voi non gridaste « oh oh ! » a 10 quella di ieri sera; perchè, se aveste gridato ° così, essa avrebbe mandato giù l'altra coscia e l'altro piede, come hanno fatto queste.

Questa risposta piacque tanto a Corrado che tutta la sua ira si convertì in riso, e disse:

15 — Hai ragione, Chichìbio; lo dovevo ben fare !


## 58. L'ABATE E IL MUGNAIO *

Bernabò Visconti,° signor di Milano, fu temuto ai suoi tempi più d'ogni altro signore, ma pur essendo crudele, usava nelle sue crudeltà molta giustizia.

Fra molti casi che gli avvennero, fu questo: che un abate, 20 avendo commesso una certa negligenza, fu da lui condannato a pagare una multa di quattro fiorini. E siccome l'abate, che era alquanto avaro, implorava misericordia, Bernabò disse:

— Se mi spieghi quattro cose, ti perdonerò completa-25 mente. E le quattro cose son queste: devi dirmi: che distanza c'è da qui al cielo; quant'acqua c'è nel mare; che cosa le anime dannate fanno nell'inferno; e quello che la mia persona vale.

* After Franco Sacchetti (1335–1400), Florentine short-story writer and poet, noted for his simple, direct style and purity of language.

L'abate, udendo ciò, cominciò a sospirare; gli pareva d'essere in un guaio peggiore. Tuttavia domandò un po' di tempo per preparar le risposte, e ottenne ventiquattr'ore.

Ritornò alla sua badia pensoso e triste, e quando fu 5 arrivato, incontrò il suo mugnaio, il quale, vedendolo così afflitto, ne domandò la cagione.

— Ho ben di che essere afflitto, — rispose l'abate: — il signore chi sa che pena mi darà se non risponderò a quattro domande che m'ha fatte ! 10

Il mugnaio disse:

— E che domande son queste ?

E l'abate ripetè parola per parola quel che Bernabò aveva domandato.

Dopo aver pensato un poco, il mugnaio disse: 15

— Io vi caverò da questo guaio, se voi volete.

— Se voglio ? — esclamò l'abate, che per la paura aveva perduto la testa. — Se tu farai ciò, domanda da me quello che vuoi, ogni cosa possibile . . .

Disse il mugnaio: 20

— Lascio questo alla vostra discrezione.

— E come farai ? — domandò l'abate.

Rispose il mugnaio:

— Mi vestirò della vostra tunica e della vostra cappa, mi raderò la barba, e domattina andrò davanti a lui fingendo 25 d'esser voi. Risponderò alle sue domande in modo che credo di farlo contento.

La proposta fu accettata, e la mattina dopo il mugnaio, travestito da abate, si presentò al palazzo di Bernabò chiedendo d'essere ammesso alla presenza del signore. 30 Per fortuna l'udienza ebbe luogo in una sala non bene illuminata, e il finto abate, facendo riverenze e coprendo spesso il viso con la mano, non fu riconosciuto. Bernabò, curioso d'udire quello che l'abate doveva dire, subito domandò se aveva portato le risposte. 35

— Signor sì. Voi mi domandaste che distanza c'è da qui al cielo. Ho fatto i calcoli, e la distanza è di trentasei milioni, ottocento cinquantaquattro mila e settantadue miglia e mezzo, e ventidue passi.

5    Disse il signore:

— L'hai misurata molto precisamente. Come puoi provare quello che dici ?

E il finto abate rispose:

— Fatela misurare, e se non è così, fatemi impiccare. —
10 Poi mi domandaste quant'acqua c'è nel mare. Questo è stato molto difficile a calcolare perchè nel mare entra continuamente dell'acqua, e dell'acqua svapora. Eppure ho veduto che nel mare ci sono venticinque mila novecento ottantadue milioni di botti, sette barili, dodici
15 boccali e due bicchieri d'acqua.

Disse il signore:

— Come lo sai ?

— L'ho calcolato come meglio ho potuto; se non lo credete, fate trovar dei barili, fatela misurare, e se non è
20 come dico io, fatemi squartare. — La terza domanda era: che cosa le anime dannate fanno nell'inferno. Sono tagliate, squartate, arraffiate, impiccate nè più nè meno come chi in questa città cade in mano alla giustizia.

— E che ragione dai tu di questo ?

25    Rispose:

— Parlai una volta con uno che vi era stato, e da costui il poeta Dante appurò ciò che scrisse delle cose dell'inferno. Ma quell'uomo è morto. Se voi non mi credete, mandate qualcuno a vedere. — Quarto, mi domandaste
30 quello che la vostra persona vale; e io dico ch'essa vale ventinove danari . . .

Udendo questo, Bernabò, tutto furioso, interruppe gridando:

— Che il diavolo ti porti ! Son io così dappoco che valgo
35 meno d'una pignatta ?

Rispose il finto abate, non senza grande paura:

— Signor mio, udite la ragione. Voi sapete che il nostro Signore Gesù Cristo fu venduto per trenta danari; calcolo che valete un danaro meno di lui ...

A queste parole, Bernabò sospettò l'inganno, guardò 5 fisso l'uomo che aveva davanti, e disse:

— Tu non sei l'abate.

È facile immaginare che paura ebbe il mugnaio. S'inginocchiò con le mani giunte e domandò misericordia raccontando come e perchè era venuto travestito, e dicendo 10 che aveva fatto ciò non per ingannare il suo signore, ma per divertirlo.

— Ebbene, — disse Bernabò dopo che l'ebbe udito, — poichè egli t'ha fatto abate, e tu vali più di lui, ti voglio confermare in questa carica. Da oggi in poi, tu sarai l'a- 15 bate, ed egli il mugnaio; tu avrai la rendita della badia, ed egli quella del mulino.


## 59. IL BABBO *

Mio padre, medico in un comunello di montagna, guadagnava pochissimo, e con quel che guadagnava doveva mantenere la sua famiglia, un cavallo, un servitore, 20 e me all'Università.

Una sera, dopo le vacanze di Natale, — avevo allora vent'anni, — tornai a Pisa con la mia mesata d'ottanta lire nel portafogli. Rivedendo gli amici, mi misi in allegria, andai a cena con una brigata di quei buontemponi, bevvi, 25 m'eccitai, girai cantando per le vie della città fino a ora tarda, e da ultimo cascai in una casa di gioco dove in un paio d'ore lasciai tutta la mesata, più trenta lire di debito con un amico che me le prestò. Una piccolezza forse, ma

* After Renato Fucini (1843–1921), Tuscan short-story writer and poet.

una piccolezza che, per le condizioni della mia famiglia, era grave, anche troppo grave.

Arrivato alla mia cameruccia, mi buttai sul letto, ma non potei dormire. Sbuffai, mi voltai continuamente 5 senza trovar riposo. Ebbi qualche breve dormiveglia, ma fu peggio. Assassini, miniere d'oro, coltellate, mostri paurosi, corse affannate per deserti sterminati, urli, fischi, imprecazioni . . . sognai un po' di tutto; e finalmente uno scossone e giù dal letto grondante di sudore.

10 — Che fare ? — pensavo. — Chiedo a qualche amico ? Scrivo a qualche parente ? A mia madre ? A mio . . . ? ° Ah ! . . . Qui devo uscirne presto. Un atto di contrizione, un po' di dramma, degli urli, magari . . . e perchè no ? . . . magari una fitta di scapaccioni, e tutto è finito e non ci 15 penso più !

Dal primo amico mattiniero che incontrai presi in prestito pochi soldi, mi rincantucciai in un vagone di terza classe, e via a casa.

Il viaggio mi fece bene. Parlai continuamente di po-20 litica, di guerra e di donne con un libraio che andava a Signa.° Ma quando vidi spuntare fra i boschi la torre del mio paesello, e poi il tetto della mia casa, e il fumo che usciva dalla torretta del suo camino, la baldanza mi cadde, e sentii le gambe che mi tremavano.

25 Quand'arrivai a casa, mio padre non c'era. Mia madre si spaventò perchè, vedendomi pallido, mi credette malato.

— Non ho nulla, sto bene . . . proprio sto bene.

Il suo viso si rasserenò subito, e, fatta forte da questa 30 buona certezza, ascoltò abbastanza tranquilla, mentre preparava il desinare, il racconto che le feci dal canto del fuoco, dove m'ero rannicchiato, scaldandomi alla fiamma che schioccava allegra sotto un paiolo di rape. Quando ebbi terminato:

35 — Figliolo ! Io ti domando come si deve fare a dirlo a

NOTTE DI LUNA, VENEZIA
L'isola di S. Giorgio in fondo

Publishers Photo

CHIESA DI S. MARIA DELLA SALUTE, VENEZIA

quell'uomo ! — esclamò guardandomi sgomenta. Poi, dopo
una lunga pausa:

— È impossibile ! Come posso ridarti una mesata se
abbiamo appena abbastanza per noi ? Trovarli !... E
dopo ? Non c'è carità, in questo momento, non c'è 5
carità ...

Io stavo zitto a guardarla, lei si chetò.

Il tepore del mio nido, la stanchezza e il mugolio del
vento su per la gola del camino mi conciliarono il sonno, e,
senza accorgermene, mi addormentai col capo appoggiato 10
sulla spalliera della sedia.

Quando mi destai, vidi mio padre seduto dall'altra parte
del focolare, che si asciugava alla fiamma i calzoni fracidi
di pioggia. Pareva stanco, ed era pallido. Tossiva, e
aveva schizzi di fango fin sulla faccia. 15

Sentendomi muovere, alzò la testa.

— Buon giorno, babbo.

— Buon giorno, — mi rispose. E non disse altro.

Dopo qualche momento si alzò, disse a mia madre
d'affrettare il desinare perchè aveva bisogno d'uscir su- 20
bito, e andò in camera sua.

— Gliel'hai detto ? — domandai trepidante a mia madre. Essa mi accennò di sì.

— Che ha detto ?

— Ha domandato come stavi, e s'è messo a leggere. 25

Il desinare fu triste. I miei vecchi barattarono fra loro
poche parole d'affarucci di famiglia, e io, sempre aspet-
tando una tempesta che mi avrebbe fatto tanto bene, ebbi
a rimanere gelidamente trafitto dalle poche parole che, nel
tono usuale, e quasi con amorevolezza, mi rivolse mio 30
padre.

— Hai veduto Beppe ? — Era un vecchio compagno suo
di studi che io avevo sempre l'incarico di salutare quando
andavo a Pisa.

— No ... 35

— Domattina partirai col primo treno ... Ti chiamerò presto perchè dovrai andare alla stazione a piedi ... Del cavallo ho bisogno io.

— Sì.

5 Finito il desinare, andò via. Tornò a sera inoltrata, prese un boccone, e andò a letto dopo avermi fatto con gli occhi stanchi una burbera carezza.

La mattina dopo, mi svegliò alle cinque. Era buio, freddo, e nevicava forte. Quando uscii di camera, mia 10 madre, già alzata, mi aspettava per dirmi addio.

— L'ha lasciato a te il danaro ? — le domandai sotto voce.

— È là fuori che ti aspetta.

Corsi alla porta, e alla luce della lanterna con la quale il 15 servitore ci faceva lume, vidi, lì davanti, mio padre già a cavallo, immobile, rinvoltato nel suo largo mantello carico di neve.

— Tieni, — mi disse, parlando rado e affondandomi a ogni parola un solco nell'anima. — Prendi ... Ora è da-20 naro tuo ... Ma prima di spenderlo ... Guardami ! — E mi fulminò con un'occhiata fiera e malinconica. — Prima di spenderlo, ricordati come tuo padre lo guadagna !

Una spronata, uno scarto del cavallo, e si allontanò a capo basso nel buio, tra la neve e il vento che turbinava.

Un oliveto in Toscana

## 60. CARMELA *

### I

Il fatto che sto per raccontare accadde in un'isoletta distante una settantina di miglia dalla Sicilia.

Nell'isola c'è un solo paese, che non conta più di duemila abitanti, e nel quale, al tempo in cui il mio avvenimento ebbe luogo, si trovavano da trecento a quattrocento con- 5 dannati a domicilio coatto.

C'era pure, per cagion loro, un distaccamento d'una quarantina di soldati di fanteria, che si permutava di tre in tre mesi, e ch'era sotto il comando d'un ufficiale subalterno. 10

I soldati menavano là una vita piacevolissima, specialmente per queste due ragioni, che, tranne la guardia alla caserma e alla prigione, qualche perlustrazione nell'interno dell'isola e un po' d'esercizio di tanto in tanto, non avevano nulla da fare, e il vino era a quattro soldi la bottiglia e 15 squisito.

Non parlo dell'ufficiale, che godeva una larghissima libertà e aveva il gusto di poter dire: — Sono il comandante supremo e assoluto di tutte le forze militari del paese. — Aveva a sua disposizione due gendarmi in qualità 20 d'impiegati all'ufficio del comando di piazza; aveva un bel quartiere gratuito situato proprio nel centro del paese; passava la mattina a caccia pei monti, il pomeriggio in un piccolo gabinetto di lettura coi principali personaggi del paese, e la sera in barca sul mare, fumando dei sigari 25

* After Edmondo De Amicis (1846–1908), of Oneglia (Liguria), perhaps the most popular Italian writer during the last quarter of the past century. He is noted for the simplicity and directness of his style, and for the nobility of his sentiments which, however, often border on sentimentalism. *Vita Militare,* from which this story was taken, is probably his finest work, though his " best seller " was *Cuore,* one of the standard books of youth throughout the world.

eccellenti, vestito come gli pareva e piaceva, senza seccature, senza sopraccapi, quieto e contento.

Un solo dispiacere egli aveva, ed era quello di pensare che purtroppo una vita così beata non poteva durar che 5 tre mesi.

Il paese è posto sulla riva del mare, e ha un piccolo porto nel quale allora si fermava, una volta ogni quindici giorni, il vapore postale che viaggia fra Tunisi e Trapani.°' Raramente ci si fermavano altri legni. Tanto raramente, 10 che l'apparire d'un legno diretto a quel porto era annunziato al paese a suon di campana, e gran parte ° degli abitanti accorreva alla spiaggia come a uno spettacolo di festa.

L'aspetto del paesello è gentile e modesto, ma ridente; 15 in specie per la larga piazza che ha nel centro, la quale, come in tutti i villaggi, è per quella popolazione ciò che è il cortile per gl'inquilini d'una casa in città. Questa piazza è congiunta alla spiaggia dalla strada principale, diritta, stretta, e lunga poco più d'un trar di mano. Le 20 botteghe e gli uffici pubblici son tutti nella piazza. Ci sono, o almeno c'erano allora, due caffè; uno frequentato dal sindaco e dalle altre autorità e dai signori; l'altro dai popolani. La casa dove stava il comandante del distaccamento era posta dal lato della piazza che guarda il mare; 25 e come dalla spiaggia verso il centro del paese il terreno si va considerevolmente sollevando, così dalle finestre delle sue stanze (ne aveva due) si vedeva il porto, un lungo tratto di spiaggia, il mare, e i monti lontani della Sicilia.

L'isola è tutta monti vulcanici, e grandi e folti boschi 30 resinosi.

Tre anni fa, una bella mattina d'aprile, il vapore postale diretto a Tunisi si fermava all'imboccatura del porto di quel piccolo paese. Fin dal suo primo apparire s'era sonata la campana a distesa, e tutta la popolazione era 35 accorsa, fra cui il comandante del distaccamento, i soldati,

il sindaco, il giudice, il parroco, il delegato di pubblica
sicurezza, il ricevitore, il comandante del porto, il maresciallo dei carabinieri,° e un giovane medico militare, aggregato al distaccamento per il servizio sanitario dei coatti.
Due barconi s'avvicinarono al legno, e presero e trasporta-     5
rono a terra trentadue soldati di fanteria e un ufficiale, un
bel giovanotto bianco, biondo e di gentile aspetto (dico
così perchè c'è il verso bell'e fatto °), il quale, data una
stretta di mano al suo collega, e risposto cortesemente alle
liete accoglienze delle autorità, entrò nel paese alla testa    10
del suo plotone, in mezzo a due ale di curiosi.

Acquartierato che ebbe i suoi soldati, egli tornò subito
al crocchio dei personaggi che l'aspettavano in mezzo
alla piazza, e il sindaco glieli presentò a uno a uno con un
certo fare tra l'allegro e il serio, pieno di cordiale familiarità  15
e temperato d'innocente sussiego. Terminata la cerimonia,
il gruppo si sciolse, e l'ufficiale, rimasto solo col suo collega,
si fece condurre alla casa che gli era destinata. Qui l'ordinanza dell'ufficiale che partiva stava facendo i bauli, e
quella del nuovo arrivato affrettava il momento d'aprirli    20
dando una mano al suo camerata. Di lì a un'ora tutto era
al posto.

Il distaccamento che doveva andarsene partì la sera
stessa intorno alle otto, accompagnato al porto dal distaccamento che rimaneva, e il nostro ufficiale, appena detto   25
addio al compagno, si ritirò in casa e si mise a letto, chè,
stanco com'era dal viaggio e dall'esser stato tutto il
giorno in faccende, sentiva un gran bisogno di dormire.
E dormì proprio di gusto.

## II

La mattina seguente, appena levato il sole, uscì di casa.  30
Non aveva ancora fatto dieci passi sulla piazza, quando si

sentì tirare leggermente la falda della tunica. Si voltò, e
vide a due passi da sè, ritta e immobile nell'atteggiamento
del soldato che saluta, una fanciulla coi capelli rabbuffati e
il vestito scomposto, alta, sottile e di forme bellissime;
5 la quale gli teneva fissi in volto due grandi e vivi occhi
neri, e sorrideva.

— Che cosa volete ? — le domandò l'ufficiale guardan-
dola in aria di stupore e di curiosità.

La fanciulla non rispose, ma seguitò a sorridere e a
10 tener la mano tesa contro la fronte nell'atto del saluto
militare.

L'ufficiale si strinse nelle spalle e tirò innanzi; ma
fatti altri dieci passi, sentì un'altra tiratina alla tunica, e
dovette voltarsi un'altra volta. E quella ° sempre ritta e
15 impalata come un soldato in riga. Guardò intorno e vide
qualcuno là presso che osservava quella scena e rideva.

— Che cosa volete ? — domandò un'altra volta.

La fanciulla stese la mano coll'indice teso verso di lui, e
disse sorridendo:

20   — Voglio te !

— Ho capito, — egli pensò; — n'ha un ramo °; — e,
cavato di tasca qualche soldo, glielo porse, facendo atto di
andarsene. Ma la fanciulla, piegando un braccio dinanzi
al petto come per farsi schermo del gomito contro la mano
25 che le porgeva il danaro, esclamò un'altra volta:

— Voglio te.

E si mise a pestar forte coi piedi, arruffandosi i capelli
con tutt'e due le mani e mandando fuori un lamento sordo
e monotono come fanno i bambini quando fingono di
30 piangere. E la gente intorno rideva. L'ufficiale guardò
la gente, poi la fanciulla, poi di nuovo la gente, e poi riprese
la sua strada. Attraversò liberamente quasi tutta la
piazza; ma arrivato all'imboccatura della strada che mena
al porto, si sentì alle spalle un passo rapido e leggero, come
35 di chi corra ° in punta di piedi, e mentre stava per vol-

tarsi indietro, una voce sommessa gli mormorò con uno strano accento nell'orecchio: — Mio tesoro!

Egli si sentì correre un brivido dalla testa ai piedi; non si voltò; tirò innanzi a passo più spedito. E un'altra volta quella voce: — Mio tesoro!

*Publishers Photo*

UNA TIPICA CITTADINA SICILIANA: MONREALE

— Oh! insomma, — gridò allora indispettito voltandosi in tronco verso la ragazza, che si fece timidamente indietro, — lasciatemi in pace. Andate pei fatti vostri. Avete capito?

La fanciulla fece un viso tutto compunto, poi sorrise, 10 mosse un passo innanzi, e allungando la mano come per fare una carezza all'ufficiale, che si scansò prontamente, mormorò: — Non t'arrabbiare, tenentino.

— Va' via, ti dico.

— Tu sei il mio tesoro. 15

— Va' via, o chiamo i soldati e ti faccio mettere in **prigione.** — E indicò alcuni soldati ch'erano fermi sulla cantonata. Allora la ragazza si allontanò a lenti passi, di sbieco, sempre cogli occhi rivolti all'ufficiale, di tratto in tratto sporgendo il mento e ripetendo a fior di labbra: — Mio tesoro !

— Peccato ! — diceva tra sè il tenente infilando la via del porto. — È tanto carina.

Era bella davvero. Era uno stupendo modello di quella fiera e ardita bellezza delle donne siciliane, da cui l'amore, più che ispirato, è imposto, e il più delle volte con uno solo di quegli sguardi lunghi e intenti, che par che scrutino ° il più profondo dell'anima, e tolgono a chi è guardato altrettanto ardimento quanto n'esprimono. Aveva i capelli e gli occhi nerissimi, la fronte ampia e pensierosa, e i movimenti delle sopracciglia e delle labbra subitanei, tronchi, pieni di forza e di vita. La sua voce sentiva leggermente dello stanco e del roco, e il suo riso del convulso. Dopo che aveva riso continuava a tenere per un po' di tempo la bocca aperta e gli occhi spalancati.

## III

— Perchè non la tengon chiusa ? — domandava l'ufficiale quella sera stessa al dottore, entrando con lui nel caffè dei signori, dopo avergli detto quel che gli era accaduto la mattina.

— E dove vuol che la chiudano ? ° — rispose il dottore. — Nell'ospedale, in Sicilia, c'è stata più d'un anno, e ce l'ha mantenuta il Municipio a proprie spese; ma poi, visto ch'era tempo perso e danaro sprecato, l'han fatta ricondurre a casa. C'era poco o punto da sperare; sono stati i primi a dirlo i medici di là. Qui almeno è libera come l'aria, poveretta; e si può ben concederglielo perchè, fuor che ai militari, non dà noia a nessuno.

L'ufficiale domandò perchè non desse noia ° che ai militari.

— Mah! È una storia un po' incerta, vede. Ognuno la dice a modo suo, specialmente il popolino, a cui la verità schietta e netta non basta, e ci vuol aggiungere del proprio. 5 Però il fatto più probabile, confermato anche dai pochi signori del paese, sarebbe questo.° Tre anni fa, un ufficiale ch'era qui comandante di distaccamento come è Lei adesso, un bellissimo giovane che suonava la chitarra da maestro e cantava come un angelo, s'innamorò di 10 questa ragazza, che era allora ed è ancora adesso la più bella del paese . . .

— Bella davvero, — interruppe l'ufficiale.

— E la ragazza, naturalmente, un po' per la sua bella voce, chè qui del canto e della musica vanno matti; un 15 po' per effetto del suo prestigio di comandante supremo di tutte le forze militari dell'isola, e massimamente perchè era un bel giovanotto, s'innamorò di lui. Ma e come! Uno di quegli innamoramenti di qui, Lei mi capisce; ardori che, in confronto, la lava dei vulcani non è nulla; gelosie, 20 spasimi, furori, cose da tragedia. Della famiglia le restava soltanto la madre, una povera donna che non vedeva che pei suoi occhi e si lasciava comandare a bacchetta; dunque si figuri ° che libertà ... E in paese si mormorava; ma i fatti pare che abbiano provata la falsità dei sospetti, d'al- 25 tra parte scusabilissimi, a cui dava luogo la condotta della ragazza; tanto che adesso tutti credono e affermano che non ci sia stato ° nulla di male . . . È strano, per verità; anzi poco credibile, perchè si dice che stessero insieme mezza la giornata. Ma sa, se ne danno di questi caratteri, 30 specialmente in questi paesi: ragazze ardentissime e liberissime che son tutto il giorno tra i piedi all'innamorato, e che pare non abbiano mai saputo dove stia di casa la modestia, — austere, invece, tenaci, inespugnabili come vestali. Basta; il fatto certo si è che l'ufficiale le aveva 35

promesso di sposarla, ed essa gli aveva creduto ed era
andata a un pelo dal perdere la bussola dalla contentezza.
Davvero, sa; si dice che ci furono dei giorni in cui si temeva sul serio che il suo cervello ne patisse.° E io lo credo.
5 Chi può sapere sino a che punto arrivi l'amore nelle donne
di quella tempra ? Un giorno, se non le levavan dalle
mani una ragazza di cui s'era ingelosita per non so che
motivo, o la finiva o la conciava male. Proprio qui dirim-
petto al caffè l'aveva agguantata, in presenza di tutti, e
10 fu una scena seria. E non è stata la sola. Non c'era più
modo che una donna, passando dinanzi alla casa del suo
ufficiale, alzasse ° gli occhi alle finestre, o si voltasse indietro a guardarlo incontrandolo per via, senza ch'essa
minacciasse ° di fare qualche sproposito. In somma, arrivò
15 il giorno del cambio del distaccamento; l'ufficiale promise
che sarebbe tornato ° dopo un paio di mesi, la ragazza gli
credette, ed egli se n'andò e non fu più visto. La poveretta ammalò. Forse, risanando e perdendo a poco a poco
quel barlume di speranza che le restava, sarebbe riuscita
20 a dimenticare; ma prima ancora che si riavesse dalla malattia, seppe, non so come, che il suo amante s'era ammo-
gliato. Il colpo giunse inaspettato e fu terribile. Impazzì.
Ecco la storia.

    — E poi ?

25     — Poi, come le dissi, fu mandata all'ospedale in Sicilia;
poi ritornò, e ora è più d'un anno che è qui . . .°

    In quel momento un soldato si affacciò alla porta del
caffè e cercò del dottore.

    — Le dirò il resto più tardi; arrivederla. — Ciò detto, il
30 dottore disparve. L'ufficiale, alzandosi per salutarlo,
urtò forte colla sciabola nel tavolino; un momento dopo
s'udì una voce dalla piazza che gridava: — L'ho sentito,
l'ho sentito ! È là dentro ! — E nello stesso punto comparve la pazza sul limitare della porta.

35     — Mandatela via ! — gridò l'ufficiale levandosi viva-

mente in piedi, come se fosse stato spinto in su da una
molla.

La ragazza fu mandata via.

— Andrò ad aspettarlo a casa! — la si sentiva dire
allontanandosi; — andrò ad aspettarlo a casa, il mio 5
ufficialino!


## IV

La madre di Carmela abitava una casuccia posta a
un'estremità del paese, e campava stentatamente a cucire
di bianco. Nei primi tempi della pazzia di sua figlia soleva
ricevere di tratto in tratto qualche soccorso di danaro dalle 10
famiglie più agiate del paese; ma da un pezzo non le
davan più nulla. I benefattori avevan veduto che i loro
soccorsi tornavano affatto inutili perchè la ragazza non
voleva dormire nè mangiare in casa, e non c'era verso di
farle conservare intero un vestito nuovo nemmeno per una 15
settimana. Non è a dire se la madre ne patisse,° e con
che perseveranza ostinata ritentasse ogni giorno di ottener
qualche cosa dalla figliuola; ma tutto era inutile. Qualche
volta, dopo molte preghiere, la povera ragazza si lasciava
mettere una veste nuova, e poi tutt'a un tratto se la 20
stracciava, la tagliuzzava e la riduceva in cenci. Altre
volte, appena uscita dalle mani della madre pettinata e
lisciata di tutto punto, si cacciava le mani nei capelli e in
un momento se li sciolieva e se li arruffava come una
furia.                                                     25

Gran parte del giorno soleva andar vagando pei monti
più dirupati e solitari, gesticolando, parlando e ridendo
forte tra sè. Molte volte i carabinieri, passando per quei
luoghi, la scorgevano di lontano tutta affaccendata a fab-
bricar torricelle di sassi, o seduta immobile sulla sommità 30
d'un balzo con la faccia volta verso il mare, o distesa per

terra e addormentata. S'essa li scorgeva, li accompagnava con lo sguardo finchè fossero spariti, senza rispondere nè con la voce, nè con gli atti, nè col sorriso, a qualsiasi cenno le facessero. Tutt'al più, qualche volta, quand'eran già
5 di molto allontanati, faceva con tutt'e due le mani l'atto di sparare il fucile contro di loro; ma sempre col viso serio. Così coi soldati, coi quali nessuno l'aveva vista mai nè trattenersi, nè parlare, nè ridere. Passava dinanzi a loro o in mezzo a loro senza rispondere parola ai motti
10 che le lanciavano, senza voltar la testa, senza guardare in faccia a nessuno. E non c'era chi s'attentasse a toccarle pure un dito o a tirarla per la veste, perchè si diceva che menasse certi ceffoni da lasciar l'impronta delle dita sul viso.
15     Dovunque fosse, appena sentiva un suon di tamburo, accorreva. I soldati uscivan dal paese per andare a far gli esercizi sulla riva del mare, ed essa li seguiva. Mentre i sergenti comandavano e l'ufficiale, a una qualche distanza, sorvegliava, lei si ritirava in disparte e contraffaceva con
20 la più grande serietà gli atteggiamenti dei soldati, e imitava con un bastoncino i movimenti dei fucili, ripetendo a bassa voce i comandi. Poi, all'improvviso, buttava via il bastone e andava a ronzare intorno all'ufficiale, guardandolo e sorridendogli amorosamente, e chiamandolo coi
25 nomi più dolci, a bassa voce però, e coprendosi la bocca con una mano, perchè i soldati non sentissero.

Quand'era in paese stava quasi sempre sulla piazza dinanzi alla casa dell'ufficiale, in mezzo a un circolo di ragazzi che divertiva con ogni sorta di buffonate. Ora si foggiava
30 un cappello cilindrico di carta con una grande tesa, se lo metteva in testa di sbieco e, appoggiandosi sopra un grosso bastone e brontolando con voce nasale, scimmiottava l'andatura del sindaco. Ora con certi frastagli di carta nei capelli, con gli occhi bassi, con la bocca stretta, movendo
35 una mano come per agitarsi il ventaglio sul seno, e dondo-

landosi mollemente faceva la caricatura delle poche
signore del paese quando andavano alla chiesa i giorni di
festa.   Tal'altra volta, raccolto dinanzi alla porta della
caserma un berretto logoro buttato via da qualche soldato, se lo metteva e se lo tirava giù fino a gli orecchi, ci  5
nascondeva dentro tutti i capelli, e poi con le braccia tese

R. *Raffius*

Carretto siciliano

e strette alla persona faceva due o tre volte il giro della
piazza, a passo lento e cadenzato, imitando con la voce il
suono del tamburo, seria, rigida, tutta d'un pezzo, come
un coscritto de' più duri.                                    10
    Ma checchè facesse o dicesse, la gente oramai non ci
badava più.   I ragazzi erano i suoi soli spettatori.   Però
le madri badavano a tenerli lontani, perchè un giorno,
contro ogni sua abitudine e chi sa per qual ghiribizzo, ne
aveva agguantato uno, un fanciulletto sugli otto anni, il  15
più bello dei suoi spettatori, e gli aveva dati tanti e

così furiosi baci nel viso e nel collo, che quello s'era messo a piangere e a gridare dalla paura che volesse farlo morir soffocato.

Qualche rara volta entrava in chiesa, e s'inginocchiava,
5 e giungeva le mani come tutti gli altri, e borbottava non so che parole; ma dopo pochi momenti si metteva a ridere, e pigliava delle attitudini, e faceva dei gesti strani e irriverenti, così che il sagrestano finiva col venire a pigliarla per il braccio e a condurla fuori.

10 Aveva una bella voce, e quand'era in sè cantava benino; ma dacchè le aveva dato volta il cervello, non faceva più che un cantarellare inarticolato e monotono, di solito quando stava seduta sulla soglia di casa sua o appiè della scala della casa del tenente, mangiucchiando fichi d'India,
15 ch'erano, si può dire, l'unico suo alimento.

Aveva anch'essa le sue ore di malinconia in cui non parlava e non rideva con nessuno, nemmeno coi fanciulli; e soleva stare accovacciata come un cane dinanzi alla porta di casa ... Ma ciò accadeva assai di rado; era quasi
20 sempre allegra.

Ai soldati, come dissi, non dava retta, e non li guardava nemmeno; riserbava tutte le sue tenerezze per gli ufficiali. Non le largiva però a tutti nella stessa misura. Dopo ch'era tornata dall'ospedale, il distaccamento s'era mutato
25 da sei a otto volte, e d'ufficiali ce n'eran venuti d'ogni età, d'ogni aspetto e d'ogni umore. Si notò ch'essa mostrava un'assai più viva simpatia pei più giovani, anche a differenza di pochi anni; e che sapeva benissimo distinguere i belli dai brutti, comunque tutti fossero egualmente il
30 suo « amore » e il suo « tesoro ».

A un certo tenente venuto dei primi, un uomo sulla quarantina, tutto naso e tutto pancia, con una vociaccia stentorea e due occhi da basilisco, essa non aveva mai fatto buon viso. Gli aveva detto qualche dolce parola la prima
35 volta che s'erano incontrati; ma quegli, infastidito, le

aveva risposto malamente, accompagnando le parole con
un atto minaccioso della mano, in modo da farle intendere
ch'era miglior consiglio desistere una volta per sempre.
Ed essa aveva desistito, non cessando però di tenergli
dietro ogni volta che l'incontrasse per via, e di passare 5
molte ore della sera seduta appiè della scala di casa sua.
Entrasse o uscisse,° non gli diceva una parola; ma non si
moveva di là. E si portò nello stesso modo con due o tre
altri ufficiali che vennero dopo quel primo, d'indole, di
aspetto e di modi non molto diversi da lui. 10

Ma ne vennero anche dei giovanissimi e di bella persona
e gentili, e di questi si sarebbe potuto dire che n'andava
pazza, se pazza già non fosse stata.

Qualcuno di loro si era fitto in capo di volerla guarire
fingendo di esserne invaghito e di amarla davvero; ma 15
avendo presa la cosa alla leggera, se n'era annoiato dopo
due o tre giorni di prova, e aveva smesso. Qualcun altro,
meno filantropo e più materiale, s'era domandato: — O
che è sempre necessario ° che una bella ragazza abbia la
testa a segno? e risposto di no, aveva cercato di 20
persuadere Carmela che per fare all'amore la ragione è un
soprappiù; ma, stranissimo a dirsi, aveva incontrato una
resistenza inaspettatamente ostinata. Non diceva proprio
un no tondo e risoluto, perchè forse non intendeva chiaramente che cosa si volesse da lei; ma, quasi per istinto, a 25
ogni atto che potesse parer decisivo, svincolava, l'una dopo
l'altra, le mani, ritirava le braccia, e se le incrocicchiava sul
seno, e si raggomitolava tutta, ridendo d'un certo riso
strano ... In quei momenti, animandosele il viso e lampeggiando lo sguardo, essa non pareva pazza, ed era 30
bellissima, e quel ritegno, quella ritrosia, imprimendo ai
movimenti della sua persona una certa compostezza, dava
uno straordinario risalto alla stupenda leggiadría delle sue
forme. Insomma quei pochi che la tentarono si persuasero ch'era un'impresa disperata. 35

Mi fu detto che uno di questi, raccontando un giorno i suoi vani tentativi al dottore, esclamasse: — Donne con la virtù nel cervello, nella coscienza, nel cuore, in che diamine vuole, ne ho viste molte; ma donne, come questa,
5 che l'abbiano nel sangue, nel sangue! le confesso che non ne ho viste mai.

Alcuni dicevano che in ogni ufficiale che le piacesse ella credeva di vedere il suo, quello che l'aveva amata e abbandonata.  Forse non era vero, perchè qualche volta
10 avrebbe detto qualche cosa d'allusivo a ciò ch'era accaduto, e invece non diceva mai nulla.  Frequentemente le veniva chiesto o detto qualche cosa su questo proposito, ma non dava mai segno d'intendere.  Ascoltava attenta attenta, e poi rideva.  Quando un distaccamento partiva, lo an-
15 dava ad accompagnare fino al porto, e quando il legno s'allontanava, lo salutava agitando in alto il fazzoletto; ma non piangeva, nè faceva alcun'altra mostra di dolore. Andava subito a far le sue proteste d'amore al nuovo ufficiale.
20 L'ultimo venuto pareva che le piacesse un po' più di tutti gli altri.


V


Il dottore tornò poco dopo e raccontò all'ufficiale tutto quello che abbiam finito or ora di dire.  Questi, pigliando commiato, esclamò una seconda volta: — Peccato;  è
25 tanto carina!

— Sicuro, e che fiera e nobile tempra di carattere doveva avere! — soggiunse il dottore.

L'ufficiale uscì.  Era notte avanzata, e nella piazza non si vedeva anima viva.  La sua casa era dal lato opposto a
30 quello del caffè.  Egli vi si diresse lentamente e quasi a malincuore. — Sarà là, — diceva tra sè, e aguzzava gli

ɔcchi, allungando il collo e piegando il capo a destra e a
sinistra per vedere se ci fosse qualcuno dinanzi alla pɔrta;
ma inutilmente, perchè era buio pesto.

Avanti, avanti, sempre più a rilento, soffermandosi,
serpeggiando, guatando !... — Se sapessi che là c'è un 5
malandrino che m'aspetta col coltello in mano, — pensɔ a

*Publishers Photo*

VILLA TASCA, SIRACUSA
Una delle più belle della Sicilia

un certo punto, — mi pare che andrei innanzi più franco e
più spedito; — e fece risolutamente dieci o dodici passi. —
Ah ! eccola là. — L'aveva scɔrta; era seduta sopra uno
scalino fuɔri della pɔrta; ma buio com'era, egli non poteva 10
vederla nel viso.

— Che cɔsa fate quí ? — le domandɔ avvicinandosele.

Essa non rispose subito; s'alzɔ, gli si mise proprio petto
a petto, e, posandogli tutt'e due le mani sulle spalle, con

una vocina soave e un certo accento da parer che parlasse nel miglior senno del mondo, gli disse:

— T'aspettavo . . . dormivo.

— E perchè m'aspettavi ? — domandò ancora l'ufficiale levandosi di sulle spalle quelle due mani, che scesero subito a stringergli le braccia.

— Perchè voglio stare con te, — essa rispose.

Che accento ! — egli pensò; — in verità che si direbbe che parla da senno. — E, cavato subito di tasca un fiammifero, l'accese e l'avvicinò al viso di Carmela per vederla bene negli occhi. La stanchezza, — poichè era stata in giro tutta la giornata, — e più quel breve sonno da cui allora si destava, avendo tolto al suo viso un po' di quella vivezza smodata e convulsa che le era abituale, e diffusovi invece una tinta come di languore e di malinconia, in quel punto essa era veramente incantevole, e pareva tutt'altro che pazza.

— Oh caro, caro ! — proruppe Carmela appena vide la faccia rischiarata del tenente, e allungando il braccio tentò di stringergli il mento tra l'indice e il pollice. Egli l'afferrò per un braccio; essa alla sua volta afferrò con l'altro il braccio che l'aveva afferrata, gl'inchiodò la bocca sulla mano, gliela baciò e gliela morse. L'ufficiale si svincolò, si slanciò in casa, e chiuse la porta.

— Tesoro ! — gridò ancora una volta Carmela, e poi, senza dir altro, si rimise a sedere sullo scalino con le braccia incrociate sulle ginocchia e la testa chinata da una parte. Poco dopo prese sonno.

Appena entrato in casa e acceso il lume, l'ufficiale si guardò il rovescio della mano destra, e vi vide la leggera impronta di otto dentini, intorno alla quale luccicava ancora il madore di quella bocca convulsa.

— Che razza d'amore è questo ! — disse forte a sè stesso, e, acceso un sigaro, si mise a passeggiare per la stanza ruminando l'orario per il suo piccolo distaccamento. —

Ci penserò domani, — disse poi tutt'a un tratto, e pensò ad altro. Sedette, aprì un libro, lesse qualche pagina, riprese a passeggiare; poi daccapo a leggere; finalmente si decise ad andare a letto. S'era già quasi finito di spogliare quando fu colto da un'idea; stette pensando un momento, corse 5 alla finestra, allungò la mano per aprirla...; la ritirò, scrollò le spalle, e andò a dormire.

L'indomani mattina per tempo, la sua ordinanza, entrando in punta di piedi nella camera, si meravigliò di vederlo già sveglio, chè non era suo costume di svegliarsi 10 da sè. E gli disse sorridendo:

— Qui sotto, alla porta, c'è quella pazza...

— E che fa?

— Nulla; dice che aspetta il signor tenente.°

L'ufficiale si sforzò di ridere, e guardando poi il soldato 15 mentre gli spazzolava i panni, diceva tra sè: — Questa mattina lavora a vapore costui.

Quando fu vestito, gli disse:

— Guarda se c'è ancora.

Il soldato andò alla finestra, guardò giù, e disse di sì. 20

— Che cosa fa?

— Si balocca coi sassi.

— Guarda in su?

— No.

— È proprio dinanzi alla porta o da una parte? 25

— Da una parte.

— Le potrò sfuggire.

E discese. Ma il suono della sciabola lo tradì.

— Buon giorno! buon giorno! — gridò, andandogli incontro su per la scala, la fanciulla; e quando gli fu 30 accosto, gli s'inginocchiò dinanzi, tirò fuori un fazzoletto e, afferrandogli con l'altra mano una gamba, si mise a spolverargli in gran fretta lo stivale mormorando:

— Aspetta, aspetta, ancora un momento, un po' di pazienza, caro; ancora un momento, ecco, così, adesso va bene... 35

— Carmela! — gridò impetuosamente l'ufficiale e, svincolata la gamba dalla sua piccola mano, s'allontanò quasi correndo, tutto sconvolto. *disturbed*

## VI

Dopo un mese il dottore e il tenente erano amicissimi.
La conformità della loro natura e della loro età, e più quel trovarsi assieme dalla mattina alla sera in un paese dove si può dire che non ci fossero altri giovani della loro condizione, fece sì che in poco tempo si conoscessero l'un l'altro intimamente e si volessero bene come amici di vecchia data. Ma durante quel mese l'un d'essi, l'ufficiale, aveva mutato abitudini in modo singolare. I primi giorni s'era fatto mandare da Napoli certi libri, e la sera, per un paio di settimane, non aveva fatto che leggere e pigliare appunti e intavolar delle discussioni lunghe e astruse col dottore, terminando quasi sempre col dire: — Basta; io credo che in questo caso i medici ci abbian poco o punto da fare. — Vedremo a che cosa riuscirai, ° — rispondeva il dottore, e si separavano per ripigliare daccapo la discussione l'indomani.

Oramai non parlavano d'altro.

Un giorno, dopo aver fatto certe domande al sindaco, l'ufficiale aveva mandato a chiamare l'unico sarto del paese, poi s'era recato alla bottega dell'unico cappellaio, e poi a quella dell'unico merciaio, e quattro giorni dopo era uscito a passeggiare sulla riva del mare, vestito di tela di Russia, con un gran cappello di paglia e una cravatta azzurra. La sera stessa, incontrandolo, il dottore gli aveva chiesto: — Ebbene? — Nulla. — Nemmeno un segno? — Nulla, nulla. — Non importa; perseveranza. — E l'altro aveva risposto risolutamente: — Non ne dubitare.

Il ricevitore del paese aveva fatto per molti anni il

cantante,° e sapeva sonare vari strumenti. Un giorno l'ufficiale era andato da lui e, senz'altri preamboli: — Mi
faccia il piacere,° — gli aveva detto, — m'insegni a sonar
la chitarra. — E il ricevitore, cominciando da quel giorno,
dava lezione di chitarra, mattina e sera, al tenente, e  5

R. Raffius

BALESTRATA, SICILIA
Pescatori che accomodano reti sulla spiaggia

questi imparava a meraviglia, e in poco tempo s'era messo
al caso di fargli l'accompagnamento quando cantava.
— Lei deve avere una bella voce, — gli disse un giorno
il maestro. E difatti aveva una voce gentile. Incominciò
a imparare a cantare, e in capo a un mese cantava sulla 10
chitarra le canzoncine siciliane con un garbo ch'era
un vero piacere sentirlo. — Abbiamo avuto un altro
ufficiale che sonava veramente bene anche lui! — gli
disse un giorno il ricevitore; — c'è un'arietta ch'egli can-

tava sempre ... un'arietta ... aspetti; ah come la cantava
benino ! Cominciava ... Se l'era fatta lui, sa; cominciava:

> Carmela, ai tuoi ginocchi
> placidamente assiso,
> guardandoti negli occhi,
> baciandoti nel viso,
> trascorrerò i miei dì.

> L'ultimo dì, nel seno
> il volto scolorito
> ti celerò, sereno
> come un fanciul sopito,
> e morirò così.

— Me la dica ancora una volta. — Il ricevitore la ripe-
teva. — Me la canti. — E la cantava.

Un altro giorno, dopo aver parlato a lungo col tabaccaio
che aveva la bottega accanto a casa sua, andò dal maresciallo dei carabinieri e gli disse:

— Maresciallo, mi hanno detto che Lei è un eccellente
schermitore.

— Io ? Oh Dio buono, son due anni che non ho più
preso la sciabola in mano.

— Vuol che si scambi un paio di colpi di tanto in tanto ?

— E come volentieri !

— Allora fissiamo l'ora.

E da quel giorno in poi, ogni mattina, tutti coloro che
attraversavano la piazza sentivano un gran cozzare di
sciabole e un gran pestar di piedi nella casa del tenente.
Eran lui e il maresciallo ° che giocavano di scherma.

— Quest'esperimento potevi risparmiartelo, — disse un
giorno il dottore all'ufficiale; — non ha dato segno di
nulla ?

— Di nulla; ma era bene provare. M'han detto ch'egli
tirava ogni mattina col maresciallo, appunto a quell'ora,
e che lei, non piacendole di stare a vedere, scendeva in
piazza ...

— Oh sì, — rispose il dottore, scrollando il capo; — la
cosa non è così facile; ci vuol altro, mio caro, ci vuol
altro !


# VII

Era trascorso un mese e mezzo dal giorno dell'arrivo del
nuovo distaccamento. Una sera l'ufficiale stava a tavolino 5
in casa sua, di fronte al dottore, e diceva:

— Come vuoi che la vada a finire ? ° Diventerò pazzo
anch'io; ecco come finirà. Mi vergogno di me stesso,
vedi; ci son dei momenti in cui mi pare che tutti m'abbiano a ridere alle spalle. 10

— Ridere di che ? — domandava il dottore.

— Di che ? — ripetè l'altro per pigliar tempo alla risposta. — Ridere di questo mio . . . zelo, di questa mia
pietà per quella povera disgraziata, e dei miei esperimenti
inutili. 15

— Zelo ! pietà ! Queste non son cose che possano dare
argomento a ridere. — E gli fissò gli occhi nel viso, e poi:
— Dimmi la verità; tu sei innamorato di Carmela.

— Io ? — esclamò vivamente l'ufficiale, e rimase immobile nell'atto d'interrogare, facendosi rosso fino alla radice 20
dei capelli.

— Tu, — rispose il dottore. — Dimmi la verità; sii
sincero con me; non sono qui il tuo unico amico ?

— Amico sì; ma appunto perchè voglio esser sincero
non ti debbo dire ciò che non è, — rispose l'altro. Tacque 25
un momento, e poi tirò innanzi a parlare in fretta, ora di-
ventando pallido, ora color di fuoco, balbettando, imbro-
gliandosi e contraddicendosi, come un fanciullo colto in
fallo e obbligato a raccontare la sua monelleria.

— Innamorato, io ? E di Carmela ? D'una pazza ? 30
Ma ti pare, amico mio ? Come ti è venuta in mente una

stranezza di questo genere ?  Il giorno che questo fosse . . .
ti do fin d'ora il diritto di riferire al mio colonnello che
bisogna chiudermi coi matti.    Innamorato ! . . . mi fai
ridere.  Ne sento pietà di quella povera creatura, sì;  una
5 grande pietà;  non so che darei per vederla guarita;
farei volentieri per la sua salute qualunque sacrifizio;
godrei della sua guarigione come se fosse una persona della
mia famiglia . . .  Questo è vero;  ma da questo all'esserne
innamorato, ci corre !  Le voglio bene, è vero anche questo,
10 come credo che gliene voglia anche tu, perchè la pietà va
sempre insieme all'affetto . . . E poi le voglio bene perchè si
dice che sia stata sempre buona e affettuosa, e che quel suo
primo amante essa l'abbia amato davvero, onestamente,
con l'idea di diventare sua moglie, e senza volergli affidare
15 il proprio onore prima di portare il suo nome . . .  Questa è
virtù, caro mio, e io l'ammiro, capisci, e quella poveretta
mi fa tanto più compassione quanto più meritava d'incontrare una sorte felice invece d'una disgrazia com'è quella
che le è toccata.   Come si potrebbe non averne compassione
20 e non volerle bene ?   Il carattere della sua stessa pazzia
non è forse l'espressione d'un'anima bella ?   Dalla sua
bocca io non ho mai sentito che parole dolci e modeste, e
quel suo mettermi le mani addosso, quelle sue carezze,
quel suo baciarmi le mani, sono certamente atti da pazza,
25 ma non han nulla che passi il limite della decenza.   L'hai
mai vista fare un atto immodesto ?   È per questo, ti
ripeto, che le ho posto affetto.  Povera ragazza, abbandonata da tutti . . . ridotta a menar la vita d'un cane . . .
Io te lo dico schietto, le voglio un bene dell'anima.   E
30 quella sua stessa bellezza . . . perchè è bella poi . . . bella
come un angelo, questo non si può negare;  guardale gli
occhi, la bocca . . . le mani;  gliel'hai mai guardate le mani ?
E i capelli ?   Così arruffati come li porta, sembra una sel-
vaggia;  ma son capelli bellissimi . . . Ebbene, quella sua
35 stessa bellezza mi fa sentir di più la pietà.   Non sai che

LA STRADA D'AMALFI

Tagliata nella roccia che scende a precipizio sul mare

IL FORO DI POMPEI
In distanza il fumante Vesuvio

R. Raffius

quella ragazza, se avesse la ragione come tutte le altre, farebbe girar la testa a chicchessia ? E anche adesso ci son dei momenti in cui, se non si sapesse che è pazza, si starebbe per fare uno sproposito; per esempio, quando guarda fisso negli occhi, e poi sorride e dice: — caro, — e la 5 sera, al buio, quando non la vedo nel viso, e la sento soltanto parlare e dirmi che m'aspettava, che vuole stare con me fino al mattino, che sono il suo angelo . . . che so io ? in quei momenti non mi par pazza. Certi giorni io la guardo, l'ascolto come se fosse in sè e sentisse veramente 10 quel che mi dice, e t'assicuro che, mentre l'illusione mi dura, il cuore mi batte . . . ma ti dico, mi batte come se fossi innamorato. E provo a chiamarla per nome, non so perchè . . . con una certa idea . . . con la fissazione che mi debba rispondere qualche cosa che me la riveli guarita 15 tutt'a un tratto . . . — Carmela ! — le dico. E lei: — Che vuoi ? — Tu non sei pazza, non è vero ? — le domando.— Io pazza ? — mi risponde, e mi guarda con una cert'aria di sorpresa che mi farebbe giurare che non l'è. — Carmela ! — allora grido esaltato improvvisamente da una speranza; 20 — dimmelo un'altra volta che non sei pazza ! . . . — Allora mi guarda attonita un po' di tempo, e poi scoppia in una grande risata. Oh ! amico, credilo, allora darei la testa nel muro. Tu sai quant'ho fatto per veder di restituirle la ragione, ma non sai tutto. Quasi ogni sera io l'ho fatta 25 venire in casa, le ho parlato per ore intere, le ho sonato e cantato le canzoni che il suo innamorato le cantava, ho provato a dirle che ero innamorato di lei, a colmarla di carezze, a fingere di piangere e di disperarmi, a lasciarla fare di me quel che voleva, baciarmi, abbracciarmi, carez- 30 zarmi come un bambino . . . Ho provato a fare lo stesso io a lei, e con che cuore io lo facessi, te lo lascio immaginare: non saprei dire se provassi ribrezzo, o paura, o vergogna, o rimorso, o tutto questo insieme; ti dico solo che, baciandola, tremavo, impallidivo come a baciare un cadavere. 35

A volte mi pareva di fare un sacrifizio generoso e me ne sentivo quasi superbo, e in cert'altri momenti mi pareva di commettere un delitto e sentivo orrore di me stesso . . . Ho sofferto il soffribile, e tutto inutilmente ! Non posso dormire la notte perchè . . .

— Oh mio amore ! — s'intese gridare in quel punto giù nella piazza.

L'ufficiale e il dottore balzarono in piedi, e quest'ultimo, stretta la mano all'amico:

— Ti lascio, — disse, — fatti animo !

E partì.

Il tenente rimase qualche minuto immobile in mezzo alla stanza, poi andò alla finestra e stette contemplando un momento il bellissimo spettacolo che gli s'offriva allo sguardo. Era una notte limpida, chiara e senza vento. Là sotto gli occhi la parte bassa del paese: i tetti, le vie deserte, il porto, la spiaggia, su cui batteva così bianco il lume della luna che vi si sarebbe veduto passare una persona distintamente come di giorno, e poi il mare quieto e liscio come olio, e lontano lontano i monti della Sicilia rilevati e netti come se fossero là presso, e un silenzio profondo. — Potessi anch'io godere di questa pace ! — pensò l'ufficiale spaziando con lo sguardo nell'immensità di quel mare; e s'affacciò palpitante, e guardò giù. Carmela era seduta dinanzi alla porta.

— Carmela ! — chiamò il tenente.

— Carino.

— Che cosa fai costà ?

— Che cosa fai . . . aspetto; lo sai. Aspetto che tu mi faccia salir sopra.° Non mi vuoi questa sera ?

— Scendo ad aprirti.

Carmela, dalla contentezza, si mise a batter le mani.

La porta s'aperse, e comparve l'ufficiale col lume in mano. La ragazza entrò, gli tolse di mano il lume, gli passò dinanzi, e cominciò a salir le scale mormorando: —

TAORMINA E, IN FONDO, L'ETNA COPERTO DI NEVE
Veduta presa dal Teatro Greco

*Publishers Photo*

Vieni, vieni, poverino . . . — e poi, voltandosi per porgergli
la mano: — Da' la mano alla tua piccina, bel giovanotto . . .
— e lo trasse per mano fino in casa.

Qui l'ufficiale se la fece sedere dinanzi e con una pazienza
5 da santo cominciò a ripetere tutte le prove dei giorni andati, e ne immaginò delle nuove, e le esperimentò più e
più volte, sempre con più ardente sollecitudine e con ardore
più vivo, simulando amore, odio, ira, dolore, disperazione;
ma sempre invano. Essa lo guardava e l'ascoltava at-
10 tentamente, e quando aveva finito gli domandava ridendo
forte: — Che hai? — oppure gli diceva: — Poveretto,
mi fai pena! — E gli prendeva e gli baciava le mani con
l'apparenza della più profonda pietà.

Ma a un certo momento ella vide un berretto su d'una
15 sedia, diede in un grande scoppio di risa, lo prese, se lo
pose in capo e, sghignazzando e vociando, si mise a saltare
per la stanza.

— Carmela! — gridò dolorosamente l'ufficiale.

E quella peggio.°

20 — Carmela! — tornò egli a gridare, e si slanciò verso
di lei. Essa, spaventata, si precipitò giù per le scale, e,
dopo un momento, fu in mezzo alla piazza sempre saltando,
strillando e smascellandosi dalle risa.

L'ufficiale corse alla finestra. — Carmela! — gridò an-
25 cora una volta con voce spenta, e poi si coprì la faccia con
le mani e si lasciò cadere sopra una sedia.


VIII

L'indomani mattina, appena levato, egli andò a casa
del dottore.

Durante la notte, passata quasi interamente senza sonno,
30 una nuova idea gli era venuta, ma prima di metterla in
atto voleva sentire il consiglio dell'amico.

Aveva letto, non ricordava più dove, che uno dei mezzi più efficaci per risanare i pazzi è quello di rappresentar loro con le particolarità più minute e con la più scrupolosa esattezza qualche grave avvenimento che abbia preceduto la loro malattia, essendone o non essendone la causa 5 diretta. Gli avevano detto che il tenente che Carmela aveva amato, e per il quale ell'era impazzita, era partito di notte; e aveva saputo anche che, prima d'imbarcarsi, egli aveva cenato a casa sua in compagnia del sindaco, del maresciallo dei carabinieri e di varie altre persone. 10 Perchè non tentare di rifar quella cena con tutti i preparativi d'una finta partenza ?

Purtroppo nè il sindaco, nè il maresciallo, nè altri aveva saputo dargli molti particolari circa gli eventi di quella sera; l'unica speranza d'averli, questi particolari indi- 15 spensabili, era quella di rivolgersi direttamente alla sola persona che certo non li aveva dimenticati: l'antico amante di Carmela.

Bisognava scrivergli. Non era cosa facile nè piacevole per lui, scrivere a quell' individuo; eppure non c'era 20 altro rimedio se voleva far quest'ultimo tentativo. Bisognava scrivergli una lunga lettera, raccontargli tutto, sopprimendo ogni sentimento d'astio, anzi usando il massimo tatto, e cercar d'ispirargli un po' di pietà per la disgraziata sua vittima. 25

Appena arrivato in casa del dottore (lo trovò che stava appunto vestendosi), il tenente gli espose il progetto.

— Che te ne pare ? — chiese trepidante.

— Stupendamente pensato, — rispose l'amico che aveva ascoltato con la massima attenzione. 30

— Sai il suo nome ? il reggimento ? il luogo ?

— Il sindaco sa tutto. Ma credi che il tuo collega ti risponderà ?

— Lo credo.

La lettera fu scritta quel giorno stesso, e circa una set- 35

timana dopo arrivò la risposta: una risposta di otto pagine
in cui erano dati tutti i particolari richiesti intorno alle
persone, alle cose, ai discorsi, alle ore, a tutto. Ma non un
commento, non un'allusione al suo amore passato aveva
5 messo lo scrivente in quella sua lettera, non una parola
che si riferisse ad altra cosa che a quella cena e alla sua
partenza; non una sillaba fuor delle domande che gli
erano state fatte; nemmeno un accento di pietà per
Carmela. Ma da quella lettera nuda e cruda si capiva che,
10 scrivendo, egli aveva dovuto sentire molto viva la stretta
del rimorso, perchè, se ciò non fosse stato, almeno una finta
espressione di rammarico e di pentimento l'avrebbe tro-
vata. Terminando, avesse almeno detto °: — Spero . . .
ecc.; ma niente. « A un'ora dopo mezzanotte il vapore
15 partì. La saluto. » E poi la firma.


## IX


— Capisco ! — esclamò il dottore appena il suo amico
ebbe finito di leggergli la lettera; — capisco adesso perchè
nessuno dei tanti personaggi che furono a quella cena è
stato in caso di raccontarne i particolari. Sfido io, alzando
20 il gomito a quella maniera !

Quel giorno stesso si misero tutti e due in faccende per
preparare la grande prova. Furon tutt'e due dal sindaco,
dal giudice, dal ricevitore, dal maresciallo, da tutti gli
altri. Oramai erano nella più intima dimestichezza con
25 tutti. E l'uno, il dottore, con gli argomenti della scienza,
l'altro con quelli del cuore, riuscirono a far capire a ognuno
di loro di che si trattasse, ad assicurarsi il loro aiuto, e a
inculcare a ciascuno la parte che doveva recitare.

— Sia lodato il Cielo ! — esclamò l'ufficiale uscendo dalla
30 casa del ricevitore, che fu l'ultimo visitato. — Il più è
fatto.

PORTA NUOVA, PALERMO
Eretta nel prima metà del Cinquecento

VEDUTA DI MESSINA

E mandarono a chiamare la madre di Carmela, che subito capì di che si trattava e non esitò ad acconsentire.

Carmela da qualche giorno non si sentiva bene e stava quasi sempre a casa. L'ufficiale e il dottore andarono a cercarla. Era seduta in terra, fuor della porta, con la 5 schiena appoggiata al muro. Quando li vide, s'alzò e, un po' meno in fretta del solito, si diresse verso il tenente e tentò, come sempre, d'abbracciarlo mormorando con voce sommessa le solite parole.

— Carmela, — disse il tenente, — abbiamo da darti una 10 notizia.

— Una notizia, una notizia, una notizia, — ripetè soavemente Carmela facendo scorrere tre volte la palma della mano sulla guancia dell'ufficiale.

— Domani vado via. 15

— Domani vado via?

— Io, io vado via. Vado via da qui. Lascio questo paese. Parto con tutti i miei soldati. Salgo sul bastimento, e il bastimento mi porta lontano lontano.

E alzò un braccio come per indicare una grande di- 20 stanza.

— Lontano, lontano... — mormorò Carmela guardando dalla parte alla quale aveva accennato l'ufficiale. Parve che pensasse un momento, e poi disse, così in aria, con un accento affatto indifferente: 25

— Il bastimento a vapore... che fuma.

E tentò un'altra volta di abbracciar l'ufficiale chiamandolo coi soliti nomi.

— Nulla! — questi pensò scrollando il capo.

— Bisogna dirglielo molte volte, — susurrò il dottore. 30 — Aspettiamo a più tardi.

E s'allontanarono dopo aver fatto una voce severa a Carmela perchè non li seguisse.

La cena era fissata per la sera del giorno dopo. Quella sera stessa Carmela, com'era suo costume, s'andò a sedere 35

dinanzi alla porta dell'ufficiale.  Questi, appena tornato,
la fece salire in casa, dove l'ordinanza, giusta gli ordini
ricevuti, aveva messo tutto sossopra come se la partenza
dovesse aver luogo davvero.  Il tavolino, le sedie, il divano
5 erano ingombri di biancheria, di vestiti, di libri e di carte
buttati giù alla rinfusa, e in mezzo alla stanza due bauli
aperti, in cui il soldato aveva cominciato a riporre la roba.

Carmela, al primo vedere tutto quel disordine, fece un
leggero atto di sorpresa e guardò in viso l'ufficiale sorri-
10 dendo.

— Preparo la mia roba per partire, — diss'egli.

Carmela guardò un'altra volta intorno per la stanza
aggrottando le sopracciglia; movimento che non soleva
far mai.  L'ufficiale la osservava attento.

15 — Me ne vado via, vado lontano da qui, parto col
bastimento a vapore . . .

— Parti col bastimento a vapore ?

— Già . . . Parto domani sera.

— Domani sera, — ripetè macchinalmente Carmela, e,
20 vista la chitarra su d'una sedia, ne toccò le corde con un
dito e le fece sonare.

— Non ti rincresce ch'io vada via ?  Non ti dispiace di
non vedermi mai più ?

Carmela lo guardò fisso negli occhi, e poi abbassò la
25 testa e lo sguardo, proprio come se pensasse.  L'ufficiale
non aggiunse altro, e si mise a parlar sotto voce col
soldato, aiutandolo a piegare i vestiti.

La fanciulla stava guardandoli senza dir parola.  Dopo
un poco, l'ufficiale le andò vicino e le disse:

30 — Adesso vattene, Carmela; ci sei stata abbastanza
qui; vattene a casa, via . . .

E, pigliatala per il braccio, la sospinse dolcemente verso
la porta.  Essa si voltò e stese le braccia per cingergli il
collo.

35 — Non voglio ! — disse il tenente.

Carmela battè due o tre volte il piede sul pavimento, gemette, stese nuovamente le braccia, gli cinse il collo, gli strisciò la bocca attraverso la guancia senza baciargliela, come se pensasse a qualche altra cosa, e poi se ne andò zitta zitta, lentamente, senza ridere, senza voltarsi indietro, con 5 un viso che non esprimeva nulla, come il distratto che pensa nello stesso tempo a cento cose e a nessuna.

— Che è questo ? — pensò l'ufficiale. — Che sia un buon segno ? . . . ° Dio lo volesse ! ° Speriamo !

Il giorno dopo non uscì di casa e non volle neanche 10 veder Carmela, benchè sapesse che stava seduta, come sempre, alla porta. Impiegò tutto il pomeriggio a preparare le prove della sera.

Il suo piccolo appartamento si componeva di due stanze e d'una cucina. Tra la camera da letto e la porta d'entrata 15 c'era la stanza più grande, le cui finestre, come quelle dell'altra, guardavano sulla piazza. In questa stanza egli fece apparecchiare per la cena. L'oste suo vicino gl'imprestò una grande tavola da mangiare, venne egli stesso a cucinargli in casa quei pochi piatti che occorrevano, 20 apparecchiò con quel maggior lusso che potè, e portò poi in tavola egli stesso, come aveva fatto tre anni prima per quell'altro ufficiale.

Verso le nove della sera venne per il primo il dottore.

— È qui sotto, — disse, entrando, all'amico ; — s'è 25 lamentata con me di non averti ancora visto. Le ho domandato se si sentiva bene, e lei, dopo avermi fissato negli occhi, m'ha risposto : — bastimento a vapore — e non ha riso. Mah ! . . . Chi saprebbe dire che cosa passa per quella testa ? Dio solo. Oh, vediamo un po' questa 30 splendida imbandigione.

E, dato tutti e due uno sguardo alla tavola, cominciarono a concertare fra loro il miglior modo di condurre la rappresentazione di quella commedia, o piuttosto di quel dramma, perchè era un dramma, e serio. Quando furon 35

d'accordo: — Che tutti abbiano imparato bene la propria
parte ? — domandò il dottore; l'ufficiale rispose che sperava di sì.

Poco prima delle dieci sentirono giù alla porta uno scal-
5 piccio di molti piedi e un suono confuso di voci.

— Son qui ! — disse il dottore, e si affacciò alla finestra.
— Son proprio loro.°

Il soldato scese ad aprire.   Il dottore accese i quattro
candelieri ch'erano sulla tavola.

10     — Come mi batte il cuore ! — disse l'ufficiale.

— Coraggio, coraggio ! — gli rispose l'amico, stringen-
dogli un braccio.

In quel momento si sentì Carmela esclamare: — Vado
anch'io sul bastimento a vapore ! — e poi batter le mani.

15     — Hai sentito ? — disse il dottore. — Le si comincia a
fissare nella mente quell'idea; buon segno . . .

La porta s'aperse ed entrarono, sorridendo e salutando,
il sindaco, il giudice e tutti gli altri, che s'erano riuniti al
caffè.   Mentre l'ufficiale stringeva quelle mani e ringra-
20 ziava ora l'uno ora l'altro, il dottore disse una parola
all'orecchio dell'ordinanza, ch'era immobile in un canto,
e questa scomparve.   Dopo un minuto, senza che nessuno
se n'accorgesse, ritornò con Carmela, e tutti e due, passando rasente al muro in punta di piedi, entrarono nell'al-
25 tra stanza.

— Sediamo, — disse l'ufficiale.

Tutti sedettero.   Il rumore delle sedie smosse non
lasciò sentire un leggero strepito che fece l'ordinanza per
trattenere Carmela, la quale esclamando: — È un giorno
30 che non lo vedo ! ° — aveva aperto la porta e tentato di
slanciarsi verso l'ufficiale.   L'ordinanza la trattenne, pose
una sedia vicino alla porta e la fece sedere; poi aprì
le imposte tanto da lasciarci in mezzo il vano d'un palmo,
ed essa mise la faccia in quel vano e stette guardando.
35 Nessuno dei commensali si voltò da quella parte, nessuno

guardò nè in quel momento nè poi, e Carmela non fece altra mossa.

Cominciò e crebbe a poco a poco un frastuono confuso di forchette, di coltelli, di bicchieri e di piatti, di risa e di voci discordi che cercavano a vicenda di soverchiarsi. 5 Tutti, tranne il dottore e l'ufficiale mangiavano col miglior appetito del mondo, e trincavano ° allegramente. Cominciarono dal profondere altissime lodi alla disciplina, alla virtù, al valore e alla cortesia dei soldati del distaccamento; poi magnificarono la squisitezza del vino e dei 10 piatti; poi parlarono del tempo, che era bellissimo, una notte incantevole, e del viaggio che doveva riuscir delizioso; poi ragionarono di politica, poi di nuovo dei soldati, poi un'altra volta del viaggio, e via via, vociando sempre più alto, ridendo sempre più forte, votando i bicchieri sempre 15 più in fretta, finchè tutte le facce si fecero rubiconde e tutti gli occhi scintillarono e i movimenti delle labbra cominciarono a diventar difficili e le parole a succedersi senza aver molto a che fare l'una con l'altra. Senza quasi accorgersene, ciascuno aveva preso la sua parte sul serio, 20 e la rappresentava a meraviglia. Ma quanto più gli altri scordavan lo scopo per cui eran venuti là e s'infervoravano nell'allegria, tanto più l'ufficiale si sentiva crescere il batticuore e mostrava apertamente nel viso la tempesta dell'anima. Nessuno però se ne accorgeva, fuor che il 25 dottore, il quale intanto teneva d'occhio Carmela. Questa stava sempre immobile e intenta col viso stretto fra le imposte. L'ordinanza, colto il momento opportuno, se n'era andata.

A un certo punto entrarono nella stanza due soldati, si 30 misero in spalla ciascuno uno dei due bauli ch'erano in un canto, e se ne uscirono. Carmela seguì con gli occhi tutti i loro movimenti finchè furono scomparsi, e ritornò a guardare la tavola.

Il dottore mormorò una parola nell'orecchio del sindaco. 35

— Un brindisi ! — questi esclamò subito, levandosi
stentatamente in piedi col bicchiere in mano. — Un
brindisi alla salute di questo valoroso signor tenente
che comanda il bravo distaccamento del paese che parte, e
5 che lascia per sempre e perpetuamente in questo nostro
stesso paese una bella memoria imperitura, immortale del
bravo distaccamento comandato da questo valoroso . . .°

Pensò un momento, e poi risoluto:

— Viva il signor tenente che va via !

10   E tutti gli altri cozzando rumorosamente i bicchieri e
spandendo il vino sulla tavola: — Viva !

Il sindaco ricadde pesantemente sulla sua sedia.

Altri fece qualche altro brindisi dello stesso stampo, e
poi si ricominciò daccapo a discorrere tutti in una volta di
15 soldati, di politica, di vino e di viaggio.

— Signor ricevitore, una canzonetta ! — gridò il dottore.

Tutti gli altri gli fecero eco.   Il ricevitore fece una
smorfia, si scusò, si fece pregare un pochino, poi sorrise,
tossì, prese la chitarra e cantò due o tre versi.   I com-
20 mensali, ricominciando a schiamazzare, l'interruppero. —
A me ! — gridò allora l'ufficiale, e tutti tacquero.   Prese
la chitarra, l'accordò, si levò in piedi fingendo di barcollare,
e cominciò . . . Era pallido e gli tremavan le mani come
per febbre; eppure cantò la sua canzoncina con una
25 soavità e un affetto veramente incantevole.

> Carmela, ai tuoi ginocchi
> placidamente assiso,
> guardandoti negli occhi,
> baciandoti nel viso,
30   > trascorrerò i miei dì . . .

Carmela ascoltava sempre più intenta, corrugando
tratto tratto le sopracciglia come chi è assorto in un pensiero profondo.

Chiostro di S. Giovanni degli Eremiti, Palermo

— Bravo ! Bene ! — dissero a una voce tutti i commensali. E l'ufficiale ripigliò:

> L'ultimo dì, nel seno
> il volto scolorito
> 5     ti celerò, sereno
> come un fanciul sopito,
> e morirò così.

Ɛran quelle parole, ɛra quella musica, tutto intorno ɛra come quella nɔtte. — Bravo ! Bene ! — ripeterono i com-
10 mensali. L'ufficiale ricadde come spossato sulla sɛdia; tutti ricominciarono a gridare; Carmɛla ɛra immɔbile come una statua e teneva l'ɔcchio dilatato e fisso in visɔ all'ufficiale; il dottore la guardava con la coda dell'ɔcchio.

— Silɛnzio ! — gridɔ il tenɛnte. Tutti tacquero e, la
15 finɛstra essendo apɛrta, s'intese giù nella piazza un'allegra musica di flauti e di violini e un ronzio come di gɛnte affollata. Ɛrano i diɛci o dodici musicanti del paese, circondati da gran parte della popolazione, la quale credeva che il distaccamento partisse davvero.

20 Carmɛla si scɔsse e si voltɔ vɛrso la finɛstra. Il suo visɔ cominciɔ ad animarsi leggermente, e i suɔi grandi ɔcchi a muɔversi senza pɔsa dalla finɛstra al tenɛnte, da questi ai commensali, dai commensali alla finɛstra, come s'ella volesse sentir bɛne la musica e nello stesso tɛmpo non
25 pɛrdere il mɛnomo atto che si facesse da tutta quella gɛnte.

Cessata la musica, gran parte della gɛnte affollata nella piazza si mise a batter le mani come aveva fatto nella stessa occasione tre anni prima.

30 In quɛl punto sopraggiunse a passi concitati l'ordinanza e annunziɔ ad alta voce:

— Ora di partire, signor tenɛnte.

Il tenɛnte si alzɔ e disse:

— Andiamo !

Carmela si levò in piedi adagio adagio tenendo l'occhio fisso sopra di lui e scostando lentamente la sedia.

Tutti i commensali si alzarono e si strinsero intorno al tenente. Nello stesso momento comparve la madre di Carmela, entrò non vista nell'altra stanza, abbracciò la 5 figliuola e le disse affettuosamente: — Fatti coraggio; fra due mesi tornerà.

Carmela piantò gli occhi in viso alla madre, svincolò lentamente l'uno e l'altro braccio e, senza far parola, girando la testa adagio adagio, rifissò gli occhi sull'uffi- 10 ciale.

Tutti gl'invitati intanto s'erano affollati intorno all'ufficiale levando un mormorio confuso di ringraziamenti, di auguri e di saluti; egli cinse la sciabola, si mise il berretto, si pose a tracolla la borsa di viaggio . . . 15

Mentre faceva tutto questo, Carmela, senza accorgersene, aveva aperto la porta, aveva fatto un passo avanti, e con gli occhi spiritati guardava rapidissimamente ora l'ufficiale, ora gl'invitati, ora l'ordinanza, ora la madre che le era accanto, e con tutt'e due le mani si stropicciava forte 20 la fronte, e s'arruffava i capelli, e sospirava affannosamente, e tremava convulsa in tutta la persona.

Echeggiò un'altra volta la musica nella piazza, s'udì un altro scoppio d'applausi . . .

— Andiamo ! — disse risolutamente l'ufficiale, e s'avviò 25 per uscire . . .

Un grido altissimo, disperato, straziante proruppe dal seno di Carmela. Nello stesso punto ella si slanciò d'un salto sul tenente, gli si avviticchiò con sovrumana forza alla vita, e prese a baciarlo furiosamente nel viso, nel collo 30 e nel petto, dove le veniva, singhiozzando, gridando, gemendo, palpandogli le spalle, le braccia, la testa . . . Dopo pochi momenti la povera fanciulla cadde senza sensi sul pavimento ai piedi dell'ufficiale.

Era salva. 35

## X

Quattro mesi dopo, in una bell*i*ssima n*o*tte di sett*e*mbre, chiara che pareva giorno, il bastimento che *e*ra partito la sera da T*u*nisi e s'*e*ra fermato, come s*e*mpre, dinanzi al p*o*rto del n*o*stro p*i*ccolo pae*s*e, s'andava avvicinando rapi-
5 damente alla c*o*sta siciliana. L*e a*cque *e*rano così tranquille che il bastimento pareva non si movesse. Molti passeggi*e*ri *e*rano affollati a poppa e sta*v*ano contemplando il ci*e*lo pur*i*ssimo e il mare illuminato dalla luna.

Appartati dagli altri e v*o*lti alla parte opposta alla dire-
10 zione della nave, c'*e*rano un giovan*o*tto e una gi*o*vane signora appoggiati al parap*e*tto, stretti per il br*a*ccio e con le t*e*ste ravvicinate in m*o*do che qua*s*i si t*o*cc*a*vano. Lon-tano lontano si vedeva ancora confu*s*amente l'*i*sola da cui *e*rano partiti, ed essi guard*a*vano qu*e*ll'*i*sola.
15 St*e*ttero lungo t*e*mpo senza m*o*versi da qu*e*ll'atteggia-mento, finchè la d*o*nna, sollevando il vi*s*o, mormor*o*:

— Eppure mi s*e*nto str*i*ngere il cu*o*re allontan*a*ndomi dal mio p*o*vero pae*s*e, dove h*o* soff*e*rto tanto, dove h*o* veduto te per la prima v*o*lta, dove tu m'hai ridato la vita !
20 E appoggi*o* la fronte sulla spalla del suo compagno.

— Ci ritorneremo un giorno ! — le disse questi fac*e*ndole voltare leggermente la t*e*sta per poterla guardare negli *o*cchi.

— E ritorneremo nella tua casa ? — essa domand*o* dolce-
25 mente.

— Sì.

— E la sera ci metteremo a disc*o*rrere a quella fin*e*stra da cui tu mi chiamavi una v*o*lta ?

— Sì.
30    — E sonerai di nu*o*vo la tua chitarra, e canterai di nu*o*vo quella canzone ?

— Sì, sì.

— Cantala adesso ! — disse Carmela;   — cantala piano.
E l'ufficiale avvicinandosele con la bocca all'orecchio:

> Carmela, ai tuoi ginocchi
> placidamente . . .

Carmela gettò le braccia al collo del suo sposo e ruppe in 5
pianto.

— Povera, povera piccina mia . . . — le disse questi
stringendosela contro il petto;   — qui, qui, sul mio cuore,
sempre qui !

La poveretta si scosse tutt'a un tratto, guardò intorno, 10
guardò il mare, l'isola, il suo sposo, ed esclamò:

— Oh ! È un sogno !

E il giovane, interrompendola:

— No, angelo, è lo svegliarsi !

E il bastimento andava che pareva portato dal vento.   15

LA CATTEDRALE DI MONREALE, SICILIA
Il più importante monumento dell'arte bizantino-normanna

# NOTES

## 1. IN CLASSE

**Page 3.** — 1. **il nostro.** Italian possessives are usually preceded by the definite article.

2. **Abbiamo studiato.** This is a form of the present perfect, a compound tense formed by the present indicative of one of the auxiliaries (**avere** or **essere**) and a past participle. It generally refers to an action which has occurred since midnight, or in a time not yet completed, or (as in this case) in a time not determined but with effects still lasting.

8. **banchi,** plural of **banco.** Nouns and adjectives ending in –**co** form their plural in –**chi** if the stress of the word, as in this case, is on the syllable before the last.

18. **le.** This word, which looks like a definite article, is a conjunctive personal pronoun, and means *them.* Conjunctive personal pronouns usually precede the verb.

21. **Arrivederla,** *Till I see you again,* a rather formal greeting, formed by the words **a, rivedere** and **la** (*you*). More familiar, and more commonly used, is the greeting **arrivederci,** *till we see each other again* (familiarly *so long*). The pronoun **ci,** appended to the verb, is reciprocal.

## 2. ANDANDO A CASA

23. **Andiamo?** An immediate future idea is often expressed in Italian by a present tense. Translate, *Shall we go?*

**Page 4.** — 4. **comprar.** The final **e** of the infinitive is frequently dropped. It is a case of apocopation.

5. **necessari.** Nouns and adjectives ending in –**io** form their masculine plural by merely dropping the final **o,** provided that the preceding **i** is not stressed.

7. **mi piace,** literally, *it pleases me.* It is the current equivalent of the English *I like,* and ought to be so translated. Remember this idiomatic use of the verb **piacere.**

18. **La signorina Rinelli.** A title followed by a proper name takes the definite article.

20. **è tutto mio.** The definite article is often omitted before a possessive used as a predicate.

# 3. LA LINGUA ITALIANA

27. **difficoltà,** a plural form, as indicated by the adjective preceding it. Nouns ending in accented vowels do not change in the plural. — **Basta,** impersonal form, *It is sufficient.* Note carefully that the English *it,* used as a subject of an impersonal verb, is never expressed in Italian.

**Page 5.** — 2. **le parole sono scritte . . . pronunziate.** A past participle used with the auxiliary **essere** agrees with its subject in gender and number.

# 4. OTTOBRATA

**Page 6.** — 3. **giornata.** See Vocabulary, and learn the difference between **giornata** and **giorno.** A similar difference exists between the words **mattinata** and **mattina** (*morning*), **serata** and **sera** (*evening*), **nottata** and **notte** (*night*).

8. **poeta.** Observe that not all nouns ending in −**a** are of feminine gender. Some, usually of Greek origin (and **poeta** is one of them), are masculine, and form their plural by changing the final −**a** to −**i;** others, ending in −**cida** or −**ista,** the latter generally denoting trades or professions (e.g. **il** or **la violinista,** *the violinist;* **il** *or* **la giornalista,** *the journalist,* etc.) are of both genders, and have a masculine plural in −**i** and a feminine plural in −**e.**

9. **sono** is frequently used without the final **o,** another case of apocopation.

13. **dev'** = **deve,** also an apocopated form.

14. **sta cucinando.** The verb **stare** and the present participle are used to indicate a *stressed* progressive idea corresponding to a phrase like ' to be in the act of doing something.' An *unstressed* progressive idea is usually rendered in Italian by the simple present or by the past descriptive.

17. **Non manca che. Non** before a verb and **che** after it are among the equivalents of the English *only.* Other ways of translating *only* are **solo, solamente,** or **soltanto.**

# 5. UNO STUDIO INTERESSANTE

**Page 8.** — 2. **dell'Italia.** As a general rule, the name of a continent, country, province, or large island takes the definite article in Italian.

4. **fuɔr,** apocopated form of **fuɔri.**

20. **fisiche e matematiche.** In forming the plural of nouns and adjectives ending in –**ca** or –**ga,** an **h** is inserted before the final vowel to maintain the hard consonant. This rule has no exceptions.

32. **Giardino d'Eurɔpa,** a common designation for Italy. Dante (*Purgatory,* vi, 105) called it " the Garden of the Empire."

## 6. AL CIRCOLO ITALIANO

**Page 9. —** 3. **amici.** The word **amico** is an exception to the rule given in the note to page 3, line 8.

17. **Cavalleria Rusticana.** A world-famous one-act opera by the composer Piɛtro Mascagni (1863–      ), based on a Sicilian story by Giovanni Verga, the master of realism in modern Italian fiction. It was produced for the first time at the Costanzi Theatre in Rome, in 1890. Mascagni composed many other operas, among which the best are perhaps *L'amico Fritz* and *Iris,* but none of them equals *Cavalleria Rusticana* in popularity.

23. **fonografici.** No **h** in this plural form, as the stress falls on the next-to-next-to-last vowel. See note to page 3, line 8.

## 7. ITALIA

**Page 10. —** 12. **amenissime.** The ending –**issimo,** added to an adjective, serves to denote a superlative idea; it is one of the ways of rendering the English *very.*

**Page 12. —** 9. **laghi.** Practically all nouns and adjectives ending in –**go** form their plural in –**ghi.**

## 8. CORRISPONDENZA CON L'ITALIA

23. **Licɛo Vittɔrio Emanuɛle.** One of the oldest schools of Naples, named, following the annexation of the South (1860), after Victor Emmanuel II, who became first king of united Italy. An Italian **licɛo** corresponds roughly tɔ an American college; a student enters it after having attended for five years a **ginnasio** (High School),

and studies there for three years, prior to entering a university. Italian universities are strictly professional schools (law, medicine, etc.), open only to college graduates. Practically all licei are co-educational.

**28. l'ha corretta.** Note the feminine ending of the past participle. A past participle used with **avere** always agrees in gender and number with a personal pronoun preceding the verb as a direct object.

**Page 13. — 4. Gentilissima Signorina.** A customary form of address in letter writing. Observe that the name of the person addressed may be omitted. Other adjectives frequently used in similar addresses are **egregio, stimato, illustre,** etc.

**Page 14. — 12. su d'una.** For euphony, **su d'** (or, poetically, **sur**) is used instead of **su,** before a word beginning with **u.**

## 9. ROMA

**27. più d'un milione,** *more than a million.* The English *than* is rendered by **di** before nouns, pronouns, and numerals.

**Page 16. — 6. Città del Vaticano.** The name of a newly-created state, covering a very small territory around the Vatican Palace and St. Peter's Church, of which Pope Pius XI became sovereign on the ratification of the Lateran Treaty, signed by Cardinal Gasparri and Premier Mussolini, February 11, 1929. This treaty brought to an end the " Roman Question," which had baffled Italian statesmen from the year (1870) in which the Church lost its former territorial sovereignty. A famous Italian premier, Francesco Crispi, said that the politician who would settle that arduous controversy, establishing cordial relations between the Church and the Kingdom of Italy, would go down in history as Italy's greatest statesman.

**11. Santa Maria Maggiore.** Do not translate.

**21. Padre della Patria,** *Father of his Country,* is the name given to King Victor Emmanuel II, one of the great figures in the struggle of Italy for independence and unity. He was also called **il Re Galantuomo,** *the Honest King,* for having faithfully maintained, in spite of strong pressure on the part of Austria, the constitution granted in 1848 by his father, Charles Albert.

## 10. CLARA ANDRÀ IN EUROPA

**29. Il ventiquattro giugno.** A date is generally preceded by the masculine definite article, the word **giorno** being understood; and cardinal numerals are used to express the days of the month.

**Page 19.** — 13. *S*barcheranno. Verbs ending in –**care** or –**gare** insert an **h** after the **c** or **g** whenever these letters precede an **e** or **i**.

14. **Pompei.** An ancient city twelve miles southeast of Naples, completely buried with many of its inhabitants by a terrific shower of burning ashes and pumice during the eruption of Mt. Vesuvius in 79 A.D. Excavations which are still being continued have brought to light more than half of the buried city, uncovering ruins preserved almost intact since Roman times. The same eruption obliterated also the towns of Herculaneum and Stabiæ.

28. **di Shakespeare.** A surname, when not preceded by a given name, usually takes the definite article in Italian; if, however, the surname is of a very familiar usage (**Colombo, Garibaldi, Mazzini,** etc.), or foreign, as in this case, the article is generally omitted.

## 11. LA LETTERA DA NAPOLI

**Page 20.** — 8. **non è vero?** A little phrase which, placed at the end of a question, may be translated in several ways: *do you? don't you? will you? won't you?* etc.

15. **prima classe di liceo.** The word **classe** is here used in the sense of *year*. The idea of saying that a student belongs to a certain class merely because he hopes to graduate in a certain year, is entirely unknown in Italy.

32. **Cordiali saluti.** Note the simplicity of the closing of a modern Italian letter.

## 12. DUE ALTRE METROPOLI

**Page 22.** — 3. **Duomo.** Do not translate. Also do not translate **Santa Maria delle Grazie** in line 8.

9. **Leonardo da Vinci.** See footnote, page 48.

18. **Castello Angioino.** An imposing medieval structure erected in 1279–1282 during the reign of Charles I, first king of the Anjou dynasty in Naples.

21. **la Città delle Sirene.** A common designation for Naples, based on its legendary origin and on its charm.

## 14. ALTRE FAMOSE CITTÀ ITALIANE

**Page 27.** — 7. **Atene di Pericle.** Athens reached the highest degree of ancient civilization during the fifth century B.C., while under the leadership of the famous statesman, Pericles.

10. **Dante.** See footnote, page 82.

14. **Giotto** (1276–1336). A great Florentine painter, sculptor, and architect, personal friend of Dante of whom he painted a famous youthful portrait.

15. **Santa Croce.** A monumental church of Florence, famous for its splendid array of tombs honoring some of Italy's greatest men: a " Westminster Abbey " on the Arno. Do not translate this name, nor **Santa Maria Novella, San Lorenzo, Loggia dei Lanzi** and **Palazzo Vecchio.**

20. **Regina del Mare.** Venice held a maritime supremacy throughout the Middle Ages and during the Renaissance period.

22. **Dogi.** The chief magistrate of the Venetian Republic, elected for life, bore the title of Doge. Paolo Lucio Anafesto, elected in 697, was the first to hold that office; exactly eleven centuries later (Treaty of Campoformio, 1797) the Republic of Venice ceased to exist.

**Page 28. — 7. la più antica università del mondo.** " At Bologna the first charter was given by Emperor Frederick I, in 1158. Paris received its first recognition from Louis VII in 1180 and was recognized by the Pope at about the same time. Its full recognition came in 1200. At Oxford and Cambridge the date of the formal recognition by charter is yet more difficult to determine, but was somewhat later." Paul Monroe's *History of Education,* p. 316, Macmillan, New York, 1926.

11. **liberate dallo straniero,** *freed from foreign rule.* These cities belonged formerly to Austria; Italy acquired them as a result of her crushing victory over the Austrian army in the World War, in the battle of Vittorio Veneto (Oct. 24–Nov. 4, 1918).

## 15. NON LO DOVEVA FARE

**Page 31. — 2. Maso, contadino.** Note that the indefinite article is omitted before a noun in apposition.

5. **Signor dottore.** The word **signor** often precedes another title in direct address, contrary to English usage. It denotes greater respect.

7. **Signorsì** or **sissignore.** Common contractions of the two words, **signore** and **sì.** Compare with the English pronunciation, " *yessir* " for *yes, sir.*

15. **Lo doveva fare.** The pronoun **lo** is the object of **fare,** but the semi-auxiliary verbs **dovere, potere, volere, osare** and **sapere** may take the object of the dependent infinitive, as in this case. It would

have been equally correct, however, to have said **doveva farlo.** For the latter form, see note to page 32, line 14.

22. **Questo non lo doveva fare.** The demonstrative pronoun **questo** precedes the verb for emphasis; in such cases a second object, **lo** (or **la,** or **li,** or **le**), must be used immediately before the verb: ignore it in translating.

## 16. COME MI PIACE . . .

**Page 32.** — 11. **Ne,** *Of them.* In this case, the pronoun refers to a word not mentioned, but clearly implying *beggars.* The little maid is too delicate to utter it. Keep the same touch in the English translation, and say, *Of people like you.*

14. **digli.** A contraction of the imperative **di'** and the pronoun **gli,** *to him.* Conjunctive personal pronouns, such as **gli,** normally precede the verb, but they follow it and are appended to it if the verb is a positive imperative (as in this case), an infinitive (as in the case cited at the end of the note to page 31, line 15), or a participle.

15. **non mi vuol dar.** See note to page 31, line 15.

## 17. LA RICOTTA

19. **sotto il braccio,** *under her arm.* The definite article is used in Italian instead of the possessive whenever the possessor is obvious; this is especially the case with parts of the body, clothes, etc.

21. **Ora vado.** See note to page 3, line 23.

22. **due uova.** The noun **uovo** has two plural forms: the one here used, of feminine gender, referred to edible eggs, and the regular form **uovi** referred to eggs of birds, reptiles, or insects. There are other nouns in –o which, likewise, have two plural forms.

**Page 33.** — 3. **signora Matilde.** Peasants use the word **signora** to denote a lady of the upper classes, whether married or not.

## 18. BENEFICENZA E RICONOSCENZA

10. **delle altre.** See note to page 14, line 27.

14. **conoscersi** = **conoscere** + **si.** The pronoun **si** may be reflexive or reciprocal; it is reciprocal in this case, and stands for *one another.*

16. **La Beneficenza.** The definite article is used before abstract nouns.

## 19. IL FILOSOFO DIOGENE

**20. Diogene.** A Greek philosopher of the fourth century B.C., known for his cynicism and peculiar actions. Many stories are told about him.

**Page 34.** — 1. **asciugarsi.** In this case **si** is reflexive and means *himself*.

**3. Alessandro, re di Macedonia.** A contemporary of Diogenes; along with Hannibal, Scipio Africanus, Cæsar, and Napoleon, one of the greatest conquerors the world has ever known.

## 20. IL GIUDICE NELL'IMBARAZZO

**10. Un mio amico,** *A friend of mine.* Note this idiomatic use of the indefinite article before a possessive.

**23. anche voi** (and, on page 35, line 6, **anche tu**). The subject is at the end of the sentence for greater emphasis.

**24. un suo bambino ... un suo balocco.** Again the indefinite article before a possessive. How will you render these phrases in English?

## 21. IL GALLETTO E LA VOLPE

**Page 36.** — 4. **aveva appena chiusi gli occhi.** A past participle used with the auxiliary **avere** may agree with the following direct object, although it usually does not. The agreement is, however, usual if the object precedes the verb (**i libri che ho comprati**), and always takes place if the preceding direct object is a conjunctive personal pronoun (**li ho comprati**), as already seen in the note to page 12, line 28. Translate, *it had scarcely closed its eyes*, and remember what was said in the note to page 32, line 19 in regard to the definite article replacing a possessive.

**15. E te.** In exclamations the disjunctive personal pronouns (**me, te, lui,** etc.) are used; here the word **maledetto** is understood.

## 22. IN PELLICCERIA

**20. meno pericolo.** In colloquial Italian the adverbial form **meno** is very often used instead of the adjectival form **minore.**

## 23. DANTE E LE DONNE DI VERONA

**Page 37.** — 1. **Dante.** See footnote, page 82.

## 24. DANTE E IL BUFFONE

**15. Can Grande della Scala.** A famous lord of Verona who gave hospitality to Dante during the latter's exile. He died in 1329.

**19. le cui,** *whose.* The definite article and the pronoun **cui** render in Italian the English *whose.* Naturally, the article agrees in gender and number with the noun modified by **cui.**

## 25. IL NOVELLATORE ASSONNATO

**Page 38. — 6. Messer Ezzelino da Romano.** A cruel tyrant of Verona and Padua, head of the Italian Ghibellines during the thirteenth century. **Messer** is a medieval title; do not translate.

**12. bisanti.** A *bezant* was a medieval gold coin of the Byzantine empire, worth about $2.42.

## 26. CRISTO E L'ORO

**Page 39. — 18. caricheremo ... carichiamo.** See note to page 19, line 13 regarding the **h** that appears in these verbal forms.

**30. Nostro Signore.** Before the word **signore** used with reference to Christ, the possessive **nostro** takes no definite article.

## 27. UN GIUDIZIO SALOMONICO

**Page 40. — 1. Bari.** The second largest city in southern Italy, on the Adriatic Sea.

**25. udite le parti.** Very frequently a past participle is used in Italian in place of a perfect participle. If the verb is transitive, the participle agrees in gender and number with its object (as in this case); otherwise, with its subject. Translate, *having heard the parties.*

## 28. I TRE ANELLI

**Page 42. — 1. Saladino.** Salah-ed-din, Sultan of Egypt and Syria from 1174 to 1193; he defended Acre against the crusaders, was a wise ruler, and won the admiration even of his foes.

**14. la migliore del mondo.** Note that the preposition **di** after a relative superlative is translated as *in.*

**15. a lui.** The disjunctive personal pronoun is here used for emphasis instead of the conjunctive **gli.**

## 29. IL MONACO AL MERCATO

**Page 43.** — 15. **la coda,** *their tails.* See note to page 32, line 19, and observe this idiomatic use of the singular with a distributive meaning.

## 30. GIANNI SCHICCHI

**Page 44.** — 12. **Gianni Schicchi.** A Florentine made famous, or rather infamous, by an episode of the *Divine Comedy.* Dante places him among the falsifiers, in the tenth pit of the Eighth Circle of Inferno (*Inferno*, xxx, 22–45).

14. **Messer.** See note to page 38, line 6.

24. **Santa Riparata.** Florence's Cathedral, the construction of which was started in 1296 on the site of the old church of Santa Riparata. In 1412 its name was changed to that of Santa Maria del Fiore.

25. **Frati Minori,** *Minor Brothers* or *Franciscan Friars*, a religious order founded by St. Francis of Assisi in 1209. — **Predicatori,** *Preachers* or *Dominican Friars*, a religious order founded by St. Dominic in 1215.

**Page 45.** — 1. **fiorini d'oro.** *Florin* was the name of a gold coin issued for the first time in 1252 by the Republic of Florence; it was held in great commercial repute throughout Europe, and similar coins were later struck in other countries.

14. **Io so meglio . . .** Notice the humor of this reply.

**Page 46.** — 8. **Santa Croce.** Do not translate.

## 32. UNA PREDICA TROPPO BELLA

**Page 47.** — 20. **nel nostro Ordine,** that of the Franciscan Friars to which San Bernardino belonged.

**Page 48.** — 14. **non ho capito nulla.** Evidently the story satirizes the subtle and abstruse sermons of certain preachers far more than the stupidity of the man who utters these words.

## 33. UNA SPIRITOSA VENDETTA

23. **mercantuccio,** *petty merchant.* The ending –**uccio** usually implies contempt; note, however, that if it is used to modify a person's name (**Pieruccio, Annuccia,** etc.) it expresses affection.

**Page 50.** — 30. **noi mercanti.** Observe the airs which the petty merchant assumes !

## 34. BORIA SPAGNOLA E ARGUZIA FRANCESE

**Page 51.** — 2. **Bianovo.** An imaginary place; there is no such town in Italy.

16. *Señor.* Do not translate the foreign words in this story; they add color.

28. **grandezza,** a word that reminds you of the Spanish grandees. Historically this little story is very interesting. Italy was, during the XVI century, the victim of French and Spanish invasions, and finally remained under the sway of Spain. Here are sketched the main traits of both the invading nations: the gluttonous but witty French, and the greedy and pompous Spaniards.

## 35. NON MOLTO CORTESE

**Page 52.** — 1. **Scipione.** Publius Cornelius Scipio (234–183 B.C.), better known as Scipio Africanus on account of his sweeping victories over Carthage. — **Ennio.** Quintus Ennius (239–169 B.C.), famous Latin poet and a personal friend of many illustrious Romans of his time, among whom was Scipio in whose campaigns he had taken part.

## 36. UNA BURLA CRUDELE

**Page 54.** — 2. **aprì un poco un occhio,** *he opened one eye just a little bit.* Note the realism of the description of this awakening.

28. **Loreto.** A town in the province of Ancona, famous for its shrine to the Virgin Mary.

## 37. L'UOVO DI COLOMBO

**Page 56.** — 5. **le Indie.** Columbus and his contemporaries did not realize that a new world had been discovered; they believed, instead, that a western route had been found to reach India and the rest of Asia from Europe.

## 38. VIVO O MORTO?

**Page 57.** — 11. **Ugonotti,** *Huguenots,* a name applied to French Protestants of the sixteenth and seventeenth centuries.

## 39. IL RE DELLE CANARIE E GIOCONDO DEI FIFANTI

**Page 58.** — 11. **Americo Vespucci** (1451–1512). A great Florentine navigator who in several voyages explored the New World. In his pamphlet, *Mundus Novus*, published in 1507, he advanced for the first time the theory that the newly discovered lands were not a part of Asia, but a separate continent. Further explorations by him and others proved this to be correct, and contemporary geographers named the New World *America* after him.

20. **Canarie,** *Canary Islands*, a group of twenty islands west of Morocco.

## 40. BOZZETTI

**Page 60.** — 4. **Alessandro,** a fictitious name, as is also **Cornelio** in line 21.

## 41. IL GATTO

**Page 61.** — 10. **machiavellico,** *Machiavellian*. Niccolò Machiavelli (1469–1527), famous Florentine statesman, historian, and dramatist, is one of the finest prose writers in Italian literature and one of the deepest and clearest thinkers of all time. Spurred by his boundless love for Italy and eager to see it freed from foreign oppression, he wrote books in which, judging men not as they ought to be but as they were in his time, he frankly advocated methods condoning even slyness and deceit for the attainment of his ideal. The then recent examples of France, Spain, and England which had attained unity and power under the leadership of unscrupulous rulers, were constantly in his mind. His principal works are: *The Prince, Florentine History, Discourses on Titus Livius, The Art of War,* and *Mandragola.*

**Page 62.** — 4. **Se non è più in tempo.** Note the vivacity and humor of this description.

## 42. UNA DISGRAZIA

**Page 64.** — 7. **Stacco io l'*a*sino . . .** The subject follows the verb for emphasis. Note how eager these women are to render little services to Fiore, only to induce him to tell what he knows.

14. **Dina.** Poor Pietro's sister, who evidently has accompanied him to the hospital on Fiore's cart.

27. **San Venanzio.** A saint who is credited by the Tuscan peasants with power to protect people from injuries due to falls.

33. **Pensare a quello** ... There is a fine bit of practical philosophy in this thought !

## 43. SOMIGLIANZE

**Page 65.** — 5. **alle bestie.** Enjoy again the humor of this charming writer, and particularly the flattering conclusion of this passage.

8. **porci.** The word **porco** is another exception to the rule given in the note to page 3, line 8.

## 44. NON HA FERMATO IL SOLE

**Page 66.** — 1. **Edmondo De Amicis.** See footnote, page 97. — **Giosuè Carducci.** See footnote, page 74, and translate this poet's first name, otherwise the joke of the story will be missed.

5. **Edmondo dai languori.** In his *Canto dell' Italia che va in Campidoglio*, written in 1871, Carducci referred to De Amicis as "Edmondo dai languori, il capitan cortese." Elsewhere (*Intermezzo*, vii, 1–2), he again mocked him, saying: " Potessi pianger sur un campanile, come il mio dolce Edmondo !" For the use of **sur**, see note to page 14, line 12.

10. **Emilio Treves.** The founder of the publishing firm Fratelli Treves of Milan, one of the most important of Italy.

11. **Cuore.** A book for children widely known also in Anglo-Saxon countries, under the title *The Heart of a Boy*.

17. **non ha fermato il sole.** A reference, of course, to the well known Bible story about Joshua who stopped the sun.

## 46. IL SEGNO DELLA CROCE

**Page 69.** — 17. **Balbetta,** here used poetically, *Chirps.*

## 48. IL SOLE E LA LUCERNA

**Page 72.** — 21. **carte piene di righe nere,** the little boy's school assignments.

## 49. PANTEISMO

**Page 73.** — 3. **de le,** same as **delle.** Note also, further below, **a l'** for **all',** **ne la** for **nella,** etc. These archaic, poetic and, undoubtedly, very euphonic forms are consistently used by Carducci and some of his followers.

## 50. A GIUSEPPE GARIBALDI

**Page 74.** — 11. **Il dittatore.** Giuseppe Garibaldi (1807–1882), Italy's greatest hero in her struggle for independence and unity. The poem alludes to Garibaldi's retreat after the battle of Mentana (Nov. 3, 1867). At the head of a little army of patriots, — 4700 men in all, poorly armed, but ready to follow him anywhere for the sake of Italy, — Garibaldi had invaded the territory of the Papal States and, proclaiming himself dictator, had marched on Rome, in order to annex it to the newly created Kingdom of Italy. But at Mentana he was met by a French army more than twice as strong and equipped with the latest type of firearms, the *chassepots;* a violent battle ensued and, after suffering severe losses, the heroic little army was forced to retreat.

## 51. I PASTORI

**Page 75.** — 7. **Settembre, andiamo.** It is the month of September, and the poet's mind flies to his native Abruzzi, where " his " shepherds are preparing to leave their mountains and take their flocks to winter on the plain. This seasonal migration is here described with longing, in a few masterful strokes.

14. **rimanga . . . illuda,** two present subjunctive forms. The first is required by the preceding **che,** which stands for **affinchè,** *in order that* (adverbial clause introduced by a conjunction of purpose); the second, because it is part of a relative clause with an indefinite antecedent, — **sapore,** *a taste.*

21. **conosce,** etc., a magnificent line taken almost bodily from Dante: " conobbi il tremolar della marina " (*Purgatory,* i, 117).

## 52. LAGO MONTANO

**Page 76.** — 7. **atroce bocca d'orrido vulcano.** Many Italian lakes were, in distant ages, craters of volcanoes.

12. **Limpido,** etc. The adjective **limpido** modifies the subject **cielo; in mezzo ti** stands for **nel tuo mezzo.**

13. **qualche nuvola raminga,** the subject of the last five lines.

15. **spinga,** a subjunctive required by the verb **pregare.**

## 53. LA SVENTURATA NAVICELLA

**Page 79.** — 2. **tra l'onda.** The singular form is here used poetically instead of the plural. Translate, *among waves.*

7. **tal nocchier,** *such a pilot,* i.e. faith.

## 54. LA FANCIULLA E LA ROSA

14. **s'inchina.** The different subjects of this verb are taken collectively, hence its singular form; a poetic construction.

19. **quanto,** etc. Reconstruct: **quanto favore, quanta grazia e quanta bellezza aveva...**

## 55. IL SABATO DEL VILLAGGIO

**Page 80.** — 29. **il zappatore.** The article **il** is used by some poets also before words beginning with **z.**

**Page 81.** — 12. **farà ritorno.** A very pessimistic conclusion closes this poem which is one of the finest in Italian literature: the expectation of what is about to come may give us some thrill (**la donzelletta ...i fanciulli... il zappatore... il legnaiuolo,** all glad on the eve of a festive day), the remembrance of past days may afford some pale consolation (**la vecchierella,** who tells about her youth), but the expected joy is often a bitter disappointment.

## 57. CHICHIBIO CUOCO

**Page 85.** — 15. **donna Brunetta.** The title **donna** is here used mockingly; likewise, the **voi** form of address. Note that Brunetta uses, in answering, the **tu** form.

**Page 88.** — 10. **se aveste gridato.** A condition contrary to fact is expressed in Italian in the past (or past perfect) subjunctive; in the conclusional clause, the conditional is used: **essa avrebbe mandato giù...**

## 58. L'ABATE E IL MUGNAIO

16. **Bernabò Visconti** (1319–1385). An ambitious and cruel prince, member of a famous family which held a tyrannical sway over Milan and the rest of Lombardy during the fourteenth and most of the fifteenth centuries.

## 59. IL BABBO

**Page 92.** — 11. **A mio ...?** The word he does not dare to utter after **mio,** is, of course, **padre.**

21. **Signa,** a small town about eight miles west of Florence.

## 60. CARMELA

**Page 98.** — 8. **fra Tunisi e Trapani.** Tunis is the principal city of Tunisia, a French protectorate in northern Africa, in which Italian settlers form the majority of the European population. Trapani is a city on the extreme western coast of Sicily.

11. **gran parte.** The form **gran** may be used also before a feminine noun, particularly if the latter, as in this case, is frequently used.

**Page 99.** — 2. **maresciallo dei carabinieri.** In the Italian army a marshal is a non-commissioned officer ranking immediately below a lieutenant; **carabinieri** are Italian military police.

8. **il verso bell'e fatto.** It is a line from Dante which refers to King Manfred of Sicily (1232–1266): " biondo era e bello, e di gentile aspetto " (*Purgatory*, iii, 107).

**Page 100.** — 14. **E quella.** The verb **stava** is understood.

21. **n'ha un ramo,** *she has a touch of it,* i.e. of madness.

34. **come di chi corra.** The subjunctive **corra** is due to its indefinite antecedent.

**Page 102.** — 12. **par che scrutino.** The verb **parere** takes the subjunctive in its object clause, as it implies doubt.

25. **dove vuol che la chiudano?** One of the uses of the subjunctive is after verbs expressing desire, will, or preference.

**Page 103.** — 1. **domandò perchè non desse noia.** An indirect question; another case in which doubt is implied.

7. **sarebbe questo,** *is supposed to be this.* The conditional is here used to express what is reported by hearsay.

24. **si figuri,** *imagine.* A subjunctive form with an imperative meaning. As there is no third person (singular or plural) of the imperative, the present subjunctive is used instead.

27. **affermano che non ci sia stato.** The subjunctive is used after a verb implying an expression of opinion.

**Page 104.** — 3. **si temeva sul serio che il suo cervello ne patisse.**
Verbs expressing emotions (joy, sorrow, wonder, fear, anger, shame,
etc.) take the subjunctive in their object clauses.

12. **alzasse ... voltasse.** Subjunctive forms due to an indefinite
antecedent, **una donna.**

13. **senza ch'essa minacciasse.** The subjunctive is used in adverbial clauses introduced by certain conjunctions indicating time,
purpose, condition, concession, or negation.

15. **promise che sarebbe tornato,** *he promised he would return.*
When a statement made has failed to come true, the conditional
perfect is used.

26. **è più d'un anno che è qui,** *she has been here more than a year.*
Note that, to express an act or state that continues from the past into
the present, the present tense is used in Italian.

**Page 105.** — 16. **Non è a dire se la madre ne patisse ... ritentasse.** Another case of expression of opinion.

**Page 109.** — 7. **Entrasse o uscisse.** A conjunction indicating
concession is here understood, hence the subjunctive.

18. **O che è sempre necessario?** A question is often started in
Italian with a pleonastic **o** or **o che;** omit these words in translating.

**Page 113.** — 14. **il signor tenente.** See note to page 31, line 5.

**Page 114.** — 17. **riuscirai.** Observe that the two friends now use
the intimate form of address in their conversation.

31. **aveva fatto ... il cantante.** The verb **fare** is used to state
what the habitual trade or profession of a person is: **fare il cantante,**
*to be a singer;* **fare la serva,** *to be a servant,* etc.

**Page 115.** — 2. **Mi faccia il piacere ... m'insegni.** Other subjunctive forms with imperative meaning.

**Page 116.** — 28. **Eran lui e il maresciallo,** *It was he and the marshal.* Note this idiomatic Italian construction: *it is I, it is you, it
was they,* etc., are rendered by **sono io, è Lei, erano loro,** etc.

**Page 117.** — 7. **la vada a finire.** The pronoun la, standing for **la
cosa,** is here used colloquially as a subject. Normally it is only an
object form.

**Page 122.** — 29. **Aspetto che tu mi faccia salir sopra.** The verb
**aspettare** implies hope, hence the subjunctive in the object clause.

**Page 124.** — 19. **E quella peggio.** The verb **faceva** is understood.

**Page 126.** — 13. **avesse almeno detto.** A verb implying desire is understood before this subjunctive form.

**Page 131.** — 8. **Che sia un buon segno?** The phrase **è possibile is** understood before this question; doubt is implied.

9. **Dio lo volesse !** The subjunctive is used to express a wish or imprecation.

**Page 132.** — 7. **Son proprio loro.** The adjective **proprio,** used here idiomatically, can be rendered by *in person.* See note to page 116, line 28.

29. **È un giorno che non lo vedo.** How will you render in English this idiomatic present ? See note to page 104, line 26.

**Page 133.** — 7. **trincavano.** The verb **trincare** is of Germanic origin; it means *to drink without moderation.*

**Page 134.** — 7. **da questo valoroso . . .** Observe the intricate construction of this toast, its confused ideas and awkward repetitions; evidently, the mayor has had a glass too much.

# ESERCIZI

## 1. IN CLASSE

I. *Learn the following expressions:*

| | |
|---|---|
| **altro** *other, else* | **perchè** *why, because* |
| **capire** *to understand* | **quando** *when* |
| **chi** *who, whom* | **quanto, −a** *how much* |
| **come** *how* | **quanti, −e** *how many* |
| **dove** *where* | **se** *if* |
| **no** *no* | **sì** *yes* |

II. *Answer in Italian:* 1. Dove siamo? 2. Che lingua parliamo ora? 3. Se parlo italiano, Lei capisce? 4. Anche Lei capisce? 5. Quante lezioni di grammatica italiana abbiamo studiate? 6. Quanti libri ha Lei? 7. Che cosa vediamo in questa classe? 8. E Lei che altro vede? 9. Chi ha libri e quaderni? 10. Con che cosa scrive Lei? 11. Ogni studente scrive con una penna stilografica? 12. Con che cosa scriviamo sulla lavagna? 13. Lei ascolta con attenzione: perchè? 14. Quando andiamo a casa? 15. Arrivederci, ragazzi!

III. 1. *Replace the dash by the proper form of the indefinite article:* —— quaderno, —— frase, —— studente, —— esercizio, —— lezione, —— penna, —— altra penna, —— libro, —— altro libro, —— banco, —— numero, —— ragazza.

2. *Replace the dash by the proper form of the definite article:* —— gesso, —— lettura, —— libri, —— studente, —— professore, —— ragazzo, —— ragazze, —— altra ragazza, —— altre ragazze, —— altri ragazzi, —— studenti, —— banchi, —— porta, —— casa, —— case.

3. *Continue the following:* (*a*) Imparo a parlare. (*b*) Vedo un muro. (*c*) Finisco la lezione. (*d*) Studio alcune regole. (*e*) Scrivo con un pezzo di gesso. (*f*) Capisco questa frase.

## 2. ANDANDO A CASA

I. *Answer in Italian:* 1. Chi sono Roberto e Ugo? 2. Roberto che cosa desidera di comprare? 3. Perchè ha bisogno d'un quaderno? 4. E Lei di che cosa ha bisogno? 5. Dov'è il cartolaio? 6. A Lei piace camminar solo? 7. Che lingua parlano Roberto e Ugo? 8. Perchè parlano italiano? 9. Per loro è facile parlare italiano? 10. Chi incontrano essi sulla piazza? 11. Chi è Clara Rinelli? 12. Con chi camminano ora i due giovani? 13. Come camminano? 14. Chi è lo studente a destra di Lei, signorina...? 15. Chi è la studentessa a sinistra di Lei, signor...?

II. 1. *Count from 1 to 12. Count from 12 to 1.*

2. *Give the plural of the following nouns with the corresponding form of the definite article:* signorina, traduzione, dettato, banco, studio, piazza, lavoro, zio, via, studente, cartolaio, studentessa.

3. *Continue the following:* (a) Non desidero nulla. (b) Non conosco nessuno. (c) Non finisco mai il lavoro. (d) Non cammino mai solo. (e) Non vedo niente. (f) Non capisco nè Roberto nè Ugo.

III. *Memorize the following expressions:*

**Aver bisogno di.** *To need.* **Mi piace.** *I like.*
**Come sta?** *How are you?* **Sulla via di casa.** *On the way home.*

## 3. LA LINGUA ITALIANA

I. *Answer in Italian:* 1. Che cosa non presenta grandi difficoltà? 2. Basta imparare che cosa? 3. Basta imitare che cosa? 4. Perchè è facile la scrittura italiana? 5. Come sono scritte le parole italiane? 6. Da che lingua deriva la lingua italiana? 7. Che cos'è la lingua latina? 8. Conosce Lei un'altra lingua che deriva dal latino? 9. Ancora un'altra? 10. Che lingua parla Lei a casa? 11. Che qualità ha la lingua italiana? 12. Come è possibile apprezzare queste qualità?

II. 1. *Insert the proper subject pronoun:* —— scriviamo, —— pronunzio, —— osservate, —— finisci, —— capiscono, ——

dipende, —— studiano, —— cammina, —— entro, —— scrive, —— attraversate, —— pensiamo.

2. *Place the correct form of the present indicative, first of* essere *and then of* avere, *after each of the following pronouns:* Lei ——, tu ——, essi ——, io ——, noi ——, egli ——, Loro ——, voi ——, esse ——, ella ——.

3. *Continue the following:* (*a*) Io sono con lui. (*b*) Io hɔ un amico. (*c*) Non sono io americano? (*d*) Non hɔ io una matita? (*e*) Io hɔ capito. (*f*) Io non sono andato a casa.

III. *Write original sentences in Italian using one of the following words in each of them:* rɛgole, sfɔrzo, imitiamo, scrittura, parɔle, simili, francese, orɨgine, armoniosa, possɨbile.

## 4. OTTOBRATA

I. *Answer in Italian:* 1. Che idɛa ha avuto il professore? 2. In qual mese è dolce l'aria? 3. Di che colore sono le fɔglie degli alberi in ottobre? 4. Chi prepara la merɛnda? 5. Chi sta cucinando gli spaghetti? 6. Che altro sta cucinando il signor Rossi? 7. Che cɔsa manca alla merɛnda? 8. Che cɔsa bevono gli studɛnti invece del vino? 9. Che cɔsa distribuisce una delle signorine? 10. E un'altra signorina che cɔsa dà? 11. Chi arriva in un'automɔbile? 12. Che cɔsa pɔrtano Ida e Clara? 13. Mentre gli studɛnti mangiano, che cɔsa riproduce il fonɔgrafo? 14. Quando è chiusa la piccola fɛsta? 15. Come è chiusa?

II. 1. *Supply the proper Italian form for the words in parentheses:* (*with the*) idɛa, (*to the*) studɛnti, (*in the*) circolo, (*with the*) scampagnata, (*in the*) aria, (*for the*) signorine, (*on the*) automɔbile, (*of the*) piatti, (*with the*) spaghetti, (*on the*) alberi, (*by the*) signori, (*with the*) torta, (*in the*) sugo, (*with the*) forchette, (*in the*) momenti, (*for the*) studentesse.

2. *Change to the plural the nouns in the following sentences:* (*a*) Non studio nessuna lingua. (*b*) Non hɔ nessuna matita. (*c*) Non vedo nessun albero. (*d*) Non hɔ nessun'idɛa. (*e*) Non compriamo nessun quadɛrno.

3. *Change to the singular the nouns in the following sentences:*

(a) Non abbiamo piatti. (b) Non avete tovagliolini. (c) Non conosco ragazze. (d) Non aveva libri. (e) Non vedo uccelli.

III. *Memorize the following expressions:*

> **Aver appetito.** *To be hungry.*
> **Che bella giornata!** *What a beautiful day!*
> **Il mese più bello.** *The most beautiful month.*
> **Non manca che il vino.** *Only wine is lacking.*
> **Proprio a tempo!** *Just in time!*
> **Sta cucinando.** *He is cooking.*

## 5. UNO STUDIO INTERESSANTE

I. *Answer in Italian:* 1. Che cosa è in continuo progresso in Italia? 2. Quanti abitanti ha l'Italia? 3. Quanti Italiani vivono all'estero? 4. Perchè lo studio della lingua italiana è utile specialmente per noi? 5. Che importanza ha l'Italia dal lato culturale? 6. Quali poeti inglesi furono ispirati dall'Italia? 7. Conosce Lei un poeta americano che fu ispirato dall'Italia? 8. Per quali altri studiosi è utile lo studio dell'italiano? 9. Che cosa offre l'Italia con le sue istituzioni fasciste? 10. Perchè è importante lo studio della lingua italiana nel campo della musica? 11. In che lingua sono scritte le espressioni musicali? 12. Non desidera Lei d'andare in Italia? 13. Chi gode in modo completo un viaggio in Italia?

II. 1. *Insert the proper subject pronoun:* —— considerò, —— occupasti, —— fu, —— coltivammo, —— prendeste, —— finì, —— avesti, —— furono, —— citaste, —— ebbero, —— fummo, —— capii, —— avemmo, —— ispiraste, —— finirono.

2. *Place the correct form of the past absolute, first of* **comprare,** *then of* **vendere,** *and finally of* **finire,** *after each of the following pronouns:* ella ——, voi ——, egli ——, io ——, tu ——, Lei ——, essi ——, noi ——, Loro ——, esse ——.

3. *Continue the following:* (a) Io la considerai molto. (b) Io fui ispirato. (c) Io lo ricevei. (d) Io non ebbi nessun'idea. (e) Io capii molte parole.

III. *Write original sentences in Italian using one of the follow-*

*ing words in each of them:* nazione, estero, *u*tile, civiltà, estremamente, influenza, matem*a*tiche, offre, istituzioni, m*u*sica, vi*a*ggio.

## 6. AL CIRCOLO ITALIANO

I. *Answer in Italian:* 1. Chi non c'era alla riunione del C*i*rcolo Italiano? 2. Perchè era strano vedere Roberto senza Ugo? 3. Perchè Ugo non era alla riunione? 4. Che serata fu quella per gli stud*e*nti? 5. Chi c'era alla riunione? 6. Che c*o*sa affascinò tutti? 7. Che c*o*sa sent*i*rono gli studenti? 8. Di chi è l'*o*pera «Cavalleria Rusticana»? 9. Quanti atti ha? 10. Che c*o*sa ha acquistato il c*i*rcolo? 11. Con che com*i*ncia l'*o*pera? 12. Come finisce? 13. Di chi parlò il professore? 14. P*o*i che c*o*sa spiegò? 15. Che era scritto sui f*o*gli che il professore passò?

II. 1. *Insert the proper subject pronoun:* —— avevano, —— eravamo, —— sonavo, —— capivate, —— avevi, —— scommetteva, —— passavamo, —— ero, —— parl*a*vano, —— incontravate, —— godevi, —— avevo.

2. *Replace the dash by the proper form of the definite article, then give the plural of both article and noun:* —— disco, —— zia, —— amico, —— po*e*ta, —— zio, —— difficoltà, —— matem*a*tico, —— st*u*dio, —— programma, —— libertà, —— f*o*glio, —— banco, —— medico, —— *s*baglio.

3. *Continue the following:* (a) Io ero in piazza. (b) Lo guardavo io? (c) Godevo la m*u*sica. (d) Io non venivo ogni sera. (e) Avevo un bu*o*n amico.

III. *Memorize the following expressions:*

**Come al s*o*lito.** *As usual.*  **Non c'*e*ri.** *You were not there.*
**Giorni fa.** *A few days ago.*  **Passare una serata.** *To spend an*
**I*e*ri sera.** *Last night.*   *evening.*
**Ni*e*nt'affatto.** *Not at all.*  **Peccato!** *Too bad!*

## 7. ITALIA

I. *Answer in Italian:* 1. Quali sono i confini d'It*a*lia? 2. Da quali nazioni le Alpi sep*a*rano l'It*a*lia? 3. Dove sono gli Appen-

nini? 4. Quali sono le grandi isole che circondano l'Italia?
5. Dov'è l'isola d'Elba? 6. Dove sono situate le isole Lìpari? 7. Dov'è Capri? 8. Che notiamo a Capri? 9. Dov'è
il Vesuvio? 10. Dov'è lo Stromboli? 11. Che cosa sono
il Vesuvio e lo Stromboli? 12. Quali sono i principali fiumi
d'Italia? 13. Dove sono situati i laghi più importanti?
14. Quali sono?

II. 1. *Supply the proper form of a suitable adjective in each
case:* (a) I confini italiani sono ——. (b) L'Italia è circondata
da —— isole. (c) Alcune isole sono ——. (d) La Grotta
Azzurra è ——. (e) I disastri sono ——. (f) L'Italia è ——
di fiumi. (g) L'Italia e la Francia sono —— di fiumi. (h) Il
Lago Maggiore è ——.

2. *Supply a suitable noun for each of the following adjectives:*
—— fonografici, —— facile, —— precisi, —— piccole, ——
importante, —— principali.

3. *Continue the following:* (a) Non ho mai udito. (b) Avevo
guardato. (c) Sono stato a Capri. (d) Fui sulle Alpi. (e) Io
ero stato in Sicilia. (f) Io ebbi un dubbio.

III. *Write original sentences in Italian using one of the following words in each of them:* Sardegna, geografica, amenissime.
monti, fiume, laghi, continente, Austria, centrale, percorrono.

# 8. CORRISPONDENZA CON L'ITALIA

I. *Answer in Italian:* 1. Che cosa ha scritto Ida Rogers?
2. A chi ha scritto? 3. Quando ha scritto? 4. Il professore
che cosa consigliò? 5. Che cosa dette alla classe il professore?
6. Ida che cosa ha scritto nella sua lettera? 7. Vuol sentire la
lettera Lei? 8. Perchè la lettera non comincia con la parola
« cara »? 9. Che parola ha suggerita il professore? 10. Quale
idea è attraente per Ida? 11. In che lingua può rispondere la
studentessa di Napoli? 12. Dov'è situata la scuola che Ida
frequenta? 13. Che scrive Ida del suo dormitorio? 14. Dov'è
l'edificio scolastico principale? 15. Quale programma di studi
segue Ida?

II. 1. *Substitute for the dash the partitive expression:* (*a*) Abbiamo —— indirizzi. (*b*) Scriviamo —— lettere. (*c*) Le scriviamo a —— studenti e a —— studentesse. (*d*) Seguiamo —— programmi. (*e*) Aveva —— buona volontà. (*f*) Ho —— idee. (*g*) Basta fare —— sforzo. (*h*) Passarono —— mesi e —— anni.

2. *Give the plural of the following nouns and adjectives:* lingua, antica, antico, programma, principale, edificio, estremità, poca, poco, amico, ricca, geografico, inglese, liceo.

3. *Continue the following:* (*a*) L'ho corretta. (*b*) Le ho scritte. (*c*) Li ho dati. (*d*) L'ho veduta.

III. *Memorize the following expressions:*

**La prego di gradire distinti saluti.** *Please accept my best wishes.*

**Studente di primo anno.** *Freshman.*

**Studente di secondo anno.** *Sophomore.*

**Studente di terzo anno.** *Junior.*

**Studente di quarto anno.** *Senior.*

**Su d'una collina.** *On a hill.*

## 9. ROMA

I. *Answer in Italian:* 1. Dov'è situata Roma? 2. Quanti abitanti ha? 3. Il mare è lontano da Roma? 4. Com'è chiamata Roma? 5. Perchè è chiamata la Città Eterna? 6. Quali monumenti attestano lo splendore della civiltà di Roma antica? 7. Che cos'è la Città del Vaticano? 8. Chi è il Papa? 9. Quali sono le quattro basiliche di Roma? 10. Che cos'è la Roma d'oggi? 11. Da che anno Roma è la capitale d'Italia? 12. Quali opere d'arte son tipiche della nuova Roma? 13. Chi è chiamato in Italia « Padre della Patria »? 14. Chi è ora re d'Italia?

II. 1. *For each of the following verbs give the required form of the present indicative, past absolute, and past descriptive:*

comprare — *3d person plural*    avere — *2d person plural*
capire — *1st person singular*    ricevere — *1st person plural*
essere — *2d person singular*    partire — *3d person singular*

2. *Say in Italian:* More than one, more than two, etc., up to 12.

3. *Insert the proper subject pronoun:* —— eravamo, —— aumentasti, —— furono, —— avevano, —— ha, —— fosti, —— ricevevamo, —— ricevette, —— ricevè, —— capìrono, —— chiamavate, —— finisti, —— finiste, —— aveva.

III. *Write original sentences in Italian using one of the following words in each of them:* Roma, Tevere, mare, Colosseo, cattolico, Papa, San Pietro, diventa, moderna, grandioso.

## 10. CLARA ANDRÀ IN EUROPA

I. *Answer in Italian:* 1. Chi disse che Clara andrà in Europa? 2. Dove lo disse? 3. Con chi andrà? 4. Quando partiranno, e da dove? 5. Costa molto questo viaggio? 6. In che classe viaggeranno? 7. Quale sarà la prima fermata? 8. Per quale via andranno? 9. Come sono i piroscafi italiani? 10. Dove sbarcheranno in Italia? 11. Da Napoli quali escursioni faranno? 12. Quali altre città italiane visiteranno? 13. In quali paesi d'Europa andranno? 14. Che cosa avrà luogo al porto di Trieste? 15. Andiamo anche noi?

II. 1. *Insert the proper subject pronoun:* —— saremo, —— diventeranno, —— avrà, —— conserverete, —— sarò, —— dominerai, —— capirete, —— citerà, —— avremo, —— saranno, —— diventerai, —— scriverà.

2. *Place the correct form of the future of* **contare,** *and then of* **raggiungere** *and* **riunire,** *after each of the following pronouns:* Lei ——, tu ——, Loro ——, egli ——, noi ——, ella ——, essi ——, voi ——, io ——, esse ——.

3. *Continue the following:* (*a*) Avrò una lettera da Napoli. (*b*) Sarò a Roma. (*c*) Risponderò in inglese. (*d*) Parlerò italiano. (*e*) Capirò se egli parlerà italiano. (*f*) Imparerò perchè è facile.

III. 1. *Memorize the following expressions:*

**Aver luogo.** *To take place.* **L'estate ventura.** *Next summer.*

**Il ventiquattro giugno.**  *June*   **Volesse il Cielo!**   *Heaven will-*
       *24th.*                                    *ing!*

2. *Memorize the first four lines of the poem " I mesi del-*
*l'anno "* (p. 69).

## 11. LA LETTERA DA NAPOLI

I. *Answer in Italian:* 1. Che ha ricevuto Ida Rogers?
2. Chi è l'amica di Napoli che ha scritto? 3. Perchè Vanna Del
Giudice accetta l'invito di corrispondere con Ida? 4. Ha scritto
in inglese? 5. Perchè ha scritto in italiano? 6. Che lingue
studia Vanna al liceo? 7. Piace la matematica a Vanna?
8. Quali studi preferisce ella? 9. Quante ore della settimana
passa Vanna in classe? 10. Quando ha tempo per i divertimenti? 11. La scuola di Vanna è moderna? 12. Dov'è situata?
13. Perchè Vanna non capisce la parola « freshman »?

II. 1. *Replace the words in parentheses by their correct Italian
equivalents:* (*our*) circolo, (*my*) comitiva, (*his*) professori, (*our*)
scuole, (*their*) viaggio, (*my*) prezzo, (*her*) ditta, (*my*) fermata,
(*their*) piroscafi, (*its*) cucina, (*my*) giorni, (*my*) escursioni.

2. *Translate in four different ways* (**tu, voi, Lei** *and* **Loro**
*forms*)*:* (*a*) Your return trip. (*b*) Your first stop. (*c*) Your
schools. (*d*) With your friends. (*e*) Your excursion to the
Blue Grotto.

3. *Continue the following:* (*a*) Sarò andato in Italia. (*b*) Avrò
avuto una splendida occasione. (*c*) Sarò stato su d'un piroscafo
italiano. (*d*) Sarò partito con la comitiva. (*e*) Avrò visitato
molte belle città.

III. 1. *Memorize the following expressions:*

**Aver ragione.**   *To be right.*
**Aver torto.**   *To be wrong.*
**Grazie della sua lettera.**   *Thanks for your letter.*
**Mi scuserà, non è vero?**   *You will excuse me, won't you?*
**Tutte le cose americane.**   *All American things.*

2. *Memorize from line 5 to line 8 incl. of the poem " I mesi del-*
*l'anno "* (p. 69).

## 12. DUE ALTRE METROPOLI

I. *Answer in Italian:* 1. Dopo Roma, quali sono le più grandi città italiane? 2. Dov'è situata Milano? 3. Dov'è situata Napoli? 4. Che popolazione hanno queste due città? 5. Per che cosa Milano occupa il primo posto in Italia? 6. Perchè è famoso il Duomo di Milano? 7. Che c'è nella chiesa di Santa Maria delle Grazie, a Milano? 8. Che altro vanta Milano? 9. Da che cosa il viaggiatore è attirato a Napoli? 10. Che contiene il Museo di Napoli? 11. Quale teatro di Napoli è famoso? 12. Dove sono le più belle passeggiate di Napoli? 13. Com'è chiamata Napoli? 14. Qual è il detto popolare su Napoli?

II. 1. *Give the masculine and feminine plurals of the following adjectives:* poco, matematico, chimico, antico, stanco, linguistico, ricco, magnifico, storico, artistico.

2. *Supply the definite article or the partitive as the case may be:* (a) Preferisco —— studi linguistici. (b) —— domande sono inutili. (c) Hanno —— belle scuole in Italia. (d) —— amiche d'Ida son quasi tutte americane. (e) Ho —— corsi difficili. (f) La città ha —— buoni teatri.

3. *Translate into Italian:* these trips, a program, some programs, no study, a little philosophy, some cities, an opportunity, many opportunities, some girl students, some useful things.

III. *Write original sentences in Italian using one of the following words in each of them:* storiche, varietà, Milano, Napoli, importante, Duomo, contiene, vista, vedi, teatro.

## 13. NELLA BIBLIOTECA

I. *Answer in Italian:* 1. Che disse Roberto? 2. Chi era con Roberto? 3. Di che colore era l'edifizio della biblioteca? 4. Perchè risaltava? 5. Che cosa era un vero piacere per Roberto? 6. Quando entrarono nella biblioteca i due fratelli? 7. Dov'era la sala di lettura? 8. Chi studiava in quella sala? 9. Come camminavano i due giovani? 10. Perchè gli studenti

presentano delle schede? 11. Che cosa c'è nella sala dei periodici? 12. Dove sono le riviste? 13. Quale delle riviste italiane
ha più lettori? 14. Perchè?

II. 1. *Replace the words in parentheses by their correct Italian
equivalents:* (*our*) fratelli, (*my*) fratello, (*my*) fratellino, (*his*)
madre, (*his*) mamma, (*her*) cara zia, (*our*) zia, (*my*) zietta,
(*their*) padre, (*his*) figlietta.

2. *Translate in four different ways:* (*a*) Your mother.
(*b*) Your aunt. (*c*) Your dear aunt. (*d*) Your little sister.

3. *Continue the following:* (*a*) Occupavo il primo posto.
(*b*) Offrii dei libri. (*c*) Conservai tutti gli oggetti. (*d*) Non
ho veduto nè Napoli nè Milano. (*e*) Sarò partito il ventuno
giugno.

III. 1. *Memorize the following expressions:*

**Dal di fuori.** *From the outside.*

**Là in fondo.** *Over there.*

**Occorre sapere.** *It is necessary to know.*

**Qualche cosa d'italiano.** *Something Italian.*

**Quel che accadeva.** *What was happening.*

2. *Memorize the last four lines of the poem "I mesi dell'anno"*
(p. 69).

## 14. ALTRE FAMOSE CITTÀ ITALIANE

I. *Answer in Italian:* 1. Perchè Firenze è una città di primissimo ordine? 2. Quale grandioso movimento cominciò
a Firenze? 3. Perchè Firenze occupa il primo posto in letteratura, nelle scienze e nelle arti? 4. Com'è chiamata Firenze?
5. Dov'è situata la Città dei Fiori? 6. Quali sono le sue chiese
principali? 7. Che cos'è il Palazzo Vecchio? 8. Com'è chiamata Venezia? 9. Che cosa vediamo a Venezia? 10. Dov'è la
cattedrale di San Marco? 11. Dov'è Torino? 12. Per quale
industria è famosa Torino? 13. Perchè è famosa Genova?
14. Qual è la più antica università del mondo? 15. Quali città
sono importanti come centri di studi? 16. Dov'è Palermo?

II. 1. *Substitute for each direct object the proper conjunctive*

*pronoun* (e.g. mostrai *la rivista* = *la* mostrai): (*a*) *I*ndico l'edifizio. (*b*) Mostrɔ gli *a*lberi. (*c*) Vedevo la collina. (*d*) Rice-
vesti una v*i*sita. (*e*) Cominciɔ gli studi. (*f*) Ved*e*vano le
amiche. (*g*) Studi*a*vano la lezione. (*h*) Riceve la sch*e*da.

2. *Translate into Italian, rendering* some *or* any *with either*
**qualche** *or* **alcuno** *or* **un pɔ' di:** (*a*) We have some pride. (*b*) Has
he any brothers? (*c*) I begin some studies. (*d*) Here are some
tables. (*e*) I like some music. (*f*) I need some paper. (*g*) Do
you have any friends?

3. *Continue the following:* (*a*) Avrɔ mormorato. (*b*) Sarɔ
uscito dalla biblioteca. (*c*) L'hɔ mostrata. (*d*) Li avevo ve-
duti. (*e*) Le avrɔ osservate.

III. *Write original sentences in Italian using one of the following words in each of them:* parlata, Rinascimento, civiltà, **arti**,
sentimento, misteriosi, Dɔgi, ponte, indipend*e*nza, **automo-
bil***i***stica**, Colombo, università.

## 15. NON LO DOVEVA FARE

I. *Answer in Italian:* 1. Chi è Masɔ? 2. Chi è che incontra
Masɔ? 3. Che fa il dott*o*r Cantoni quando incontra Masɔ?
4. Come risponde Masɔ? 5. Da dove viene Masɔ? 6. Che
cɔsa ha preso il mugn*a*io? 7. Gli ha fatto b*e*ne la medicina?
8. Che cɔsa dice Masɔ? 9. Che dice il dottore dopo le prime
parɔle di Masɔ? 10. Che dice il dottore dopo le *u*ltime parɔle
di Masɔ?

II. 1. *Give the past participle of:* parlare, sapere, finire, *e*ssere,
avere, pr*e*ndere, capire, vedere, fare, brillare.

2. *Supply the correct form of the present perfect of the verb given
in the infinitive:* (*a*) Esse (*mostrare*) il Ponte dei Sospiri. (*b*) Noi
(*vedere*) delle gondole. (*c*) Egli (*e*ssere) a Torino. (*d*) Tu (*fare*)
un buɔn viaggio. (*e*) Io (*finire*) ogni cɔsa. (*f*) Essa (*e*ssere)
con noi. (*g*) Essi (*e*ssere) in Italia. (*h*) Tu (*pr*e*ndere*) la medicina. (*i*) Le ragazze (*e*ssere) nella Galleria degli Uffizi.

3. *Substitute pronouns for object nouns, making the necessary
changes* (e.g. hɔ veduto *la città* = *l'*hɔ veduta): (*a*) Avete ricor-

dato le amiche. (b) Hanno comprato un quaderno. (c) Hɔ incontrato una signorina. (d) Abbiamo ricevuto la lɛttera. (e) Ella ha occupato il primo posto. (f) Hai preso quella medicina? (g) Non avete mai veduto quelle città?

III. *Memorize the following expressions:*

**Lo doveva fare.** *He was supposed to do it.*
**Mi ha fatto bɛne.** *It has done me good.*

## 16. COME MI PIACE...

I. *Answer in Italian:* 1. Chi s'avvicina? 2. Dov'è seduta la dɔnna? 3. Che dice il mendico? 4. Che risponde la dɔnna? 5. Che cɔsa indica la dɔnna al mendico? 6. Egli allora dove va? 7. Chi viɛne ad aprire il cancɛllo? 8. Dov'è il padrone della servetta? 9. Che ha detto alla servetta? 10. Come risponde il mendico quando vede che non ha nulla?

II. 1. *Count from 11 to 20. Count from 20 to 11.*

2. *Insert the proper subject pronoun:* —— dobbiamo, —— pɔssono, —— volete, —— dɛve, —— vɔglio, —— puɔi, —— possiamo, —— dɛvi, —— vogliamo, —— vuɔle, —— dɛvo, —— puɔ, —— pɔsso.

3. *Continue the following:* (a) Non vɔglio partire. (b) Pɔsso parlare? (c) Dɛvo chiamarlo. (d) Vɔglio sudare. (e) Non pɔsso farlo. (f) Dɛvo venire?

III. *Write original sentences in Italian using one of the following words in each of them:* vɛcchio, nulla, lassù, collina, lentamente, bianco, pɔvero, diecina, stamani, andare.

## 17. LA RICOTTA

I. *Answer in Italian:* 1. Chi è Matilde? 2. Che cɔsa ha avuto in dono? 3. Da chi? 4. Dove s'avvia Matilde? 5. Come pɔrta il piatto? 6. Che intenzione ha? 7. Con la lira che avrà per la ricɔtta, che cɔsa comprerà? 8. Dove metterà le uɔva? 9. E che avrà così? 10. Che diventeranno questi pulcini? 11. Pɔi Matilde che comprerà? 12. Che farà l'agnellina? 13. Quando gli agnellini saranno cresciuti, Matilde che farà? 14. Che cɔsa avrà la casina di Matilde? 15. Che dirà la gɛnte che passerà? 16. Mentre Matilde fa la rivɛrɛnza, la ricɔtta dove schizza?

II. 1. *Continue the following:* (*a*) Due per due, quattro (i.e. $2 \times 2 = 4$); due per tre, ——, *etc., as far as* $2 \times 10$. (*b*) Tre per due, ——; tre per tre, ——, *as far as* $3 \times 7$. (*c*) Quattro per due, ——; quattro per tre, ——, *as far as* $4 \times 5$.

2. *Place the correct form of the present indicative of* **dovere**, *and then of* **potere** *and* **volere**, *after each of the following pronouns:* io ——, esse ——, Loro ——, ella ——, voi ——, egli ——, noi ——, essi ——, tu ——, Lɛi ——.

3. *Continue the following:* (*a*) Io l'avevo indicato. (*b*) Quand'ɛbbi bussato. (*c*) Avrɔ finito la medicina. (*d*) Non avevo detto così? (*e*) Appena fui partito.

III. 1. *Memorize the following expressions:*

**A sua vɔlta.** *In his (her, its) turn.* **Ora vado.** *Now I shall go.*
**Avere in dono.** *To receive as a gift.* **Tutto contɛnto.** *Quite happy.*

2. *Memorize the first quatrain of the sonnet* " *Il segno della Croce* " (p. 69).

## 18–19. BENEFICENZA E RICONOSCENZA · IL FILOSOFO DIOGENE

I. *Answer in Italian:* (*a*) 1. Che cɔsa vɔlle dare Dio? 2. Chi fu invitato alla fɛsta? 3. Com'ɛrano le Virtù piccoline? 4. Che cɔsa notɔ Dio? 5. Chi ɛrano le due signore? 6. Come restarono le due Virtù? 7. Perchè restarono stupite?

(*b*) 1. Chi ɛra Diɔgene? 2. Che cɔsa aveva fatto? 3. Dove s'ɛra seduto? 4. Perchè s'ɛra seduto sulla piɛtra? 5. Chi passɔ in quel momento? 6. Che disse Alessandro? 7. Che rispose Diɔgene?

II. 1. *Replace the words in parentheses by their correct Italian equivalents:* (*a*) Il mendico (*had greeted*) la dɔnna. (*b*) Quand'egli (*had spoken*), la dɔnna disse che non aveva nulla. (*c*) Egli (*probably had had*) bisogno di pane. (*d*) Noi (*had been*) con lui.

(*e*) La servetta (*had had*) un grembiulino. (*f*) Essi (*had knocked*) alla porta. (*g*) Quand'egli (*had knocked*), io aprii il cancello.

2. *Quali sono i nomi dei mesi?*

3. *Read aloud in Italian:* 63, 75, 87, 99, 101, 354, 777, 915, 1844, 1911, 1917, 1919, 1936, 3812, 8514, 22,645, 153,999, 5,585,118.

III. 1. *Memorize the following expressions:*

**Da che mondo è mondo.** *From the time of creation.*

**Fare un bagno.** *To take a bath* or *to go in bathing.*

**Il quale aveva nome.** *Whose name was.*

**Le sole Virtù.** *Virtues only.*

2. *Memorize the second quatrain of the sonnet " Il segno della Croce " (p. 69).*

## 20. IL GIUDICE NELL'IMBARAZZO

I. *Answer in Italian:* 1. Che cosa raccontava l'amico 2. Dov'ebbe luogo la scena? 3. Quand'ebbe luogo? 4. T chi era il giudice? 5. Di che parlava uno dei litiganti? 6. Cl disse il giudice quand'egli ebbe finito? 7. Che disse allora l'altro litigante? 8. Che rispose il giudice? 9. Chi c'era là vicino? 10. Con che cosa giocava il bambino? 11. Aveva egli seguito la discussione dei due litiganti? 12. Con che aria parlò poco dopo? 13. Che disse a suo padre? 14. Che cosa rispose il giudice?

II. 1. *Add an adjective to each of the following nouns:* (*a*) Una città ——. (*b*) La strada ——. (*c*) Le studentesse ——. (*d*) I polli ——. (*e*) La casina ——. (*f*) Un mendico ——. (*g*) I contadini ——.

2. *Quali sono i nomi dei giorni della settimana ?*

3. *For each of the following verbs give the required form of all the simple and compound tenses of the indicative mood:*

salutare — *2d person singular*       avere — *1st person plural*

finire — *3d person singular*         vendere — *2d person plural*

essere — *3d person plural*           seguire — *1st person singular*

III. *Write original sentences in Italian using one of the following words in each of them:* raccontava, casa, litiganti, giudice, subito, attentamente, ragione, visino, vicino, possono.

## 21-22. IL GALLETTO E LA VOLPE · IN PELLICCERIA

I. *Answer in Italian:* (*a*) 1. Che cosa beccava il galletto? 2. Chi arrivò? 3. Che disse la volpe? 4. Il galletto seguì il consiglio della volpe? 5. Dove arrivò la volpe col galletto in bocca? 6. Che disse il galletto allora? 7. Come si liberò il galletto? 8. Che esclamò la volpe quando il galletto volò via? 9. Come rispose il galletto?

(*b*) 1. Che cosa raccontano? 2. Come allevò la volpe i suoi volpacchiotti? 3. Che cosa insegnò loro? 4. Dove li menò quando furono cresciuti? 5. Che disse?

II. 1. *Insert a noun in each of the following phrases:* (*a*) Un nuovo ——. (*b*) La —— bianca. (*c*) Le —— utili. (*d*) Un —— stupefatto. (*e*) Una grande ——. (*f*) Una —— saggia. (*g*) Le —— vicine. (*h*) I —— contenti.

2. *Translate into Italian:* June 1st, 1433; October 12th, 1492; May 16th, 1848; July 4th, 1898; March 31st, 1912; January 16th, 1938; August 3d, 1949.

3. *Change the following to the negative:* (*a*) Dio volle dare una festa. (*b*) Qualcuno fu invitato. (*c*) Le Virtù piccoline erano graziose e amabili. (*d*) Dio notò qualche cosa. (*e*) Egli aveva fatto sempre un bagno. (*f*) Qualcuno passava. (*g*) Hai anche con che asciugarti.

III. *Memorize the last six lines of the sonnet " Il segno della Croce "* (p. 69).

## 23-24. DANTE E LE DONNE DI VERONA · DANTE E IL BUFFONE

I. *Answer in Italian:* (*a*) 1. Dov'era Dante? 2. Per dove passò? 3. Che disse una delle donne? 4. Che rispose un'altra donna? 5. Che aveva udito Dante? 6. Che aveva capito? 7. Perchè continuò per la sua via con un lieve sorriso?

(*b*) 1. Alla corte di chi dimorava Dante? 2. Chi altro c'era a quella corte? 3. A che cosa ɛra buono quel buffone? 4. Che disse il buffone a Dante? 5. Che rispose Dante?

II. 1. *Replace the words in parentheses by their correct Italian equivalents:* (*a*) Questo ɛ (*my*) balɔcco, ed ɛcco (*his*). (*b*) Aveva fatto (*some*) studi. (*c*) Parlerɔ (*if he decides*) di lasciarmi parlare. (*d*) Arrivɔ con (*a child of his*). (*e*) Trovarono (*my*) figlio. (*f*) Stamani (*I found*) un amico. (*g*) Appena (*they had spoken*), partii. (*h*) Iɛri (*she found*) una matita.

2. *Place the definite article before each of the following nouns, then give the plural of both article and noun:* mendico, virtù, giudice, re, scaffale, villaggio, qualità, sport, zio, sɛcolo, biblioteca.

3. *Place the correct form of the present indicative of* **andare,** *and then of* **fare,** *after each of the following pronouns:* esse ——, ella ——, io ——, Loro ——, tu ——, egli ——, voi ——, essi ——, Lɛi ——, noi ——.

III. *Memorize the first stanza of the poem* " *A mɛzzo maggio* " (p. 70).

## 25. IL NOVELLATORE ASSONNATO

I. *Answer in Italian:* 1. Chi c'era alla corte di Messɛr Ezzelino da Romano? 2. Questo novellatore come divertiva il suo signore? 3. Che vɔglia aveva il novellatore una nɔtte? 4. Che gli ordinɔ Ezzelino? 5. Perchè il villano andɔ al mercato? 6. Quante pɛcore acquistɔ? 7. A che prɛzzo le comprɔ? 8. Dove arrivɔ con le sue pɛcore? 9. Chi lo avvicinɔ pɔco dopo? 10. Che cɔsa offrì il pescatore al villano? 11. La barca ɛra grande? 12. Che poteva contenere? 13. Che disse Messɛr Ezzelino quando il novellatore cessɔ di raccontare? 14. Che rispose il novellatore?

II. 1. *Insert the proper subject pronoun:* —— andiamo, —— faccio, —— vanno, —— fa, —— fɔ, —— vado, —— fate, —— fanno, —— fai, —— va, —— vɔ, —— facciamo, —— andate, —— vai.

2. *Place the definite article before each of the following nouns,
then give the plural of both article and noun:* amico, carico, balocco,
bosco, porco, nemico, stomaco, medico.

3. *Continue the following:* (*a*) Io vado in un bosco. (*b*) Io
faccio una corsa. (*c*) Non vado con nessuno. (*d*) Non faccio
nulla. (*e*) Dove vado ora? (*f*) Che cosa faccio?

III. *Memorize the second stanza of the poem* " A mezzo maggio "
(p. 70).

## 26. CRISTO E L'ORO

I. *Answer in Italian:* 1. Dove andava Cristo coi suoi discepoli? 2. Che cosa videro i discepoli? 3. Perchè i discepoli
volevano prendere quell'oro? 4. Che disse Cristo? 5. Chi
trovò quell'oro poco dopo? 6. Dove andò uno dei compagni?
7. Perchè l'altro compagno restò? 8. Che cosa portò dal villaggio quello che era andato a prendere il mulo? 9. Voleva
mangiare l'altro compagno? 10. Che voleva fare? 11. Mentr'egli si chinava per legare la soma, come lo uccise il compagno?
12. Chi mangiò i due pani? 13. Come finì la cosa? 14. A
chi restò l'oro? 15. Che mostrò Nostro Signore ai suoi discepoli?

II. 1. *Place the correct form of the present indicative of* **dare,**
*and then of* **stare,** *after each of the following pronouns:* tu ——,
esse ——, Lei ——, essi ——, io ——, ella ——, Loro ——, noi
——, egli ——, voi ——.

2. *Give for each verb in parentheses the correct form of the present
indicative:* (*a*) Il novellatore (*dovere*) raccontare. (*b*) Noi non
(*potere*) far nulla. (*c*) Le pecore (*dovere*) passare. (*d*) Io
(*andare*) al fiume. (*e*) Il villano (*dare*) cento bisanti. (*f*) Ezzelino non (*volere*) dormire. (*g*) Noi (*volere*) andare al mercato.
(*h*) Noi (*fare*) come lui. (*i*) Gli amici (*volere*) venire.

3. *Give the antonyms of:* poco, giovane, meno, povero, prima,
nulla, sempre, male, piccolo.

III. *Write original sentences in Italian using one of the following words in each of them:* discepoli, prendiamo, rimproverò,

vedrete, ɔro, mulo, pani, tradimento, avvelenato, possessore, esɛmpio.

## 27. UN GIUDIZIO SALOMONICO

I. *Answer in Italian:* 1. Dov'ɛ̀ Bari? 2. Che cɔsa lasciɔ̀ il pɛllegrino all'amico? 3. A quali condizioni? 4. Quando il pellegrino ritornɔ̀, che domandɔ̀ egli dall'amico? 5. Che rispose l'amico? 6. Quanti bisanti vɔlle tenere per sè? 7. Di che approfittava l'amico? 8. Dove andɔ̀ a finire la cɔsa? 9. A chi parlɔ̀ il giu̯dice quando pronunziɔ̀ la sentɛnza? 10. Quanti bisanti fu̯rono restituiti al pellegrino? 11. Perchè? 12. Quanti bisanti restarono in mano all'amico?

II. 1. *Insert the proper subject pronoun:* —— dai, —— stanno, —— diamo, —— dɔ, —— state, —— sta, —— danno, —— stiamo, —— dà, —— stɔ, —— date, —— stai.

2. *Change to the Lɛi form of address:* voi andate a casa; **tu** vuɔi partire; tu dɛvi studiare; voi fate bɛne; voi potete passare; tu stai con noi; tu dai il libro a Ugo; voi non volete dormire; voi non dovete parlare.

3. *Continue the following:* (*a*) Io dɔ un consi̯glio. (*b*) Io **stɔ** nella bibliotɛca. (*c*) Non dɔ niente. (*d*) Non stɔ mai a casa. (*e*) Dɔ ogni cɔsa? (*f*) Stɔ male qui?

III. *Memorize the first six lines of the poem " Il sole e la lucɛrna* " (p. 72).

## 28. I TRE ANELLI

I. *Answer in Italian:* 1. Perchè aveva bisogno di danaro il Saladino? 2. Che cɔsa gli fu consigliato? 3. Con che scɔpo? 4. Che domandɔ̀ il Saladino all'ebreo? 5. Che pensava il Saladino? 6. L'ebreo racconta d'un padre: quanti figli aveva costui? 7. Com'ɛra fatto l'anɛllo di quell'uɔmo? 8. Che volɛvano avere i figli? 9. Il padre allora chi mandɔ̀ a chiamare? 10. Che disse all'artefice? 11. L'artefice come copiɔ̀ l'anɛllo? 12. Quando i figli ɛbbero il loro anɛllo, che credeva ciascu̯n di loro? 13. Chi sa quale religione è la migliore? 14. Che cosa crede ciascun di noi?

II. 1. *Substitute for the dash the correct form of* **bello**: un —— luogo, delle —— cose, i —— libri, i —— occhi, un —— cancello, dei —— lavori, un —— albero, delle —— virtù.

2. *Substitute for the dash the correct form of* **buono**: un —— compagno, una —— amica, di —— accordo, una —— idea, dei —— alunni, un —— coltello.

3. *Write out the present indicative of:* caricare, pagare, cercare.

III. *Memorize from line 7 to line 12 incl. of the poem* " *Il sole e la lucerna* " (p. 72).

## 29. IL MONACO AL MERCATO

I. *Answer in Italian:* 1. Perchè quel gentiluomo aveva rinunziato alle sue ricchezze? 2. L'abate dove lo mandò? 3. In compagnia di chi lo mandò? 4. Il monaco andò volentieri? 5. Che cosa domandava la gente al mercato? 6. E che rispondeva il monaco? 7. Perchè gli asini avevano la coda spelata? 8. Il monaco vendè gli asini? 9. Che raccontò il converso all'abate? 10. Perchè l'abate mandò a chiamare il monaco? 11. Che rispose il monaco all'abate? 12. Che disse allora l'abate?

II. 1. *Substitute for the dash the correct form of* **grande**: un —— amico, un —— filosofo, una —— pazienza, un —— studio, dei —— scaffali, una —— enciclopedia.

2. *Place the proper form of* **santo** *before the following names:* Roberto, Ugo, Ida, Clara, Giovanni, Matteo, Angelo, Giuseppe, Enrico, Edvige, Stefano, Antonio.

3. *Write in figures several numbers which your teacher will read to you in Italian.*

III. 1. *Memorize the following expressions:*

**Ingannar la gente.** *To deceive people.*

**Le cose del mondo.** *Worldly things.*

**Mal volentieri.** *Unwillingly.*

**Mandare a chiamare.** *To send for.*

2. *Memorize the last twelve lines of the poem " Il sole e la lucerna "* (p. 72).

## 30. GIANNI SCHICCHI

I. *Answer in Italian:* 1. Perchè Buoso Donati desiderava di far testamento? 2. Lo contentò suo figlio Simone? 3. Che dicevano i vicini? 4. Disse Simone qualche cosa della morte del padre? 5. A chi domandò consiglio? 6. Chi era Gianni Schicchi? 7. Che diss'egli a Simone? 8. Nel suo falso testamento che somme lasciò Gianni Schicchi per opere di carità? 9. Che disse Simone quando il finto padre lasciò cinquecento fiorini a Gianni? 10. E che rispose il finto padre? 11. Che disse quando Simone esclamò che Gianni si curava poco del cavallo? 12. Che clausola dettò il finto padre? 13. Come andò a finire la cosa?

II. 1. *Rewrite the following, changing subjects and verbs to the plural:* (a) L'uovo sta sotto la chioccia. (b) Il bue può fare molto lavoro. (c) La moglie lavorava in giardino. (d) L'uomo deve lavorare. (e) Questo viaggio può durar molto. (f) Il vecchio mendico vuole l'elemosina. (g) Un frutto può piacere.

2. *Give the present participle of:* andare, avere, partire, essere, soffrire, vendere.

3. *Give the past participle of:* prendere, fare, andare, dire, morire, mettere, avere, venire.

III. 1. *Memorize the following expressions:*
    **Curarsi poco di ...** *To care little for ...*
    **Star zitto.** *To keep silent.*

2. *Write original sentences in Italian using one of the following words in each of them:* malattia, testamento, segreto, imitava, letto, padre, lire, fiorini, contento, zitto.

## 31. IL MONACO E IL NOVIZIO

I. *Answer in Italian:* 1. Chi può evitare la maldicenza della gente? 2. Chi uscì dal convento? 3. Dove andavano? 4. Com'erano le vie? 5. Perchè erano fangose? 6. Che

disse la prima persona che li osservò? 7. Che fece il monaco?
8. Che disse poco dopo una donna alle sue vicine? 9. Allora che
fece il monaco? 10. Che disse un uomo vedendo il monaco e il
novizio sull'asino? 11. Quale idea ebbe allora il monaco?
12. Che esclamò un altr'uomo vedendo il monaco e il novizio
camminare dietro all'asino?

II. 1. *Place the proper form of* **quello** *before each of the following nouns:* segreti, scopi, maestri, anelli, zio, opinione, ricchezze,
scopo, ebrei, bisogni, amico, studente, studenti.

2. *Form a sentence with each of the words just given.*

3. *Continue the following:* (*a*) Cammino dietro a Lei.
(*b*) Vedo un monaco. (*c*) Uscivo dal convento. (*d*) Io ebbi
un'altra idea. (*e*) Sarò presto a casa.

III. 1. *Memorize the following expressions:*

A mala pena. *With great diffi-*  In fondo a ... *At the other end*
    *culty.*                              *of ...*

2. *Memorize the first eight lines of the poem* "*Panteismo*"
(p. 73).


## 32. UNA PREDICA TROPPO BELLA

I. *Answer in Italian:* 1. Perchè era famoso il frate di questa
storiella? 2. Com'era il fratello di questo frate? 3. Che cosa
non mancava mai di fare? 4. A chi s'avvicinò un giorno il
fratello del frate? 5. Che disse? 6. Che domandò uno degli
amici? 7. Che risposta ricevè? 8. E che rispose quel semplicione quando un altro degli amici volle sapere quel che il frate
aveva detto?

II. 1. *Supply the proper relative pronoun and the demonstrative
adjective, if one is lacking:* (*a*) L'ebreo con —— il Saladino parlò.
(*b*) Gli anelli —— voglio. (*c*) Vedo due anelli —— pietre
sono somiglianti. (*d*) Faccio —— devo. (*e*) Vedo —— egli ha
fatto. (*f*) Il padre —— figli erano contenti. (*g*) —— vuol
tutto, non ha nulla. (*h*) L'uomo con —— parlavo. (*i*) La
tavola su —— vediamo quel libro. (*j*) —— fai è male.

2. *Give the imperative of the following verbs:* parlare, stare, vendere, dare, capire, andare, ɛssere, fare, avere.

3. *Write four sentences using in each of them an imperative form of one of the verbs just given.*

III. *Memorize the last eight lines of the poem* " *Panteismo* " (p. 73).

## 33. UNA SPIRITOSA VENDETTA

I. *Answer in Italian:* 1. Che penitɛnze fanno in cɛrti tɛmpi dell'anno i frati minori? 2. Ma se sono in viaggio, che fanno? 3. Perchè? 4. Con chi arrivarono all'osteria i due frati? 5. Dove sedɛttero? 6. Che fu servito? 7. Che disse il mercantuccio? 8. E i frati che risposero? 9. Che mangiarono i frati? 10. E pɔi che avvenne? 11. Dove arrivarono i tre? 12. Perchè i frati e il mercantuccio ɛrano a piɛdi? 13. Che offrì di fare uno dei frati? 14. Pɔi che disse, quando fu arrivato nel mɛzzo del fiume? 15. Che rispose il mercantuccio? 16. Come finì la cɔsa?

II. 1. *Substitute for the dash the proper equivalent for* "*who*" *or* "*whom*" *as the case may be:* (*a*) Il mɔnaco —— ɛra in quel convento. (*b*) L'uɔmo con —— parlava. (*c*) —— ɛra il mɔnaco? (*d*) Di —— parlɔ? (*e*) La ragazza —— vedevo. (*f*) Con —— andɔ? (*g*) La signora a —— hɔ dato quella lɛttera. (*h*) —— son essi?

2. *Give the negative imperative of the following verbs:* mangiare, stare, conɔscere, dare, servire, andare, ɛssere, fare, avere.

3. *Write four sentences using in each of them a negative imperative form of one of the verbs just given.*

III. *Recite the poems* " *I mesi dell'anno* " *and* " *Il segno della Croce.* "

## 34. BORIA SPAGNOLA E ARGUZIA FRANCESE

I. *Answer in Italian:* 1. Chi viaggiava da Bologna a Firɛnze? 2. Dove arrivɔ? 3. Che aveva arrostito l'ɔste? 4. Che disse Pierre Nicol? 5. E pɔi che avvenne? 6. Chi entrɔ nell'osteria

proprio in quel momento? 7. Che disse lo spagnolo al francese?
8. Che cosa domandò Pierre Nicol? 9. Che rispose lo spagnolo?
10. Il francese invitò lo spagnolo a mangiar con lui? 11. Che
disse? 12. Perchè disse « quattro così grandi baroni », se lo
spagnolo era solo?

II. 1. *Change the following to the negative:* (*a*) Studia questa
lezione. (*b*) Ritorna con lui. (*c*) Nominate un erede. (*d*) Dà
questa rosa a Vanna. (*e*) Va' a casa. (*f*) Prendi l'uno e l'altro.
(*g*) Finite presto. (*h*) Fa' qualche cosa.

2. *Translate into Italian:* (*a*) It is 8:40 A.M. (*b*) Our lesson
starts at 2 P.M. (*c*) It was noon. (*d*) Our lesson ends at 2:50 P.M.
(*e*) We returned at 1 A.M. (*f*) No, we returned at midnight.

3. *Answer the following questions:* (*a*) Quanti anni ha Lei?
(*b*) Quanti anni avrà Lei fra vent'anni? (*c*) Che età aveva
Lei quattro anni fa? (*d*) Quanti anni avrà questo studente?
(*e*) Che età ha suo padre?

III. *Write original sentences in Italian using one of the following words in each of them:* viaggiando, anitra, tavola, fumava,
osteria, piace, spagnolo, quattro, meno, semplice.

## 35. NON MOLTO CORTESE

I. *Answer in Italian:* 1. Chi era Scipione? 2. Chi era l'a-
mico di Scipione? 3. Dov'era andato Scipione? 4. Da dove lo
chiamò? 5. Chi rispose? 6. E che rispose? 7. Ma che cosa
udì Scipione? 8. Quando andò il poeta a casa di Scipione?
9. Come chiamò l'amico? 10. Chi rispose al poeta? 11. Che
disse Scipione? 12. E il poeta che disse? 13. Come rispose
Scipione alle parole dell'amico? 14. Il poeta era stato cortese?

II. 1. *Translate into Italian:* (*a*) Here he is. (*b*) There she
is. (*c*) Here we are. (*d*) Here you are (*five ways* [1]). (*e*) There
they are (*two ways* [2]). (*f*) I shall understand him. (*g*) We
speak to each other. (*h*) You will sell the book to him.

2. *Substitute* ci, vi, *or* ne *for the prepositional phrases with* in,

---

[1] Tu, voi, Lei, Loro (*masculine and feminine*) *forms.*
[2] *Masculine and feminine forms.*

**a, di,** *or* **da,** *according to sense:* (*a*) Noi usciamo dal convento. (*b*) Saremo alla chiesa domani. (*c*) Desidero un po' di carta. (*d*) Siamo a Roma. (*e*) Essi erano nel convento. (*f*) Veniamo dalla scuola. (*g*) Parlo dell'asino.

3. *Continue the following:* (*a*) Mi curo poco di lui. (*b*) M'avvicinai a casa. (*c*) Mi vedo solo. (*d*) Mi sentirò contento. (*e*) Mi devo scusare.

III. *Recite the poems* " *A mezzo maggio* " *and* " *Il sole e la lucerna.* "

## 36. UNA BURLA CRUDELE

I. *Answer in Italian:* 1. Dove alloggiavano i tre amici? 2. Dopo cena cominciarono a far che? 3. Dove andò quello che aveva perduto tutto il danaro? 4. Che cosa deliberarono di fare gli altri due? 5. Dopo che spensero i lumi, che fingevano di fare? 6. Fecero molto strepito? 7. Che avvenne? 8. Che risposero i due amici a quello ch'era a letto? 9. Quando quello ch'era a letto si mise a sedere, che disse? 10. Che cosa mostravano di credere gli altri due? 11. Chi chiamava la Madonna di Loreto? 12. Che domandava dalla Madonna? 13. Che voto fece? 14. Quando ritornarono dall'altra stanza col lume in mano, i compagni che dissero a quel poveretto?

II. 1. *Substitute for the object noun the proper form of the object pronoun:* (*a*) Il frate fa la predica. (*b*) Non ho capito le sue parole. (*c*) Vedo gli amici. (*d*) Incontrarono la donna. (*e*) Seguiva l'asino.

2. *Substitute for the noun the proper form of the indirect object pronoun:* (*a*) Parlo a gli amici. (*b*) Rispondeva a Maria. (*c*) Lascio tutto a Ugo. (*d*) Non vendo niente a Roberto. (*e*) Consigliai alle ragazze d'uscire.

3. *Continue the following:* (*a*) Egli **mi** tratta male, egli **ti** tratta male, *etc.* (*b*) Egli **mi** disse così, egli **ti** disse così, *etc.* (*c*) Egli **mi** seguiva. (*d*) Ugo mi dà un consiglio.

III. *Memorize the following expressions:*
**Ad alta voce.** *Aloud.*                     **In ultimo.** *Finally.*

**Che è?** *What is the matter?*   **Mettersi a sedere.** *To sit up.*
**Giocare a carte.** *To play cards.*   **Sempre più forte.** *Still louder.*

## 37. L'UOVO DI COLOMBO

I. *Answer in Italian:* 1. Chi era Pedro Gonzales de Mendoza? 2. Chi era Cristoforo Colombo? 3. Quando scoprì egli l'America? 4. Che posto aveva Colombo alla tavola del cardinale? 5. Come fu servito il pranzo? 6. Di che cosa parlarono a tavola? 7. Chi c'era a quella tavola? 8. Perchè era egli invidioso di Colombo? 9. Che disse quell'uomo? 10. Rispose subito Colombo? 11. Che fece? 12. Ci fu qualcuno che tentò di far stare l'uovo diritto? 13. Che fece Colombo allora? 14. Che cosa mostrò egli in tal maniera?

II. 1. *Substitute for the object noun the proper form of the object pronoun:* (a) Faccio una penitenza. (b) Mangio il pollo. (c) Alzava la testa. (d) Salutò gli amici. (e) Apparecchiava vivande.

2. *Substitute for the noun the proper form of the indirect object pronoun:* (a) Disse così al francese. (b) Non rispose alla ragazza. (c) Dà tutto a gli amici. (d) Egli vieta ai ragazzi d'uscire. (e) Ordinò alla serva di restare a casa.

3. *Continue the following:* (a) Mi metto a sedere. (b) Mi trovai con lui. (c) Mi sento stanco. (d) Mi destavo proprio allora. (e) M'avvicinerò al letto.

III. *Memorize the first eight lines of the poem "A Giuseppe Garibaldi" (p. 74).*

## 38. VIVO O MORTO?

I. *Answer in Italian:* 1. Chi erano gli Ugonotti? 2. Che avevano fatto in un villaggio francese? 3. Dove stava la statua di San Sebastiano? 4. Che disse il curato un giorno? 5. A che cosa esortò i suoi fedeli? 6. Che avvenne la mattina dopo? 7. Quando l'artista ricevè l'ordine della statua, che domanda fece? 8. Di che legno volevano la statua? 9. Quale domanda

dell'artista imbarazzò i contadini? 10. Che disse uno di loro?
11. Che disse un altro? 12. E che disse un terzo contadino
per mostrare più intelligenza degli altri?

II. 1. *Translate each of the following phrases in two ways:*
glielo racconto, glieli date, gliene do tre, daglielo, gliene parlerà,
gliela venderemo, glielo gettò, parlategliene.

2. *Translate into Italian in four different ways* (you *as* **tu, voi,
Lei** *and* **Loro**): (*a*) I give it to you. (*b*) He will speak of it to
you. (*c*) She brought it to you. (*d*) We shall sell it to you.
(*e*) He said it to you.

3. *Continue the following:* (*a*) Mi son trovato solo. (*b*) Mi
son creduto perduto. (*c*) Mi son divertito molto. (*d*) Mi son
messo a studiare.

III. *Memorize the last eight lines of the poem* " *A Giuseppe
Garibaldi* " (p. 74).

## 39. IL RE DELLE CANARIE E GIOCONDO DEI
## FIFANTI

I. *Answer in Italian:* 1. Chi era Americo Vespucci? 2. Chi
c'era a Firenze in quei tempi? 3. Dove cominciò a trafficare
Ansaldo degli Ormanini? 4. Che gli avvenne al quarto viaggio?
5. Che fece il re per mostrargli il suo favore? 6. Che cosa
notò Ansaldo quando fu a tavola col re? 7. Che avvenne quando
le vivande furono portate? 8. Che cosa capì Ansaldo allora?
9. Che fece? 10. Che fecero i gatti alla vista dei topi? 11. Che
diede il re ad Ansaldo? 12. Chi era Giocondo dei Fifanti?
13. Che decise di fare? 14. Che portò con sè? 15. Che pensava Giocondo? 16. Che gli regalò il re? 17. Perchè Giocondo
aveva torto maledicendo il re?

II. 1. *Substitute for the direct and indirect object nouns the
proper forms of the direct and indirect object pronouns, making the
necessary changes:* (*a*) Mando la lettera a Vanna. (*b*) Diede
i gatti al re. (*c*) Diamo i libri agli studenti. (*d*) Racconto una
storiella all'amico. (*e*) Domandava perdono al padre. (*f*) Domandava perdono ai fratelli.

2. *Give the present participle, and then the perfect participle, of the following verbs:* gettare, dovere, essere, finire, avere, parlare.

3. *Continue the following:* (*a*) Mi sono voltato per vedere. (*b*) M'ero messo a letto. (*c*) Quando mi fui destato. (*d*) Sto lavorando adesso.

III. *Write original sentences in Italian using one of the following words in each of them:* Vespucci, scoperte, guadagno, nave, condusse, bacchette, gatti, argento, sbarcò, poverissimo.

## 40. BOZZETTI

I. *Answer in Italian:* 1. Che fa Alessandro quando il cameriere gli annunzia una visita? 2. Che fa quando l'amico entra? 3. Di che cosa si lagna? 4. Che notizie domanda? 5. Che dice all'amico che è sul punto d'andar via? 6. Che fa poi, quando l'amico è partito? 7. Che dice al servo? 8. Com'è lodato Alessandro in ogni luogo? 9. Che fa Cornelio se uno lo saluta? 10. Che risponde se uno gli domanda qualche cosa? 11. Che fa se qualcuno gli domanda cose che significano poco? 12. Se un amico gli racconta una disgrazia, che fa? 13. Come è giudicato Cornelio?

II. 1. *Replace the pronouns in parentheses by their correct Italian equivalents:* (*a*) Trovando (*myself*) solo, cominciai a studiare. (*b*) Apparecchiando (*them*), parlava. (*c*) Rispondendo (*to her*), seguì il mio consiglio. (*d*) Sarò contento scrivendo (*to him*). (*e*) Mandando (*to them*) ogni cosa, li aiuterete.

2. *Translate into Italian:* (*a*) Let us give some of it to her. (*b*) Give some of it to us (*two ways*[1]). (*c*) Give some of it to them (*two ways*). (*d*) Let us speak of them to him. (*e*) Speak of her to me (*two ways*). (*f*) Don't speak of him to us (*two ways*).

3. *Give the adverbs of manner corresponding to the following adjectives:* semplice, conveniente, delizioso, facile, certo, considerevole, ricco, povero, utile, nuovo.

[1] Tu *and* voi *forms.*

III. 1. *Memorize the following expressions:*

**A stento.** *Scarcely.*

**Da ora in poi.** *From now on.*

**Essere sul punto di ...** *To be about to ...*

**Un'altra volta.** *Again.*

2. *Recite the poems " Panteismo" and " A Giuseppe Garibaldi."*

## 41. IL GATTO

I. *Answer in Italian:* 1. Che massime ha sempre praticate il gatto? 2. Chi era Machiavelli? 3. Con quali animali ha inimicizia il gatto? 4. Che fa col topo? 5. Che fa col cane? 6. Come facciamo noi uomini se dobbiamo blandire qualche nemico importante? 7. Quando è assalito dal cane, il gatto che fa? 8. Se non è più in tempo a fuggire, che posizione prende? 9. Che forze reali o fittizie spiega? 10. E il cane che fa? 11. Perchè non agisce? 12. Che fa il gatto quando coglie un'istantanea divagazione del cane?

II. 1. *Translate into Italian:* (a) He goes with me. (b) We go with him. (c) I need him. (d) We need them. (e) It was I. (f) He himself answered. (g) We do it for you (*four ways*). (h) It is she. (i) I see her, not him.

2. *Give eight possible answers to each question:* (a) Chi bussa alla porta? (b) Chi lo vuole? (c) Con chi andrà Pietro?

3. *Place the correct form of the present indicative of* **sapere** *after each of the following pronouns:* egli ——, io ——, essi ——, voi ——, Lei ——, Loro ——, tu ——, ella ———, esse ——, noi ——.

III. *Memorize the following expressions:*

**Fin dal principio dei secoli.** *From the beginning of time.*

**Finire con ...** *To end by ...*

**Lasciarsi imporre.** *To let oneself be imposed upon.*

**Mettere in brani.** *To tear to pieces.*

**Mettere nella necessità.** *To force.*

**Tanto più che ...** *Especially since ...*

## 42. UNA DISGRAZIA

I. *Answer in Italian:* 1. Che vedono le due donne? 2. Che fanno un momento dopo? 3. Qual è la prima risposta di Fiore alle domande che tutti fanno? 4. Perchè fanno tante domande? 5. Che disgrazia c'è stata? 6. Dove hanno portato il povero Pietro? 7. Che faceva Pietro per la strada? 8. Perchè piangeva sua sorella Dina mentre l'accompagnava all'ospedale? 9. A che badava Fiore davanti alla porta dell'ospedale? 10. Che ha detto Dina a Fiore? 11. Che ha trovato il medico? 12. Che fa la protezione di San Venanzio?

II. 1. *Insert the correct form of the present indicative of* **sapere** *or* **conoscere** *according to sense:* (a) Noi —— quel signore. (b) Egli non —— che ha torto. (c) —— voi chi arriverà oggi? (d) Tu —— la lingua francese. (e) Lei —— chi era Scipione. (f) Io —— poche persone. (g) Qui, chi mi ——?

2. *Give the past participle of:* scoprire, stare, dare, chiudere, soffrire, dire, morire, prendere.

3. *Place the correct form of the past absolute of* **sapere** *after each of the following pronouns:* ella ——, Loro ——, voi ——, io ——, egli ——, essi ——, Lei ——, tu ——, esse ——, noi ——.

III. 1. *Memorize the following epxressions:*

**Allora allora.** *Just then.*    **È inutile dire.** *No use saying.*
**Dopo un bel pezzo.** *After quite a while.*    **Per tutta la persona.** *All over his (her) body.*

2. *Memorize the first stanza of the poem* "*I pastori*" (p. 75).

## 43. SOMIGLIANZE

I. *Answer in Italian:* 1. Come ci chiamano se siamo tardi d'ingegno? 2. Chi è chiamato asino? 3. Chi è chiamato pappagallo? 4. Chi è chiamato scimmia? 5. Come vi chiamano se siete astuto? 6. Se siete vorace? 7. Chi è una talpa? 8. Chi è un mulo? 9. Chi è una vipera? 10. Com'è chiamata una donna volubile? 11. Di che qualità è modello il leone? 12. E il cane? 13. Chi chiamiamo colombe? 14. Com'è chiamato l'uomo mansueto? 15. Chi è chiamato provvido come una formica? 16. In bene o in male, ogni individuo rassomiglia a chi?

II. 1. *Place the correct form of the past absolute of* **conoscere** *after each of the following pronouns:* ella ——, esse ——, Loro ——, tu ——, voi ——, Lei ——, io ——, essi ——, egli ——, noi ——.

2. *Give the positive and negative imperative of each of the following verbs:* chiudere, lasciare, inveire, mettere, rinnovare, partire.

3. *Quali nomi d'animali sa Lei?*

III. *Memorize the second stanza of the poem " I pastori "* (p. 75).

## 44. NON HA FERMATO IL SOLE

I. *Answer in Italian:* 1. Chi era Edmondo De Amicis? 2. Chi era Giosuè Carducci? 3. Come definì Carducci il De Amicis? 4. Perchè? 5. Che successo ebbe questa definizione? 6. Come la prese il De Amicis? 7. Chi era Emilio Treves? 8. Che notizia portò il Treves al De Amicis? 9. Che fece il De Amicis? 10. Che disse? 11. Dove lo disse? 12. Perchè disse così ad alta voce?

II. 1. *Place the correct form of the past absolute of* **mettere** *after each of the following pronouns:* noi ——, ella ——, Loro ——, io ——, Lei ——, voi ——, essi ——, tu ——, egli ——, esse ——.

2. *Replace the words in parentheses by their correct Italian equivalents:* (a) Fu un (*fine*) pranzo. (b) Egli era (*great*) cardinale di Spagna. (c) Il posto (*which*) Lei ha, è (*mine*). (d) Il signore (*of whom*) parliamo era invidioso. (e) (*He who*) siede alla destra, ha il posto d'onore. (f) Arriverà (*this morning*). (g) Parlerò (*with you, but not with him*). (h) Un (*good*) amico dà buoni consigli.

3. *Continue the following:* (a) Riconobbi mio cugino. (b) Mi misi a studiare. (c) Risposi a quella lettera. (d) Non seppi che dire.

III. 1. *Write original sentences in Italian using one of the following words in each of them:* diversi, polemico, sanno, bocche, contrario, sorriso, notizia, lingue, raggiante, editore, libreria.

2. *Memorize the following expression:*

**Prenderla a male.** *To take it badly.*

## 57. CHICHIBIO CUOCO

I. *Answer in Italian:* 1. Chi era Corrado Gianfigliazzi? 2. Chi era Chichibio? 3. Che ordine ricevè Chichibio dal suo padrone? 4. Quando entrò Brunetta nella cucina? 5. Che disse vedendo la gru? 6. Che rispose Chichibio? 7. Che fece Corrado quando la gru fu servita con una coscia sola? 8. Che rispose quel bugiardo alle parole di Corrado? 9. Perchè Corrado non volle attaccar briga? 10. Che disse al cuoco? 11. Che fece Corrado la mattina dopo? 12. Dove guardava Chichibio mentre cavalcava affianco a Corrado? 13. Che vide vicino al fiume? 14. Che fece allora, e che disse? 15. Che avvenne dopo?

II. 1. *Place the correct form of the past absolute of* **vedere** *after each of the following pronouns:* Loro ——, io ——, ella ——, voi ——, essi ——, Lei ——, noi ——, egli ——, tu ——, esse ——.

2. *Place the definite article before each of the following nouns, then give the plural of both article and noun:* dubbio, principe, gru, gentiluomo, sguardo, povertà, gioco, porco, occhio, poeta, bue, briga, coscia, sciocco.

3. *Continue the following:* (a) Io feci bene, tu facesti bene, *etc.* (b) Io stetti attento, tu stesti attento, *etc.* (c) Io non detti niente, tu non desti niente, *etc.*

III. 1. *Memorize the following expressions:*

**Attaccar briga.** *To start a quarrel.*

**Fece montar Chichibio.** *He made C. mount.*

2. *Memorize the third stanza of the poem* " *I pastori* " (p. 75).

## 58. L'ABATE E IL MUGNAIO

I. *Answer in Italian:* 1. Chi era Bernabò Visconti? 2. Perchè l'abate fu da lui condannato a una multa di quattro fiorini? 3. Che gli disse Bernabò quand'egli implorò misericordia? 4. Che domande gli fece Bernabò? 5. Quanto tempo ottenne l'abate per preparar le risposte? 6. Che disse il mugnaio all'abate? 7. Come si presentò il mugnaio davanti a Bernabò? 8. Dov'ebbe luogo l'udienza? 9. Qual era la prima domanda, e come rispose il mugnaio? 10. Qual era la seconda domanda, e che risposta dette il mugnaio? 11. Che disse il mugnaio di quello che le anime dannate fanno in inferno? 12. Quanto disse che valeva la persona di Bernabò? 13. Che esclamò Bernabò quando udì le parole del mugnaio? 14. Che rispose il mugnaio? 15. Come finì la cosa?

II. 1. *Place the correct form of the past absolute of* **volere** *after each of the following pronouns:* egli ——, tu ——, esse ——, Lei ——, voi ——, Loro ——, io ——, ella ——, noi ——, essi ——.

2. *Substitute for the dash the proper equivalent for* " *what* ": (*a*) I contadini non sapevano —— dire. (*b*) —— volevano, era una statua. (*c*) —— disse l'artista? (*d*) Domanda —— desiderano.

3. *Continue the following:* (*a*) Chiusi gli occhi, chiudesti gli occhi, *etc.* (*b*) Dissi poco, dicesti poco, *etc.* (*c*) Lessi quel libro, leggesti quel libro, *etc.*

III. 1. *Memorize the following expressions:*
   **Fare una domanda.** *To ask a question.*
   **Fatela misurare.** *Have it measured.*
2. *Memorize the last six lines of the poem* " *I pastori* " (p. 75).

## 59. IL BABBO

I. *Answer in Italian:* 1. Chi era il padre dello studente di questa novella? 2. Quanti anni aveva allora lo studente? 3. In quale università studiava? 4. Che fece rivedendo gli amici? 5. Che perdette in una casa di gioco? 6. Trovò riposo quella notte? 7. Che fece la mattina seguente? 8. Di che parlò in treno col libraio che andava a Signa? 9. Perchè sua madre si spaventò vedendolo? 10. Dove sedeva mentre raccontava a sua madre quello che gli era accaduto? 11. Che fece poi? 12. Chi vide quando si destò? 13. Di che parlarono a tavola il padre e la madre dello studente? 14. A che ora fu svegliato il giovane la mattina dopo? 15. Che disse la madre? 16. Dov'era il padre? 17. Che disse a suo figlio?

II. 1. *Give nouns corresponding to the following verbs:* baloccarsi, bisognare, burlare, camminare, cucinare, fare, maledire, ordinare, rispondere, scrivere.

2. *Substitute for the dash the proper equivalent for "whose":*
(a) —— sono queste matite? (b) Lo studente —— amici erano a Firenze. (c) Il giovane —— madre cucinava. (d) —— è l'automobile? (e) La signora —— fratello Lei conosce. (f) Il vecchio —— parole io ascoltavo attentamente.

3. *Continue the following:* (a) Presi un'altra espressione, prendesti . . . , *etc.* (b) Rimasi con gli amici, rimanesti . . . , *etc.* (c) Scesi al pian terreno, scendesti . . . , *etc.*

III. *Memorize the following expressions:*

**Accennare di sì.** *To nod affirmatively.*

**Da ultimo.** *Finally.*

**È fuori che t'aspetta.** *He is outside, waiting for you.*

**Ebbi qualche breve dormiveglia.** *I was once or twice in a drowsy state.*

**Far lume.** *To light (up), make light.*

**Fare un racconto.** *To tell a story.*

**La baldanza mi cadde.** *I lost my nerve.*

**Mettersi in allegria.** *To begin to feel gay.*

## 60. CARMELA (I)

I. *Answer in Italian:* 1. Dov'ebbe luogo il fatto di questa novella? 2. Chi c'era in quell'isola? 3. Perchè la vita che i soldati menavano era piacevolissima? 4. Che poteva dire l'ufficiale? 5. Come passava la giornata? 6. Che dispiacere aveva? 7. Com'era annunziato l'apparire d'un legno? 8. Che c'era nel centro del paesello? 9. Che si vedeva dalla casa dell'ufficiale? 10. Chi accorse al porto all'apparire del vapore postale, tre anni fa? 11. Che aspetto aveva l'ufficiale che sbarcò? 12. Che fece, appena sbarcato? 13. Acquartierato che ebbe i suoi soldati, dove andò? 14. Poi dove si fece condurre? 15. Chi partì quella sera stessa?

II. 1. *Place the correct form of the conditional of* **restare,** *and then of* **finire,** *after each of the following pronouns:* noi ——, ella ——, essi ——, egli ——, io ——, Loro ——, voi ——, Lei ——, tu ——, egli ——.

2. *Replace the pronouns in parentheses by their correct Italian equivalents:* (a) Ella fu più fortunata di (*he*). (b) Lei è più ricco di (*I*). (c) Io sono più sorpreso di (*they*). (d) Ida è meno bella di (*she*). (e) Ugo era meno lieto di (*you*[1]). (f) Fu più generoso di (*we*). (g) Sono più imbarazzato di (*you*[1]).

3. *Continue the following:* (a) Partirei volentieri. (b) Domanderei a lui. (c) Venderei la statua. (d) Sarei in dubbio. (e) Avrei molto tempo.

III. *Memorize the following expressions:*

A suon di campana. *By the ringing of the church bell.*

A uno a uno. *One by one.*

Acquartierato che ebbe i suoi soldati. *When he had quartered his soldiers.*

Bell'e fatto. *Ready made.*

Come mi pare e piace. *As my fancy dictates.*

Con un certo fare tra l'allegro e il serio. *In a serio-comic way.*

Dare una mano. *To lend a helping hand.*

Fare i bauli. *To pack the trunks.*

Un trar di mano. *A stone's throw.*

## 60. CARMELA (II)

I. *Answer in Italian:* 1. Quando uscì di casa l'ufficiale?

[1] Four ways.

2. Chi gli tirò la falda della tunica? 3. Come la guardò l'uffi- ciale? 4. Rispose la fanciulla? 5. Che fece allora l'ufficiale? 6. Perchè dovette voltarsi un'altra volta? 7. Che rispose la fanciulla alle parole di lui? 8. Che pensò allora l'ufficiale? 9. Che faceva la gente intorno? 10. Come chiamò l'uffi- ciale, quella ragazza? 11. Che gridò l'ufficiale, indispettito? 12. Quella ragazza era bella? 13. Com'era la sua voce? 14. Dopo che aveva riso, che faceva?

II. 1. *Substituie for the dash the proper equivalent for " than ":* (a) Mostrò meno intelligenza —— lui. (b) Abbiamo più —— due ore. (c) C'erano più ragazze —— ragazzi. (d) Mi piace più stare a casa —— uscire. (e) Parlò più a lui —— a me. (f) Sei meno contento —— me. (g) Fu meno abile —— Clara.

2. *Place the correct form of the present indicative of* **dire,** *and then of* **udire** *and* **venire,** *after each of the following pronouns:* io ——, egli ——, essi ——, voi ——, Lei ——, tu ——, esse ——, noi ——, Loro ——, ella ——.

3. *Continue the following:* (a) Non scrissi niente, non scri- vesti . . ., *etc.* (b) Io venni qualche volta, tu venisti . . ., *etc.* (c) Non volli più partire, non volesti . . . , *etc.*

III. 1. *Memorize the following expressions:*
   **Andate pei fatti vostri.** *Go about your business.*
   **In punte di piedi.** *On tiptoe.*
   **Mettersi a . . .** *To begin . . .*
   **Stringersi nelle spalle.** *To shrug one's shoulders.*
   **Tirare innanzi.** *To go on.*
   **Voltarsi in tronco.** *To turn around.*

2. *Memorize the first seven*<sup>*</sup> *lines of the poem " Il sabato del villaggio "* (p. 80).

## 60. CARMELA (III)

I. *Answer in Italian:* 1. Di chi parlavano l'ufficiale e il dottore nel caffè? 2. La ragazza era stata mai in un ospedale? 3. Perchè l'avevano fatta ricondurre a casa? 4. Di chi s'era innamorata la ragazza tre anni prima? 5. Quell'altro ufficiale

era un bel giovane? 6. Perchè si mormorava in paese?
7. I sospetti che si facevano sulla ragazza erano giusti? 8. Che
carattere aveva ella? 9. Carmela era gelosa? 10. Che promise
l'ufficiale quando stette per partire? 11. Ritornò? 12. Che
notizia ebbe la ragazza qualche tempo dopo? 13. E poi che
avvenne? 14. Chi interruppe il racconto del dottore?

II. 1. *Write on the board the Italian translation of the following,
rendering the English " you," whenever it occurs, in the* **tu** *form:*
(a) We shall eat. (b) You will pay. (c) You forget. (d) She
will leave nothing. (e) They will begin. (f) You study.
(g) Shall we forget? (h) Let us not forget.

2. *Supply the reflexive pronoun and the present perfect of the
verb given in the infinitive, using the proper form of the past participle:* (a) Egli (*medicare*). (b) Noi (*sentire*) bene. (c) Ella
(*lamentare*) continuamente. (d) Quelle ragazze (*mostrare*)
molto buone. (e) Noi (*trovare*) soli. (f) Vanna (*voltare*) con
dispetto. (g) I due amici (*cercare*) invano.

3. *Translate into Italian using the impersonal construction:*
(a) The girl was found. (b) Italian is spoken. (c) Many things
have been said. (d) People were embarrassed. (e) It was
answered so.

III. 1. *Memorize the following expressions:*

**Aggiungere del proprio.** *To add something of one's
own invention.*

**Andare a un pelo da ...** *To be very close to ...*

**Cercò del dottore.** *He asked for the doctor.*

**Dar luogo.** *To give rise.*

**È più d'un anno che è qui.** *She has been here for
more than a year.*

**Fare uno sproposito.** *To do something foolish.*

**Perdere la bussola.** *To lose one's mind.*

**Se ne danno.** *There are some.*

**Si lasciava comandare a bacchetta.** *She let herself
be ruled entirely.*

2. *Memorize from line* 8 *to line* 15 *incl. of the poem* " Il sabato del villaggio " (p. 80).

## 60. CARMELA (IV)

I. *Answer in Italian:* 1. Dove abitava la madre di Carmela?
2. Le famiglie più agiate le davano qualche soccorso? 3. Che
faceva Carmela quando aveva una veste nuova? 4. Dove andava vagando tutto il giorno? 5. Che faceva quando vedeva i
carabinieri? 6. Si tratteneva coi soldati? 7. Quando i soldati
andavano a fare gli esercizi, ella che faceva? 8. Dove stava
quand'era in paese? 9. Perchè le madri tenevano i ragazzi
lontani da lei? 10. Che faceva quando andava in chiesa?
11. Aveva uguale simpatia per tutti gli ufficiali? 12. A quale
ufficiale ella non aveva fatto buon viso? 13. Che s'era domandato qualche tenente meno filantropo e più materiale? 14. Che
faceva Carmela quando un distaccamento partiva?

II. 1. *Give the absolute superlative of:* mansueto, celebre,
generoso, poco, antico, mite, buono, grande, gentile, piccolo.

2. *Continue the following:* (*a*) Io sono andato solo. (*b*) Io ero
arrivato in Italia. (*c*) Quando fui entrato, guardai attorno.
(*d*) Sarò partito prima di lui.

III. 1. *Memorize the following expressions:*
    **Aver la testa a segno.** *To be perfectly sane.*
    **Cucire di bianco.** *To sew on linen.*
    **Dar retta.** *To pay attention.*
    **Di tratto in tratto.** *From time to time.*
    **Far buon viso.** *To try to be pleasant.*
    **Menar ceffoni.** *To give cuffs.*
    **Non è a dire.** *There is no need to tell.*
    **Tutt'al più.** *At the most.*
    **Un no tondo.** *A positive no.*
    **Una volta per sempre.** *Once for all.*

2. *Memorize from line 16 to line 23 incl. of the poem* " *Il sabato
del villaggio* " (p. 80).

## 60. CARMELA (V)

I. *Answer in Italian:* 1. Dove andò l'ufficiale uscendo dal
caffè? 2. Dov'era Carmela? 3. Che diss'ella quando vide il

tenente? 4. Quand'egli accese il fiammifero, che fece la ragazza? 5. Appena entrato in casa, che fece l'ufficiale? 6. Come passò egli il resto della serata? 7. Poi che fece? 8. L'indomani, chi entrò nella sua camera? 9. Perchè l'ordinanza si meravigliò entrando? 10. Che disse? 11. Che domandò l'ufficiale quando si fu vestito? 12. Chi incontrò nelle scale? 13. Che fece Carmela? 14. Che fece il tenente quando potè svincolare la gamba?

II. 1. *Give the irregular comparative of:* piccolo, buono, grande, alto, basso, bene, cattivo, poco, male, molto.

2. *Give the ordinal numerals from 1st to 20th.*

3. *Continue the following:* (a) Sono venuto in treno. (b) Non ero ancora uscito. (c) Sarei restato con lei. (d) Appena fui salito.

III. 1. *Memorize the following expressions:*

Era buio pesto. *The darkness was impenetrable.*

Era stata in giro. *She had been wandering.*

Fare un passo. *To take a step.*

Lavorare a vapore. *To work at full speed.*

L'indomani mattina. *The following morning.*

Petto a petto. *Very close.*

Prender sonno. *To fall asleep.*

Tutt'altro che. *Anything but.*

2. *Memorize from line 24 to line 30 incl. of the poem " Il sabato del villaggio "* (p. 80).

## 60. CARMELA (VI)

I. *Answer in Italian:* 1. Perchè l'ufficiale e il dottore diventarono amicissimi? 2. Perchè l'ufficiale s'era fatto mandare certi libri da Napoli? 3. Perchè aveva mandato a chiamare il sarto? 4. Dov'era andato poi a passeggiare? 5. Chi aveva fatto il cantante per molti anni? 6. Che cosa imparava il tenente dal ricevitore? 7. Che gli disse un giorno il ricevitore? 8. Che gl'insegnò? 9. Perchè il tenente andò anche dal maresciallo dei carabinieri? 10. Che fecero i due da quel giorno in poi? 11. Che disse il dottore quando seppe di questo nuovo esperimento? [12. Perchè l'ufficiale aveva fatto tutte queste cose?]

II. 1. *Give the irregular absolute superlative of:* basso, cattivo, piccolo, buono, bene, male, alto, grande.

2. *Translate into Italian using cardinal numerals:* the 16th century, the 14th century, the 19th century, the 15th century, the 13th century, the 18th century, the 20th century.

3. *Place the correct form of the present subjunctive of* **cantare,** *and then of* **prendere** *and* **preferire,** *after each of the following pronouns:* egli ——, esse ——, noi ——, Lei ——, Loro ——, voi ——, io ——, ella ——, tu ——, essi ——.

III. 1. *Memorize the following expressions:*
    **Fare il cantante.** *To be a singer.*
    **Giocare di scherma.** *To fence.*
    **Mettersi al caso di . . .** *To become able to . . .*
    **Poco o punto.** *Little or nothing.*
    **Voler bene a.** *To be fond of.*
    **Volersi bene.** *To be fond of one another.*

2. *Memorize from line* 31 *to the end of the poem* " *Il sabato del villaggio* " (p. 80).

## 60. CARMELA (VII)

I. *Answer in Italian:* 1. Da quanto tempo il nuovo distaccamento si trovava nell'*isola*? 2. Con chi era l'ufficiale una sera a casa sua? 3. Che rispose il tenente quando il dottore gli domandò: sei innamorato di Carmela? 4. Che aspetto aveva mentre rispondeva? 5. Che farebbe l'ufficiale per veder Carmela guarita? 6. Chi interruppe le parole dell'ufficiale? 7. Che fece allora il dottore? 8. Quando il dottore fu partito, che fece l'ufficiale? 9. Che vedeva dalla sua finestra? 10. Dov'era Carmela? 11. Che disse al tenente? 12. Che fece il tenente quando la ragazza fu in casa con lui? 13. E che diceva ella? 14. Poi che fece Carmela?

II. 1. *Place the correct form of the present subjunctive of* **partire,** *and then of* **avere** *and* **essere,** *after each of the following pronouns.*

esse ——, egli ——, io ——, Lei ——, Loro ——, noi ——, ella ——, tu ——, essi ——, voi ——.

2. *Translate into Italian:* (*a*) I am glad he is right. (*b*) He wishes to speak. (*c*) I want her to study. (*d*) Do you think he has answered? (*e*) She wants you to forget her. (*f*) He does not want to forget. (*g*) I suspect he is here. (*h*) We think he will write.

3. *Continue the following:* (*a*) Egli vuole che io apra la porta, egli vuole che tu ... (*b*) Ida è contenta che io sia partito. (*c*) Non è bene ch'io parli italiano. (*d*) Basta che io lo capisca.

III. *Memorize the following expressions:*

**Ci corre.** *There is a great difference.*

**Dare in uno scoppio di risa.** *To burst into a laugh.*

**Dare la testa nel muro.** *To dash the head against the wall.*

**Essere innamorato di.** *To be in love with.*

**Liscio come olio.** *Smooth as glass.*

**Mi fai pena.** *I feel sorry for you.*

**Salir sopra.** *To come upstairs.*

**Smascellarsi dalle risa.** *To laugh immoderately.*

**Stringer la mano.** *To shake hands.*

## 60. CARMELA (VIII)

I. *Answer in Italian:* 1. Perchè l'indomani mattina il tenente andò a casa del dottore? 2. Aveva egli dormito quella notte? 3. Qual è uno dei mezzi più efficaci per risanare i pazzi? 4. Chi aveva dato una cena anni·prima? 5. In che occasione? 6. Chi poteva dare dei particolari su quella cena? 7. Che bisognava scrivere a quell'ufficiale? 8. Che disse il dottore quando il tenente domandò consiglio da lui? 9. Quando fu scritta quella lettera? 10. Che risposta ebbe il tenente? 11. Ma che si capiva da quella risposta? 12. Come terminava?

II. 1. *Place the correct form of the past subjunctive of* **cantare,** *and then of* **prendere** *and* **preferire,** *after each of the following pronouns:* essi ——, tu ——, ella ——, voi ——, esse ——, Lei ——, noi ——, Loro ——, io ——, egli ——.

2. *Translate into Italian:* (*a*) What kind of weather is it?

(*b*) It is not snowing, it's raining. (*c*) The wind blows. (*d*) It is cold. (*e*) It is warm in this room.

3. *Continue the following:* (*a*) Voleva che io raccontassi. (*b*) Preferì che io non lo vedessi. (*c*) Bisognava che io finissi il lavoro. (*d*) Volle che io partissi.

III. 1. *Memorize the following expression:*

**Che te ne pare?** *What do you think of it?*

2. *Memorize the first eight lines of the sonnet* "*Negli occhi porta . . .*" (p. 81).

## 60. CARMELA (IX)

I. *Answer in Italian:* 1. Dove andarono quel giorno stesso l'ufficiale e il dottore? 2. Chi andarono a cercare poi? 3. Perchè era a casa sua Carmela? 4. Che diss'ella quando il tenente le comunicò che stava per partire? 5. Per quando era fissata la cena? 6. Quella sera che vide Carmela quando salì a casa del tenente? 7. Che fece poi l'ufficiale? 8. Il giorno dopo Carmela vide l'ufficiale? 9. Chi arrivò prima degli altri per la cena? 10. Chi entrò in casa qualche momento dopo? 11. Chi fece entrare Carmela? 12. Dove entrarono Carmela e l'ordinanza? 13. Come poteva ella vedere ogni cosa? 14. Chi fece un brindisi? 15. Chi cantò una canzonetta? 16. Che s'udì poco dopo dalla piazza? 17. Chi faceva quella musica? 18. Che fece Carmela quando l'ufficiale s'avviò per partire?

II. 1. *Place the correct form of the past subjunctive of* **partire**, *and then of* **avere** *and* **essere**, *after each of the following pronouns:*
Loro ——, ella ——, io ——, esse ——, noi ——, Lei ——, tu ——, essi ——, egli ——, voi ——.

2. *For each of the following verbs give the required form of all the simple and compound tenses of the indicative, subjunctive, and conditional moods:*

aspettare — *1st person plural*    avere — *2d person singular*
capire — *3d person plural*    credere — *1st person singular*
essere — *2d person plural*    partire — *3d person singular*

3. *Continue the following:* (*a*) Bisognò che io lo salutassi. (*b*) Voleva che io gli credessi. (*c*) Non credeva che io mi sen-

tissi felice. (d) Non εra vero che io avessi tɔrto. (e) Preferiva
che io fossi in casa.

III. *Memorize the following expressions:*

Alzare il gomito. *To drink hard.*

Buttati giù alla rinfusa. *Flung here and there.*

Corrugare le sopracciglia. *To frown.*

Fatti coraggio. *Cheer up.*

Mettersi in faccεnde. *To get busy.*

Mi rincresce. ·*I regret.*

Portare in tavola. *To serve at the table.*

Senza aver a che fare. *Without any connection.*

Senza sεnsi. *In a swoon.*

Tratto tratto. *From time to time.*

## 60. CARMELA (X)

I. *Answer in Italian:* 1. Dove s'avvicinava il bastimento in
quella bellissima nɔtte di settεmbre? 2. Dove s'εrano affollati
i passeggieri? 3. Chi s'εra appartato dagli altri? 4. Che si
vedeva lontano lontano? 5. Chi dei due giovani parlɔ prima?
6. Che disse? 7. Dove appoggiɔ ella la fronte? 8. Che rispose
lui? 9. Che domandɔ ella allora? 10. Che cɔsa vɔlle che lo
spɔso facesse? 11. Che parɔle mormorɔ egli all'orecchio di
lεi? 12. Che fece allora Carmεla? 13. Che disse poi? 14. Ed
egli che rispose?

II. 1. *Substitute for the dash the proper subject pronoun, and
translate:* —— andremo, —— dicevo, —— interruppero, ——
tεngo, —— dicono, —— vidi, —— si strinsero nelle spalle, ——
pɔrse, —— facevi, —— presero, —— presi, —— misi, ——
fecero.

2. *Translate into Italian, rendering the direct address, whenever
it occurs, both in the* Lεi *and* Loro *forms:* (a) See. (b) Let him
tell. (c) May God help him! (d) Close the door. (e) Let
them prove what they say. (f) Be good. (g) Promise to return. (h) Finish your work.

3. *Supply the proper form of the verb given in the infinitive:*
(a) Partì senza ch'ella lo (sapere). (b) Capirono prima che noi

(*parlare*). (*c*) Tornò benchè (*essere*) tardi. (*d*) Vado prima ch'egli (*arrivare*). (*e*) Lavorarono benchè (*essere*) stanchi. (*f*) Glielo mostrai affinchè ella (*vedere*) che avevo ragione.

III. 1. *Memorize the following expressions:*
**Lontano lontano.** *In the dim distance.*
**Mi sento stringere il cuore.** *It makes my heart ache.*
**Stretti per il braccio.** *Arm in arm.*

2. *Memorize the last six lines of the sonnet* "*Negli occhi porta* . . ." (p. 81).

# VOCABOLARIO

# ABBREVIATIONS

| | | | |
|---|---|---|---|
| *abs.* | absolute | *m.* | masculine |
| *adj.* | adjective | *n.* | noun |
| *adv.* | adverb | *neg.* | negative |
| *art.* | article | *obs.* | obsolete |
| *cond.* | conditional | *p.* | past |
| *conj.* | conjunction | *part.* | participle |
| *def.* | definite | *pers.* | personal |
| *des.* | descriptive | *pl.* | plural |
| *f.* | feminine | *poet.* | poetic |
| *fut.* | future | *poss.* | possessive |
| *imp.* | impersonal | *prep.* | preposition |
| *impve.* | imperative | *pres.* | present |
| *ind.* | indicative | *pron.* | pronoun |
| *infin.* | infinitive | *subj.* | subjunctive |
| *interj.* | interjection | *v.* | verb |
| *irreg.* | irregular | | |

Open and stressed **e** is indicated by the symbol **ɛ**; open and stressed **o** is indicated by the symbol **ɔ**. Vowels italicized or having a written accent are stressed. In words in which the position of the stress is not indicated, it rests on the next-to-last vowel. Italicized **s** and **z** are voiced.

Stem-stressed forms of verbs are given in parentheses after infinitive forms in the following cases: the first present indicative form, if the stress rests on the next-to-next-to-last vowel, or if the stressed vowel is **e** or **o**, or if it is a verb of the third conjugation having a present without **isc**; the past absolute first singular and the past participle, if the stressed vowel is **e** or **o**, or if the form contains an intervocalic **s**.

Nouns ending in –**o** are masculine, and those ending in –**a** are feminine, unless otherwise indicated. Proper nouns which are spelled the same way in Italian as in English are omitted.

The preposition commonly used with a verb or an adjective is shown in parentheses after the word.

# VOCABOLARIO

## A

**a, ad** to, at, in, into, for, from, of, on, near, with

**abate** *m.* abbot

**abbaiamento** barking

**abbandonare** (abbandono) to abandon, give up

**abbassare** to lower, drop, droop, cast down

**abbastanza** enough

**abbia** (*pres. subj. of* avere) has, may have; **che — la testa a segno?** should he (she) be perfectly sane?

**abbondare** (abbondo) to abound

**abbracciare** (abbraccio) to embrace, put the arms around

**abile** able, skilled

**abitante** *m.* inhabitant

**abitare** (abito) to dwell, live

**abituale** habitual

**abitudine** *f.* habit, custom

**aborrire** (aborro) to abhor, loathe

**acacia** acacia

**accadde** (*p. abs. of* accadere) it happened

**accadere** *irreg.* to happen, occur

**accanto** (a) next to, near

**accendere** *irreg.* (accendo, accesi, acceso) to light

**accennare** (accenno) to nod, point; **— di sì** nod affirmatively

**accento** accent, tone, expression

**accentrare** (accentro) to center

**accentrato** (*p. part. of* accentrare) centered

**accesi** (*p. abs. of* accendere) lighted

**acceso** (*p. part. of* accendere) lighted

**accettare** (accetto) to accept

**accoglienza** reception, welcome; **fare una cordiale —,** to give a cordial welcome

**accomodare** (accomodo) to fix, repair, mend

**accompagnamento** accompaniment; **fargli l'—,** to accompany him

**accompagnare** to accompany, follow

**acconsentire** (acconsento) to consent

**accordare** (accordo) to grant; tune

**accordo** agreement; **di buon —,** in perfect agreement; **quando furon d'—,** when the matter was settled

**accorgersi** *irreg.* (m'accorgo, m'accorsi, accorto) di to perceive, be *or* become aware of, notice

**accorgesse** (*p. subj. of* accorgersi): **senza che nessuno se n'—,** without anyone's noticing it

**accorgimento** shrewdness, keenness

**accorrere** *irreg.* (accorro, accorsi, accorso) to run (up)

**accosto** (a) near

**accovacciato** curled up

**acqua** water

**acquartierare** (acquartiero) to

furnish with lodgings; **acquartierato che ɛbbe i suɔi soldati** when he had quartered his soldiers

**acquistare** to acquire, buy

**acquistato** (*p. part. of* **acquistare**) acquired, bought

**acrɔpoli** *f.* acropolis

**ad** *see* **a**

**adagio** gently, slowly; **adagio adagio** very gently, very slowly

**addio** good-by, farewell; **appena detto —,** soon after bidding farewell

**additando** (*pres. part. of* **additare**) pointing out

**additare** to point out

**addormentare** (**addormento**) to put to sleep; **addormentarsi** fall asleep

**addormentato** (*p. part. of* **addormentare**) asleep, sleeping

**addɔsso** (**a**) on, upon, on one's back, on one's person

**adɛsso** now

**adirarsi** to grow angry

**adoprarsi** (**m'adɔpro**) to strive

**Adriatico** Adriatic

**aere** *m. poet.* air; **correa per l'— una peana** a pæan rang through the air

**affabilità** affability

**affaccendato** busy, intent

**affacciarsi** (**m'affaccio**) to show oneself, lean out, come (*to a window or door*)

**affannato** breathless

**affanno** panting, anxiety, anguish

**affannosamente** wearily

**affare** *m.* affair, business matter; *pl.* business

**affaruccio** trifling matter

**affascinare** (**affascino**) to fascinate, charm

**affatto** entirely; **niɛnte —,** not at all

**affermare** (**affermo**) to affirm

**afferrare** (**afferro**) to seize

**affɛtto** affection, feeling; **le hɔ posto —,** I am attached to her

**affettuosamente** affectionately

**affettuoso** affectionate

**affianco** alongside

**affidare** to entrust

**affinchè** in order that

**affliggere** *irreg.* to afflict

**afflitto** (*p. part. of* **affliggere**) afflicted, depressed

**affollarsi** (**m'affɔllo**) to crowd

**affollato** (*p. part. of* **affollare**) crowded; **gɛnte affollata** crowd

**affondare** (**affondo**) to sink, dig

**affresco** fresco

**affrettare** (**affretto**) to hasten, hurry; **affrettarsi** walk in a hurry; work swiftly

**aggiungere** *irreg.* to add; **— del prɔprio** add something of one's own invention

**aggiunse** (*p. abs. of* **aggiungere**) added

**aggregare** (**aggrego**) to aggregate; attach

**aggregato** (*p. part. of* **aggregare**) attached

**aggrottare** (**aggrɔtto**): **— le sopracciglia** to knit one's brows, frown

**agguantare** to seize

**agiato** well-to-do

**agire** to act

**agitare** (**agito**) to agitate, stir, wave; **agitarsi il ventaglio sul seno** use a fan

**agnɛllina** little ewe lamb

**agnellino** lambkin

**agnɛllo** lamb

**agosto** August

**aguzzare** to make sharp; strain

**ah!** ah! oh!

**ahah**! aha !

**ahimè**! alas !

**ai** = a + i

**aiutare** to aid, help

**aiuto** aid, help, assistance

**al** = a + il

**ala** wing; line

**alba** dawn; **il chiarir dell' —,** the break of day

**albergo** hotel

**albero** tree; mast

**alcuno** *adj.* some, any; *pron.* (*usually pl.*) some one, somebody

**Alessandro** Alexander

**Algeri** *f.* Algiers

**alimento** nourishment

**all'** = a + l'

**alla** = a + la

**allegramente** gaily

**allegria** gaiety, merriment, gay spirits; **mi misi in —,** I began to feel gay

**allegro** *adj.* gay, merry; *adv.* gaily, merrily; **con un certo fare tra l'— e il serio** in a serio-comic way

**allevare** (**allevo**) to rear

**alloggiare** (**alloggio**) to lodge

**allontanarsi** to move *or* go off, go away

**allora** then, at that time, whereupon; **allora allora** just then

**allungare** to stretch (out)

**allusione** *f.* allusion

**allusivo** allusive

**almeno** at least

**alpestre** alpine; **fonte —,** mountain spring

**Alpi** *f. pl.* Alps

**alpino** Alpine

**alquanto** rather, somewhat, some of; **— distante** some distance away; **— tempo** quite a time

**altare** *m.* altar

**altissimo** very high; very loud, shrill

**alto** high, tall, lofty; loud; **ad alta voce** aloud

**altrettanto** just as much

**altrimenti** otherwise

**altro** other, else, anything else, nothing else, more; **altri cinque** five more; **l'un l'—,** each other, to each other; **un —,** another; **un'altra volta** again; **una volta fra le altre** one time among many; **tutt'—che** anything but; **tutto l'—tace** all else is silent

**altrui** of others

**alzando** (*pres. part. of* **alzare**) raising

**alzare** to raise, lift; **alzarsi** rise, get up; **— il gomito** drink hard; **farli —,** make them get up

**alzato** (*p. part. of* **alzare**) risen, up

**amabile** lovable

**amante** *m. or f.* lover

**amare** to love, like

**amaro** bitter

**amenissimo** very charming

**americano** American

**Americo** Americus

**amicissimo** great friend

**amicizia** friendship

**amico, -a** friend

**ammaestrare** (**ammaestro**) to train

**ammalare** to fall ill

**ammaliare** (**ammalio**) to fascinate; **si lascia —,** he lets himself be fascinated

**ammazzare** to kill

**ammesso** (*p. part. of* **ammettere**) admitted

**ammettere** *irreg.* (**ammetto, ammisi, ammesso**) to admit

**ammirare** to admire

**ammogliarsi** (**m'ammoglio**) to marry

**ammucchiare** (**ammucchio**) to pile up

**amore** *m.* love; **fare all'**—, to make love

**amorevolezza** loveliness, affectionate manner

**amorosamente** lovingly

**ampio** ample; broad

**anche** also, too, even; — **lui** he also; — **soltanto** if only

**ancora** still, yet, again, even; — **una volta** once again; — **un momento** a moment more; — **un poco** a while longer

**andando** (*pres. part. of* **andare**) going

**andare** *irreg.* (**vado** *or* **vo**) to go (on), walk, move, ride; **andarsene** go away; — **a dormire** go to bed; — **a raccontare** go and tell; — **a un pelo da** be very close to; **i giorni andati** the preceding days; **va bene** it is all right

**andate** (*impve. of* **andare**) go

**andatura** gait

**andiamo** (*impve. of* **andare**) let us go

**Andrea** Andrew

**andrei** (*cond. of* **andare**) I should go

**andrò** (*fut. of* **andare**) I shall go

**anello** ring; **fammi due anelli** make two rings for me

**angelo** angel

**angioino** Angevin

**angolo** corner

**anima** soul, heart; — **viva** a living soul; **il più profondo dell'**—, the bottom of one's soul; **le voglio un bene dell'**—, I love her from the bottom of my soul

**animale** *m.* animal

**animare** (**animo**) to animate;

**animarsi** grow animated; **animandosele il viso** when her face became animated

**animo** mind; courage; **fatti** —**!** courage !

**anitra** duck

**anno** year; **avevo vent'anni** I was twenty years old; **di sette anni** seven years old; **son due anni** it's two years

**annoiare** (**annoio**) to bore

**annoiato** (*p. part. of* **annoiare**) bored; **se n'era** —, he had become wearied

**annunziare** (**annunzio**) to announce

**ansare** to pant

**antico** ancient, old; former

**antologia** anthology

**anzi** on the contrary, nay, rather, indeed; *poet.* before

**apersi** (*p. abs. of* **aprire**) I opened

**apertamente** openly

**aperto** (*p. part. of* **aprire**) opened. open

**appagare** to satisfy

**apparato** apparatus; pretense, show; means

**apparecchiare** (**apparecchio**) to prepare, get ready, set (*a table*); **fece** — **la cena** he had the supper laid

**apparenza** appearance, air

**apparire** *irreg.* (**appaio**) to appear; *n. m.* appearance

**appartamento** apartment

**appartato** apart, remote

**apparve** (*p. abs. of* **apparire**) appeared

**appena** scarcely, hardly, as soon as; — **tornato** on returning home

**appendere** *irreg.* (**appendo, appesi, appeso**) to hang

**Appennini** *m. pl.* Apennines

**appeso** (*p. part. of* **appendere**) hanging

**appetito** appetite; **aver —,** to be hungry

**Appia: via —,** Appian way

**appiè di** at the foot of

**applauso** applause

**appoggiare** (**appɔggio**) to lean; **appoggiarsi** lean against

**appoggiato** (*p. part. of* **appoggiare**) resting, leaning against

**apprendere** *irreg.* (**apprendo, appresi, appreso**) to learn, teach

**apprese** (*p. abs. of* **apprendere**) learned, taught

**apprestarsi** (**m'appresto**) to prepare oneself

**apprezzare** (**apprezzo**) to appreciate

**approdare** (**approdo**) to come to shore, land

**approfittare** to take advantage

**appropriarsi** (**m'approprio**) to appropriate to oneself, convert to one's own use, lay claim to

**appuntato** sharp-pointed

**appunto** *adv.* just, precisely

**appunto** *n.* note

**appurare** to find out

**aprile** *m.* April

**aprire** *irreg.* (**apersi, aperto**) to open

**aquila** eagle

**arbusto** bush, small shrub

**architettura** architecture

**arco** arch

**ardente** ardent

**ardentissimo** very ardent, very bold

**ardimento** daring

**ardito** bold

**ardore** *m.* ardor

**argento** silver

**argomento** argument, subject

**arguzia** wit

**aria** air; mien, look; song, aria; **così in —,** vaguely; **in — di** with an air of

**arido** arid, dry

**arietta** little air

**arista** arista (*beard of grain or grasses*)

**arme** *f.* arm, weapon

**armonioso** harmonious

**aroma** *m.* aroma, odor

**arpeggio** (*poet.* **arpeggìo**) arpeggio

**arrabbiarsi** (**m'arrabbio**) to grow angry

**arraffiare** (**arraffio**) to hook

**arrivare** to arrive, come, reach; **— fino a loro** reach them

**arrivederci** *or* **arrivederla** till we meet again, good-by

**arrivo** arrival

**arrostire** to roast

**arrosto** roast

**arrubinare** to turn ruby-red

**arruffare** to rumple, ruffle

**arte** *f.* art

**artefice** *m.* artificer, craftsman

**articolo** article

**artista** *m. or f.* artist

**artistico** artistic

**asciugare** to dry

**ascoltare** (**ascolto**) to listen (to), hear

**asinello** little donkey

**asino** ass, donkey

**aspettare** (**aspetto**) to await, wait for, expect

**aspetto** aspect, appearance, sight

**assai** much, quite, a great deal

**assalire** *irreg.* to attack

**assassino** assassin

**assegnare** (**assegno**) to assign; **assegnati al servizio** assigned to the serving

**assicurare** to assure

**assieme** (**a**) together

**assiso** *poet.* seated

**assoluto** absolute

**assonnato** sleepy

**assorto** absorbed

**assurdo** absurd

**astio** rancor

**astro** star; **d'—,** astral

**astruso** abstruse

**astuto** astute, cunning

**Atene** *f.* Athens

**Atlantico** Atlantic

**atomo** atom

**atroce** atrocious, dreadful

**attaccare** to attach, tie; attack; — **briga** start a quarrel

**atteggiamento** attitude

**attentamente** attentively

**attentarsi** (**m'attento**) to attempt; **s'attentasse** would attempt

**attento** *adj.* attentive; *adv.* attentively; **attento attento** very attentively

**attenzione** *f.* attention

**attestare** (**attesto**) to bear witness to, testify

**attirare** to attract; **ci attiriamo** we draw upon ourselves

**attirato** (*p. part. of* **attirare**) attracted

**attitudine** *f.* attitude; ability

**attività** activity

**atto** act, movement, gesture; **fare un** — **immodesto** to do anything out of the way

**attonito** astonished

**attorno** (**a**) around

**attraente** alluring

**attraversare** (**attraverso**) to cross

**attraverso** across, over, through

**augello** *poet.* bird

**augurio** good wish

**aumentare** (**aumento**) to increase

**aura** *poet.* air

**austero** austere

**austriaco** Austrian

**automobile** *f.* automobile

**automobilistico** pertaining to an automobile; **industria automobilistica** automobile industry

**autore** *m.* author

**autorità** authority

**autoritratto** self-portrait

**avanti** ahead, on, forward; **d'—**, *see* **davanti**

**avanzare** to advance; **a notte avanzata** late in the night

**avarizia** avarice

**avaro** *adj.* miser; *adv.* miserly

**avea** *poet. for* **aveva**

**avellano** hazelwood

**avere** *irreg.* (**ho, ebbi**) to have, own; — **appetito** (*or* **fame**) be hungry; — **bisogno di** need; — **in dono** receive as a gift; — **la ragione** be sane; — **la testa a segno** be perfectly sane; — **luogo** take place; — **nome** be called; — **ragione** be right; — **torto** be wrong; **senza** — **a che fare** without having any connection; **che hai?** what is the matter with you?

**avesse** (*p. subj. of* **avere**) had

**avrebbe** (*cond. of* **avere**) would *or* should have

**avuto** (*p. part. of* **avere**) had

**avvelenare** (**avveleno**) to poison

**avvelenato** (*p. part. of* **avvelenare**) poisoned

**avvenimento** event

**avvenire** *irreg. imp. v.* (**avviene, avvenne**) to happen, occur

**avvenne** (*p. abs. of* **avvenire**) it happened

**avventura** adventure

**avvertire** (**avverto**) to warn, announce, inform

**avviarsi** to set out, start on one's way

**avvicinare** to approach, bring near; **avvicinarsi** (**a**) approach, draw near; **s'andava avvicinando** was approaching

**avviticchiare** (**avviticchio**) to entwine; **gli si avviticchiò alla vita** she seized him about the waist avvolgere *irreg.* (avvolgo, avvolsi, avvolto) to wrap

avvolto (*p. part. of* avvolgere) wrapped

azione *f.* action, act, deed

azzurro blue

# B

babbo dad

bacchetta rod; si lasciava comandare a —, she let herself be ruled entirely

baciare (bacio) to kiss

bacio kiss

badare (a) to mind, pay attention to, take care of

badia abbey

bagno bath, bathing; fare un —, to go in bathing, take a bath

bah! bah!

balbettare (balbetto) to stammer, stutter; chirp

baldanza boldness, nerve; la — mi cadde I lost my nerve

Baldassarre Balthazar

balenare (baleno) to flash

ballo ball, dance

baloccarsi (mi balocco) to play

balocco toy; un suo —, one of his toys

balzare to spring

balzo cliff

bambino child, baby

banchetto banquet

banchi *pl. of* banco

banco bench, seat; desk

banda band

barattare to barter, exchange

barba beard; come ha la — crespa how crisp his beard is

barca boat; in —, in a boat

barcollare (barcollo) to stagger

barcone *m.* large boat

barile *m.* barrel

barlume *m.* little ray

barone *m.* baron, nobleman

barroccio cart

basilica basilica

basiliche *pl. of* basilica

basilisco basilisk

bassare *obs. see* abbassare

basso low, moderate; a bassa voce in a low voice; a capo —, with lowered head; la parte bassa the lower part

bastare to suffice, be enough

bastimento ship; — a vapore steamship

bastoncino little stick

bastone *m.* stick

battere to beat, strike; fall; stamp (*of feet*), clap (*of hands*); — i denti shiver with cold

batticuore *m.* heartbeat

battistero baptistery

baule *m.* trunk; stava facendo i bauli was engaged in packing the trunks

beato blessed, delightful

beccare (becco) to pick (at); beccala = becca (*impve.*) + la pick at it

bel (*pl.* bei) *see* bello

bellezza beauty

bellissimo very beautiful; *see* bello

bello (*before consonants, except* s "*impure*" *and* z, bel) beautiful, handsome, fine, fair, pretty, lovely, exquisite; bell'e fatto ready-made

belvedere *m.* belvedere

benchè although

bene *adv.* well, good, correctly, indeed, thoroughly; per —, very well; stare —, to feel well; sta — *or* va —, it is all right

bene *n. m.* good, something good; fare — a qualcuno to help somebody; fare il —, do good; gli ha fatto —? did it do him any good? in — o in male in something good or bad; **le voglio un — dell'anima** I love her from the bottom of my soul; **voler — a qualcuno** be fond of somebody; **volersi —,** be fond of one another

**benedetto** (*p. part. of* **benedire**) blessed

**benedire** *irreg.* (*p. part.* **benedetto**) to bless

**benefattore** *m.* benefactor

**beneficenza** beneficence

**benino** fairly well, charmingly

**benissimo** very well, very good

**Beppe** Joe

**bere** *irreg.* (**bevo, bevvi**) to drink

**berretto** cap

**bestemmia** blasphemy

**bestia** beast, animal

**beviamo** (*pres. ind. of* **bere**) we drink

**bevuto** (*p. part. of* **bere**) drunk

**bevvi** (*p. abs. of* **bere**) I drank

**biancheggiare** (**biancheggio**) to grow white; *n. m.* growing light

**biancheria** linen

**bianco** white, fair, bright; **cucire di —,** to sew on linen

**biblioteca** library

**bibliotecario** librarian

**bicchiere** *m.* glass

**biondo** blond

**bisante** *m.* bezant (*medieval coin*)

**bisognare** *imp. v.* (**bisogna**) to be necessary, have to, must, ought

**bisogno** need; **aver — di** to need

**bizantino** Byzantine

**blandire** to flatter

**bocca** mouth, lips; **in —,** in my (your, his, *etc.*) mouth

**boccale** *m.* mug, jug

**boccata** mouthful

**boccone** *m.* mouthful, morsel, bite, bit

**bollire** (**bollo**) to boil

**bontà** goodness, kindness

**borbottare** (**borbotto**) to grumble, mumble

**borghicciolo** little village

**boria** arrogance, haughtiness

**borsa** purse; **— di viaggio** traveling bag

**bosco** wood, grove

**boscoso** wooded

**botte** *f.* cask

**bottega** store, shop

**bottiglia** bottle

**bozzetto** sketch

**braccio** (*pl.* **braccia** *f.*) arm; **stretti per il —,** arm in arm

**brano** shred, piece; **fare a brani** *or* **mettere in brani** to tear to pieces

**bravo** brave, fine; **bravo !** bravo ! fine ! good !

**breve** brief, short

**briga** quarrel; **attaccare —,** to start a quarrel

**brigata** company, group

**brillare** to shine

**brindisi** *m.* toast

**brivido** shiver, shudder

**brontolare** (**brontolo**) to grumble

**bronzo** bronze, bronze work

**bruno** dark

**brutto** ugly; **i brutti** the ugly ones

**buco** hole

**bue** *m.* (*pl.* **buoi**) ox

**bufera** storm

**buffonata** buffoonery

**buffone** *m.* buffoon, jester

**bugia** lie

**bugiardo** liar

**buio** *adj.* dark; *n.* darkness, **era — pesto** the darkness was impenetrable

**buoi** *pl. of* **bue**

**buono, buon** good, virtuous; **buon giorno** good day, good morning; **la buona** the good one; **un buon tratto di strada**

a good part of the way;
Dio —! Heavens!
buontempone *m.* gay fellow
burbero surly
burla jest, hoax, joke, trick;
fare una — a qualcuno to play
a trick on somebody
burlare to deride, make fun of
burlone *m.* humorous fellow;
burlone! now you are trying
to be funny!
bussare to knock
bussola compass; perdere la —,
to lose one's mind
buttare to throw; buttati giù
alla rinfusa flung here and
there

## C

caccia hunting
cacciare (caccio) to hunt; dash
cadavere *m.* corpse; un viso di
—, a face like a corpse
cadde (*p. abs. of* cadere) fell; la
baldanza mi —, I lost my
nerve
cadenza cadence; passi in —,
measured steps
cadenzato cadenced; a passo —,
with measured steps
cadere *irreg.* to fall; fail
caffè *m.* coffee; café
cagione *f.* cause; per cagion
loro on their account
calare to come down; in sul
calar del sole at sunset
calcolare (calcolo) to calculate,
compute, reckon
calcolo calculation, reckoning
caldamente warmly, heatedly;
earnestly
caldo *adj.* warm, hot; *n.* heat
calesse *m.* two-wheeled carriage
calpestio tramping, trampling
calzoni *m. pl.* trousers
camaleonte *m.* chameleon

cambiare (cambio) to change
cambio change
camera bedroom, room; — da
letto bedroom
camerata *m.* comrade
cameriere *m.* servant, butler
cameruccia modest little room
camino fireplace, chimney; torretta del —, chimney
camminare to walk, go
cammino walk, path, route;
non avevano fatto molto —,
they had not gone very far
campagna country; — romana
Roman Campagna
campagnola countrywoman
campana bell; a suon di —, by
the ringing of the church bell
campanile *m.* belfry, bell tower,
campanile
campare to live; — stentatamente earn a precarious livelihood
campo field
camposanto cemetery
canale *m.* canal
Canarie *f. pl.* Canary Islands
cancello latticed gate
candela candle
candeliere *m.* candlestick
cane *m.* dog
cantante *m. or f.* singer; fare il
—, to be a singer
cantare to sing
cantarellare (cantarello) to hum;
un —, a humming
cantina cellar
canto song, singing; corner; —
del fuoco fireside
cantonata corner
canzoncina little song
canzone *f.* song
canzonetta little song, popular
song
capace able, capable
capello hair
capire to understand

**capitale** *f.* capital

**capitano** captain

**capitare** (**ca**p**ito**) to happen

**capitato** (*p. part. of* **capitare**) happened, happened to be given

**capito** (*p. part. of* **capire**) understood

**capo** head; **a — basso** with lowered head; **in —**, on my (your, his, *etc.*) head; **in — a un mese** at the end of a month; **s'era fitto in —**, he had got in his mind

**capolavoro** masterpiece

**capovɔlgere** *irreg.* (**capovɔlgo**, **capovɔlsi**, **capovɔlto**) to overturn, invert

**capovɔlto** (*p. part. of* **capovɔlgere**) overturned, inverted

**cappa** mantle, cape

**cappellaio** hatter

**cappɛllo** hat; **— cilíndrico** high hat; **— di paglia** straw hat

**carabiniɛre** *m.* carabineer

**caramente** dearly

**carattere** *m.* character, nature

**caratterística** characteristic

**cardinale** *m.* cardinal

**carezza** caress; **fare una —**, to caress

**carezzare** (**carezzo**) to caress

**carica** office, appointment

**caricare** (**carico**) to load; **carichiamo** (*impve.*) let us load

**caricatura** caricature; **fare la — di** to caricature

**carico** loaded, covered

**carino** lovely, darling

**carità** charity

**Carlo** Charles

**carne** *f.* meat

**caro** dear

**carretto** small cart

**carro** cart

**carta** paper, card; **— geografica** map; **— velina** tissue paper

**cartolaio** stationer

**cartone** *m.* pasteboard

**casa** house, home; **a** *or* **in —**, home, at home, in the house; **— di gioco** gambling house; **la via di —**, the way home; **non sapere dove stia di — la modɛstia** not to know what modesty is; **sɔglia di —**, doorstep; **via a —!** home I went!

**cascare** to fall, land, end

**casɛrma** barracks

**casina** little house

**casɔ** case, occurrence, chance; **a —**, at random; **ɛssere in — di** to be able to; **per —**, by chance; **s'era messo al — di** had become able to

**casolare** *m.* isolated cottage

**castagna** chestnut

**castagno** chestnut tree

**castɛllo** castle

**casuccia** wretched house

**casupola** hovel, hut, cottage

**catalogo** catalogue

**catastrɔfico** catastrophic

**catena** chain

**cattedrale** *f.* cathedral

**cattivo** bad

**cattɔlico** Catholic

**causa** cause, reason; case (*legal*); **a — di** because of, on account of

**cavalcare** to ride (*on horseback*)

**cavalleria** cavalry; chivalry

**cavallo** horse; **a —**, on horseback; **comandɔ di far venire i cavalli** he ordered his horses to be brought

**cavare** (**da** *or* **di**) to pull out

**ce** = **ci** *before* **lo, la, li, le, ne**

**ceffone** *m.* cuff; **menare ceffoni** to give cuffs

**celare** (**cɛlo**) to hide

**cɛlebre** celebrated, famous

**cena** supper; **fece apparecchiare**

per la —, he had the supper laid

cencio rag

cenno sign

cɛnto one hundred

centrale central

cɛntro center

ceppo stump, bush

cercare (cerco) di to seek, look for; try; e cercò del dottore and asked for the doctor

cerchio circle, group

cerimɔnia ceremony

cerimoniale m. ceremonial

certamente certainly

certezza certainty

cɛrto adj. certain, sure; adv. certainly; con un — fare tra l'allegro e il sɛrio in a serio-comic way

cervɛllo brain, mind; le aveva dato vɔlta il —, her brain had been affected

cespuglio bush, thicket

cessare (cɛsso) to cease, stop

che conj. that, as, because, than, so that, when; after neg. but; non + verb + che only

che pron. who, whom, that, which, what, what a, what kind of; — cɔsa? what? — è? what is the matter? da —, since; di —, whereof; per —, wherefore; quello (or ciò) —, what, whatever

chè (shortened from perchè) as, because

checchè whatever

chetarsi (mi cheto) to become quiet, stop talking

cheto quiet

chi who, whom; he who, him who, one who, a man who

chiacchierare (chiacchiero) to chatter

chiamare to call, invoke; far — or mandare a —, send for

chiamato (p. part. of chiamare) called

chiaramente clearly, distinctly

chiarire to clear up; il chiarir dell'alba the break of day

chiaro clear

chicchessia anybody

chiɛdere irreg. (chiɛdo, chiɛsi, chiɛsto) to ask (for)

chiɛsa church

chiɛsto (p. part. of chiɛdere) asked; le veniva —, she was asked

chimica chemistry

chinare to bend; chinarsi stoop

chiɔccia brooding hen

chiɔstro cloister

chitarra guitar

chiudere irreg. (chiusi, chiuso) to close, shut up, end

chiuso (p. part. of chiudere) closed; a ɔcchi chiusi with one's eyes closed

chiusura closing

ci adv. here, there, in it, on account of it; c'è there is; c'ɛra there was; non c'ɛri you were not there

ci pron. us, to us, each other, to each other, ourselves, to ourselves

ciascuno each, each one

cibo food

ciɛco blind

ciɛlo sky, heaven; sia lodato il —! Heaven be praised! volesse il —! Heaven willing! I wish I were!

cigno swan

cilindrico cylindrical; cappɛllo —, high hat

cima summit

cingere irreg. to gird, clasp, buckle; per cingergli il cɔllo to clasp him around the neck

cinquantaquattro fifty-four

cínque five; **alle —,** at five o'clock

cinquecɛnto five hundred; **il Cinquecɛnto** the Sixteenth Century

cinse (*p. abs. of* cíngere) girded, clasped, buckled

cintura belt

ciɔ̀ this, that; — **che** what, whatever; — **detto** having said this

cioè that is, namely

circa about, almost, regarding

círcolo circle, club

circondare (circondo) to surround

circondato (*p. part. of* circondare) surrounded

citare to cite

città city, town; **in —,** in *or* to the city

cittadina small town

cittadino, -a citizen

civiltà civilization

classe *f.* class, classroom, year (*of a school*); **in —,** in the classroom

clausola clause

co' = coi

coatto forced; **domicílio —,** enforced residence; **i coatti** the confined

coda tail; end, corner; **fa cre- scere di volume perfino la —,** makes even its tail grow in size

codesto that

cɔ̀gliere *irreg.* (cɔ̀lgo, cɔ̀lsi, cɔ̀lto) to catch, seize

coi = con + i

col = con + il

colà there

cɔlle *m.* hill

collɛga *m.* colleague

collezione *f.* collection

collina hill

cɔllo neck; **per cíngergli il —,** to clasp him around the neck

collɔquio talk, conversation

colmare (colmo) to fill up, load, overwhelm

colomba dove

Colombo Columbus

colombo pigeon

coloniale colonial

colonna column

colonnɛllo colonel

colore *m.* color, complexion

coloro (*pl. of* colui *or* colɛi) those, those people

Colossɛo Coliseum

colpo stroke, blow, snap, thrust

coltellata stab with a knife

coltɛllo knife

coltivare to cultivate

cɔlto (*p. part. of* cɔ̀gliere) caught, seized

colui that man, that one, the man, he

comandante *m.* commander; — **generale** commander in chief

comandare to command, order, rule; **si lasciava — a bacchetta** she let herself be ruled entirely

comando command, headquarters

combattere to fight, combat

come as, how, as if, like, just as, as soon as; — **mɛglio hɔ potuto** the best I could; — **sta?** how do you do? how are you? how is he? how is she? —**te e più di te** as you and more than you; **così ... come** so ... as; **come!** what!

cominciare (comíncio) to begin, start; **a — da** beginning with; **le si comíncia a fissare nella mente quell'idɛa** she is beginning to get that idea into her head

cominciato (*p. part. of* cominciare) begun

comitiva party

commɛdia comedy

**commensale** *m.* table companion, guest

**commento** comment

**commerciale** commercial

**commercio** commerce

**commesso** (*p. part. of* **commettere**) committed

**commettere** *irreg.* (**commetto, commisi, commesso**) to commit

**commiato** leave

**comodamente** comfortably

**comodità** convenience, comfort

**compagnia** company; **in — di** together with

**compagno** companion, comrade; **— di studi** fellow student

**compagnone** *m.* jolly fellow, worthy pal

**comparabile** comparable

**comparire** *irreg.* to appear

**comparve** (*p. abs. of* **comparire**) appeared

**compassione** *f.* compassion

**compito** assignment, task

**completamente** completely, entirely

**completo** complete, full

**componeva** (*p. des. of* **comporre**) composed; **si —**, was composed

**comporre** *irreg.* (**compongo, composi, composto**) to compose

**composizione** *f.* composition

**compostezza** composure

**comprare** (**compro**) to buy

**comprarne** = **comprare** + **ne**

**comprendere** *irreg.* (**comprendo, compresi, compreso**) to comprehend, take in, cover, understand

**compunto** grieved

**comune** common

**comunello** little town

**comunque** anyhow, although

**con** with, by

**conca** hollowness

**concedere** *irreg.* (**concedo, concessi, concesso**) to concede

**concertare** (**concerto**) to arrange

**conchiudere** *irreg.* (**conchiusi, conchiuso**) to conclude

**conciare** (**concio**) to tan

**conciliare** (**concilio**) to reconcile; **— il sonno** induce sleep

**concitato** hurried

**condannare** to condemn

**condizione** *f.* condition, position

**condotta** conduct

**condotto** (*p. part. of* **condurre**) led, conducted

**conduco** (*pres. ind. of* **condurre**) I lead *or* conduct

**condurre** *irreg.* (*p. part.* **condotto**) to lead, conduct; **si fece —**, was led

**condussi** (*p. abs. of* **condurre**) I led *or* conducted

**confermare** (**confermo**) to confirm

**confessare** (**confesso**) to confess

**confidare** to confide

**confine** *m.* boundary, border

**confondere** *irreg.* (**confondo, confusi, confuso**) to confuse

**conformità** similarity

**confortare** (**conforto**) to comfort

**conforto** comfort; **a —**, as a comfort

**confronto** comparison

**confusamente** confusedly

**confuso** (*p. part. of* **confondere**) confused

**congedarsi** (**mi congedo**) to take leave

**congiungere** *irreg.* to join

**congiunto** (*p. part. of* **congiungere**) joined

**conoscere** *irreg.* (**conosco, conobbi**) to know, recognize

**conoscessero** (*p. subj. of* **conoscere**) they knew

**consegnare** (**consegno**) to hand (over), deliver

conservare (conservo) to keep, retain

conservato (*p. part. of* conservare) kept, retained

considerare (considero) to consider

considerevole considerable

considerevolmente considerably, quite

consigliare (consiglio) to advise

consiglio advice; era miglior —, it was wiser

contadino peasant, farmer

contare (conto) to tell; number

contemplare (contemplo) to contemplate

contemporaneo contemporaneous

contenere *irreg.* (contengo, contenni) to contain, hold

contentare (contento) to content, satisfy, let one have his way

contentezza contentment, joy

contentissimo very happy

contento glad, satisfied, happy; far —, to satisfy; tutto —, quite happy

contiene (*pres. ind. of* contenere) it contains

continente *m.* continent

continuamente continually

continuare (continuo) to continue, go on, keep on

continuo continuous

contraddetto (*p. part. of* contraddire) contradicted

contraddire *irreg.* (*p. part.* contraddetto) to contradict; contraddirsi contradict oneself

contraffaceva (*p. des. of* contraffare) aped

contraffare *irreg.* (contraffaccio *or* contraffò, contraffeci) to ape

contrario contrary, opposite

contributo contribution

contrizione *f.* contrition

contro (di) against, contrary to

conveniente convenient, suitable

convento convent, monastery

conversare (converso) to converse, talk, chat

conversazione *f.* conversation

converso lay brother

convertire (converto) to convert

convivere *irreg.* to live together

convulso *adj.* convulsive; *adv.* convulsively

coperta cover

coperto (*p. part of* coprire covered

copia copy

copiare (copio) to copy

coprire *irreg.* (copro, copersi, coperto) to cover, hide

coraggio courage; fatti —, cheer up

corda cord, string

cordiale cordial

core *see* cuore

Cornelio Cornelius

corporativo corporative

Corrado Conrad

correa *poet. for* correva: — per l'aere una peana a pæan rang through the air

correggere *irreg.* (correggo, corressi, corretto) to correct

correre *irreg.* (corro, corsi, corso) to run; ci corre there is a great difference

corretto (*p. part. of* correggere) corrected; *adj.* correct

corrispondenza correspondence

corrispondere *rreg.* (corrispondo, corrisposi, corrisposto) to correspond

corrugare to wrinkle; — le sopracciglia frown

corsa run, running, race

corsi (*p. abs. of* correre) I ran

corso course

corte *f.* court

cortegiano *obs.* courtier

cortese courteous, polite

cortesemente courteously

cortesia courtesy, politeness

cortigiano courtier

cortile *m.* courtyard

corto short

cosa thing, matter; che —?
what? cose del mondo worldly
things; non è — facile it is
not an easy matter; ogni —,
everything; qualche —, something

coscia thigh, leg

coscienza conscience

coscritto recruit

cosetta little thing, trifle

così so, thus, such, such a; così
...come so...as; — in
aria vaguely

costa coast, shore

costà there

Costantino Constantine

costare (costo) to cost

costruire to build

costruito (*p. part. of* costruire)
built

costui this man, that man

costume *m.* custom, habit; simile ai miei costumi similar to
me in habits

cotto (*p. part. of* cuocere)
cooked, done

cozzare (cozzo) to clash, clink;
un —, a clashing

cravatta cravat

creatura creature

crebbe (*p. abs. of* crescere) grew

credenza belief

credere (credo) to believe, think

credibile credible; poco —, in-
credible

crescere *irreg.* (cresco, crebbi) to
grow, increase; fa — di volume perfino la coda makes
even its tail grow in size .

crespo crisp, crispy; come ha la

barba crespa how crisp his
beard is

crine *m. poet.* hair

Cristo Christ

Cristoforo Christopher

critica critique

crocchio group (*of people*)

croce *f.* cross

crocicchio crossroad

crucciare (cruccio) to anger;
worry

crudele cruel

crudeltà cruelty, cruel deed

crudo crude

cucina kitchen; cooking, cui-
sine

cucinando (*pres. part. of* cucinare) cooking

cucinare to cook

cucire (cucio) to sew; — di
bianco sew on linen

cugino, -a cousin

cui whom, to whom, which, to
which; *def. art.* + cui whose;
e — saluta and to him whom
she greets

culla cradle

culturale cultural

cuocere *irreg.* (cuocio) to cook

cuoco cook

cuore *m.* heart; mi sento stringere il —, it makes my heart
ache; persone di buon —,
good-hearted people; un uomo
di cuor duro a heartless man

cupo deep, dark

cupola dome

curarsi (di) to mind, care for

curato parish priest

curiosità curiosity

curioso *adj.* curious, quaint,
strange; *n.* spectator

# D

da from, by, of, on, for, to, as a,
such as, since

**dà** (*pres. ind. or impve. of* **dare**) gives, give

**daccapo** again, from the beginning

**dacchè** since, from the time

**dagli** = **da** + **gli**

**daglieli** = **dà** (*impve.*) + **gli** + **li** give them to him

**dai** (*pres. ind. of* **dare**) you give

**dai** = **da** + **i**

**dal** = **da** + **il**

**dalla** = **da** + **la**

**danaro** money, small piece of money, penny

**dando** (*pres. part. of* **dare**) giving

**dandogli** = **dando** + **gli** giving him

**dannare** to damn

**danno** (*pres. ind. of* **dare**) they give; **se ne** —, there are

**danzare** to dance

**dappoco** worthless

**dare** *irreg.* (**dɔ**, **diɛdi** *or* **dɛtti**) to give, assign (*Idioms in which* **dare** *appears are registered only under the other words concerned.*)

**darɛi** (*cond. of* **dare**) I would *or* should give

**darvi** = **dare** + **vi** to give you

**data** date

**dato** (*p. part. of* **dare**) given

**davanti** (**a**) before, in front of, at the front of; **lì** —, there before me (you, him, *etc.*)

**davvero** indeed, in earnest, really

**de'** = **dei**

**de i, de le** *poet. for* **dei, delle**

**dɛbbo** (*pres. ind. of* **dovere**) I must

**debito** debt

**debole** weak

**decɛmbre** *m.* December

**decɛnza** decency

**decidere** *irreg.* (**decisi, deciso**) to decide

**decise** (*p. abs. of* **decidere**) decided

**decisivo** decisive

**decorosamente** in a dignified manner

**definire** to define

**definizione** *f.* definition

**degli** = **di** + **gli**

**degnamente** in a worthy manner

**degno** worthy; — **di nɔta** worthy of being mentioned

**dei** = **di** + **i**

**del** = **di** + **il**

**delegato** deputy; — **di pubblica sicurezza** chief of police

**deliberare** (**delibero**) to decide

**delitto** crime

**delizioso** delightful, delicious; **doveva riuscir** —, ought to be delightful

**dell'** = **di** + **l'**

**della** = **di** + **la**

**dɛnte** *m.* tooth; **battere i dɛnti** to shiver with cold; **stringe i dɛnti** gnashes his teeth

**dentino** little tooth

**dentro** (**a**) in, within, inside

**derivare** to derive

**descrizione** *f.* description

**desɛrto** *adj.* deserted; *n.* desert

**desiderare** (**desidero**) **di** to desire, wish

**desidɛrio** desire

**desinare** (**desino**) to dine; *n. m.* dinner; **ɛ a** —, he is dining; **finito il** —, when the dinner was over

**desistere** *irreg.* to desist

**desse** (*p. subj. of* **dare**) gave

**destarsi** (**mi desto**) to awaken; **destatosi** having awakened

**destinare** to destine

**destinato** (*p. part. of* **destinare**) destined

**dɛstra** right hand; **a** —, at *or* to the right hand; **a** — **e a sinistra** from right to left destro right

dettare (detto) to dictate

dettato dictation

dette (*p. abs. of* dare) gave

detto (*p. part. of* dire) said, told; *n.* adage, saying

devastare to devastate

devo (*pres. ind. of* dovere) I must

devotamente devoutly

di *conj.* than

di *prep.* of, to, in, on, for, from, about, with, by, belonging to; — + *def. art.* some, any

di' (*impve. of* dire) say, tell; — forte say in a loud voice; — un po' just say

dì *n. m.* day

diamine *m.* deuce; in che — vuole in whatever you like

diavolo devil; che — ! what the deuce! che il — ti porti! may the devil take you!

dica (*pres. subj. of* dire) say

dicendo (*pres. part. of* dire) saying, telling

dicere *obs. for* dire

dicessi (*p. subj. of* dire) I said

dicevo (*p. des. of* dire) I said *or* was saying

dichiarare to declare, state

dico (*pres. ind. of* dire) I say

dieci ten; le —, ten o'clock

diecina about ten

diede (*p. abs. of* dare) gave

dietro (a) behind

difatti in truth

difendere *irreg.* (difendo, difesi, difeso) to defend

difesa defense

difetto defect, fault

differente different

differenza difference

difficile difficult, hard

difficoltà difficulty

diffondere *irreg.* (diffondo, diffusi, diffuso) to diffuse

diffuso (*p. part. of* diffondere) diffused

digli = di' (*impve.*) + gli tell him

dilatato (*p. part. of* dilatare) wide open

dileguare (dileguo) to vanish

dilettarsi (mi diletto) di to delight in, take delight in

dilettevole delightful

dimani *see* domani

dimenticare (dimentico) di to forget

dimestichezza familiarity; nella più intima —, very intimate

dimmi = di' (*impve.*) + mi tell me

dimorare (dimoro) to reside

dinanzi (a) before, in front of

Dio God; — buono! Heavens! — lo volesse! if God only willed it! per l'amor di — ! for God's sake!

Diogene Diogenes

dipendere *irreg.* (dipendo, dipesi, dipeso) da to depend (on)

dire *irreg.* (*p. part.* detto) to say, tell, relate; — altro say anything else; — di sì reply in the affirmative; — di no reply in the negative; che — ? what can one say? ciò detto having said this; è inutile —, no use saying; mi fu detto I was told; non è a —, there is no need to tell; si dice they say; si diceva they said

direbbe (*cond. of* dire) would *or* should say

diresse (*p. abs. of* dirigere) directed; si —, directed his (her) steps

diresti (*cond. of* dire) you would *or* should say

diretto (*p. part. of* dirigere) directed, headed; *adj.* direct

direzione *f.* direction, course; volti alla parte opposta alla —

della **nave** turned in the opposite direction from the ship's course

**dirigere** *irreg.* (**dirεssi, dirεtto**) to direct

**dirimpεtto** (**a**) in front of

**diritto** *adj.* straight, upright, on one end, right, standing; *n.* right

**diroccare** (**dirɔcco**) to demolish

**dirsi** = **dire** + **si**; **a —,** to say

**dirupato** sloping

**disastro** disaster

**discεndere** *irreg.* (**discendo, discesi, disceso**) to descend, go down

**discεpolo** disciple

**discese** (*p. abs. of* **discεndere**) descended, went down

**disciplina** discipline

**disco** disc; **— fonografico** phonograph record

**discɔrde** discordant

**discorrere** *irreg.* (**discorro, discorso**) to talk

**discorso** talk, conversation

**discrezione** *f.* discretion

**discussione** *f.* discussion; **intavolar discussioni** to indulge in discussions

**disgrazia** misfortune, accident

**disgraziato** unfortunate

**disobbligarsi** (**mi disɔbbligo**) to pay back, give in return

**disonestamente** dishonestly

**disɔrdine** *m.* disorder

**disparire** *irreg.* to disappear

**disparte: in —,** apart

**disparve** (*p. abs. of* **disparire**) disappeared

**disperarsi** (**mi dispεro**) to grow desperate

**disperato** *adj.* desperate, hopeless; *n.* penniless person

**disperazione** *f.* despair

**dispεtto** spite, disdain; **con —,** spitefully

**dispiacere** *irreg.* (**dispiaccio, dispiacqui**) to displease; *n. m.* displeasure, regret

**disposizione** *f.* disposal

**disprεzzo** contempt

**dissi, disse, dissero** (*p. abs. of* **dire**) I (he, she, they) said

**distaccamento** detachment

**distante** distant, far away; **alquanto —,** some distance away

**distanza** distance; **a qualche —,** at a distance; **in —,** far away

**distεndere** *irreg.* (**distεndo, distesi, disteso**) to stretch

**distesa** length; **a —,** full peal

**disteso** (*p. part. of* **distεndere**) stretched

**distinguere** *irreg.* (**distinguo**) to distinguish

**distintamente** distinctly

**distinto** (*p. part. of* **distinguere**) distinguished; **distinti saluti** best wishes

**distratto** *adj.* abstracted; *n.* absent-minded person

**distribuire** to distribute

**dite** (*pres. ind. or impve. of* **dire**) you say, say

**dito** (*pl.* **dita** *f.*) finger

**ditta** firm

**dittatore** *m.* dictator

**divagazione** *f.* inattention, diversion

**divano** divan, sofa

**divariare** (**divario**) to differ

**diventare** (**divεnto**) to become

**divεrso** different; **divεrsi** different, several

**divertimento** diversion, amusement

**divertire** (**divεrto**) to divert, entertain, amuse

**divino** divine, godlike

**dodici** twelve

**Dɔge** *m.* Doge

**dolce** sweet, gentle, soft

dolcemente sweetly, gently softly

dolcezza sweetness

dolore *m.* grief, sorrow

dolorosamente sorrowfully

domanda question; fare una —, to ask a question

domandare to ask (for), demand, request

domani tomorrow

domattina tomorrow morning

domenica Sunday

Domenico Dominic

domicilio domicile; — coatto enforced residence

dominare (domino) to dominate, rule

donare (dono) to donate, give

dondolarsi (mi dondolo) to sway one's body

donna woman, lady (*When used as a title, do not translate.*)

donnina young woman

dono gift; avere in —, to receive as a gift

donzelletta *poet.* damsel, girl

dopo (di) after, afterward; — che after; poco —, soon after

dormire (dormo) to sleep, be asleep; andare a —, go to bed

dormitorio dormitory

dormiveglia *m.* drowsy state; ebbi qualche breve —, I was once or twice in a drowsy state

dotto learned

dottore *m.* doctor

dove where, wherever

dovere *irreg.* (devo *or* debbo) to have to, be obliged, be supposed to, must; aveva dovuto sentire he must have felt; come si deve fare? how can we manage? lo doveva fare he was supposed to do it

dovesse (*p. subj. of* dovere) had to

dovunque everywhere, wherever

dozzina dozen

dramma *m.* drama

Druso Drusus

dubbio doubt

dubitare (dubito) to doubt

ducato duchy

duce *m.* leader

due two; noi —, the two of us; tutti e —, both

duecento two hundred

duemila two thousand

dunque then, well then, in conclusion

duomo cathedral

durante during

durare to last, hold out

durevole durable, lasting

duro hard, stiff; un uomo di cuor —, a heartless man

## E

e, ed and

ebbene well, well now, well then

ebreo Hebrew, Jew

ecc. etc.

eccellente excellent

eccetto except, excepted, but

eccitarsi (m'eccito) to become excited

ecco there, see, look, here is, here are, there is, there are; — che Dio notò it happened that God noticed

eccola = ecco + la here she (it) is

echeggiare (echeggio) to echo, resound

eco *f.* echo; gli fecero —, they echoed to his request

economia economy, economics

ed *see* e

edifizio *or* edificio building; — scolastico school building

editore *m.* publisher

Edmondo Edmund

**effɛtto** effect, result; **per —,** as a result

**efficace** efficacious, efficient

**effluvio** effluvium, scent

**Ɛgadi** *f. pl.* Egadi Islands

**egli** he

**egrɛgio** distinguished

**egualmente** equally

**elegante** elegant, fine

**elegantemente** elegantly, lavishly

**elemɔsina** alms

**Eleonɔra** Eleanor

**ella** she; **— stessa** she herself

**eloquɛnza** eloquence

**Emanuɛle** Emmanuel

**Emílio** Emil

**empiere** (**empio**) to fill

**enciclopedia** encyclopædia

**Ɛnnio** Ennius

**entrare** (**entro**) **in** to enter, go in; **entrasse o uscisse** whether he entered or went out

**entrata** entrance; **pɔrta d'—,** entrance door

**entusiasmo** enthusiasm

**epopɛa** epic poetry

**eppure** and yet, nevertheless

**ɛrba** grass, herb

**erbale** *obs. poet.* grassy

**Ercolano** Herculaneum

**erɛde** *m. or f.* heir, heiress

**eremita** *m.* hermit

**erɛtto** (*p. part. of* **erigere**) erected

**erigere** *irreg.* (**erɛssi, erɛtto**) to erect

**erɔico** heroic

**errore** *m.* error

**eruzione** *f.* eruption

**esagerare** (**esagero**) to exaggerate

**esagerazione** *f.* exaggeration

**esaltare** to exalt

**esaltato** (*p. part. of* **esaltare**) carried away

**esattezza** exactness

**esclamare** to exclaim

**esclamasse** (*p. subj. of* **esclamare**) exclaimed

**escursione** *f.* excursion

**eseguire** to execute

**esɛmpio** example

**esercitare** (**esɛrcito**) to practise

**esercízio** exercise, practice, drill; **far gli esercizi** to drill

**esistɛnza** existence

**esitare** (**ɛsito**) to hesitate

**esortare** (**esɔrto**) to exhort

**esperimentare** (**esperimento**) to experiment, try

**esperimento** experiment

**espɛrto** expert, experienced

**esporre** *irreg.* (**espongo, esposi, esposto**) to expose, explain

**espose** (*p. abs. of* **esporre**) exposed, explained

**espressione** *f.* expression

**esprímere** *irreg.* (**esprɛssi, esprɛsso**) to express

**essa** she, it; **anch'—,** she also

**esse** they, them

**essɛndo** (*pres. part. of* **ɛssere**) being; *as auxiliary* being, having

**essenziale** essential; **l'—,** the essential thing

**ɛssere** *irreg.* (**sono**) to be; *as auxiliary* be, have; **— d'accɔrdo** agree; **— in giro** be wandering; **— in viaggio** be traveling; **— presɛnte** witness; **— sul punto di** be about to; **ɛ vero** it is so; **tu fosti** you are no more

**essi** they, them

**esso** he, him, it

**estate** *f.* summer

**ɛstero** foreign; **all'—,** abroad, in foreign countries

**estraneo** stranger

**estremamente** extremely

**estremità** extremity, end

**ɛsule** *adj.* exiled; *n. m.* exile

**età** age

eterno eternal
Etna *m.* Mt. Etna
Europa Europe
europeo European
evento event
evitare (evito) to avoid, escape

## F

fa (*pres. ind. of* fare) does,
makes, lets; giorni —, a few
days ago; due anni —, two
years ago
fa' (*impve. of* fare) do, make, let
fabbricare (fabbrico) to build
faccenda business; in faccende
busy; si misero in faccende
they got busy
faccia *n.* face, expression
faccia (*pres. subj. of* fare) do,
make, let
faccio (*pres. ind. of* fare) I do,
make, let
face *f.* flambeau, light
facendo (*pres. part. of* fare) doing, making, letting
facessi, facesse, facessero (*p.
subj. of* fare) I (he, she, it,
they) did, made, let
facezia witty saying, joke
facile easy, simple; è cosa —,
it is an easy matter
falciare (falcio) to reap, mow
falcone *m.* falcon
falda lappet, tail
fallo fault, mischief
falsità falsity
falso false
fama fame
fame *f.* hunger; aver —, to be
hungry
famiglia family
familiare familiar
familiarità familiarity
fammi = fa' (*impve.*) + mi do
(make, let) me; — due anelli
make two rings for me

famoso famous
fanciulla girl
fanciulletto little boy
fanciullo boy, child
fango mud
fangoso muddy
fanno (*pres. ind. of* fare) they do,
make, let
fannullone *m.* lazy person
fantasia fancy, imagination
fantasma *m.* phantom
fantastico fantastic
fanteria infantry
fare *irreg.* (faccio *or* fò, feci) to
do, make, build; (*with infin.*)
let, have, allow, force; farsi
become; con un certo — tra
l'allegro e il serio in a serio-
comic way; non fa che he does
nothing but; senza aver a
che —, without any connection (*Other idioms in which*
fare *appears are registered only
under the other words concerned.*)
farei, farebbe, farebbero (*cond.
of* fare) I (he, she, it, they)
would *or* should do, make,
let
farfalla butterfly
farsi *see* fare
fascino fascination, charm
fascio bundle
fase *f.* phase
fastidio nuisance, trouble
fastoso pompous
fate (*pres. ind. or impve. of* fare)
you do, make, let
fatto (*p. part. of* fare) done,
made; bell'e —, ready-made;
*n.* fact, story; andate pei
vostri fatti go about your
business
favore *m.* favor, goodwill
fazzoletto handkerchief
fe' *apocopation of* fede
febbraio February

**febbre** *f.* fever; **come per —,** as if with fever

**feci, fece, fecero** (*p. abs. of* **fare**) I (he, she, it, they) did, made, let; **fece chiamare** he sent for; **fece sì che** resulted in the fact that; **li fece portare** had them brought; **si fece indietro** he drew back

**fede** *f.* faith

**fedele** faithful; **ai suoi fedeli** to his flock

**fedelmente** faithfully, carefully

**fedeltà** faithfulness

**felice** happy

**femmina** female

**ferita** wound

**fermare** (**fermo**) to stop (*somebody or something*); **fermarsi** stop, stay

**fermata** stop

**fermo** still; **esser —,** to be standing

**fertile** fertile

**festa** festivity, feast, party, treat; **di —,** festive

**fiamma** flame, fire

**fiammifero** match

**fico** fig; **— d'India** Indian fig, prickly pear

**fiero** proud, hardy

**figgere** *irreg.* to drive in

**figlia** daughter

**figliare** (**figlio**) to bring forth

**figlio** son, child

**figliola** *or* **figliuola** daughter, girl

**figliolo** *or* **figliuolo** son, boy, child

**figurarsi** to imagine

**filantropo** philanthropist

**filare** to spin

**filosofia** philosophy

**filosofo** philosopher

**fin che** = **finchè**

**finale** final

**finalmente** finally, at last

**finchè** until, as long as

**fine** *f.* end; **alla —,** in the end; *poet.* **al —,** at last

**finestra** window

**fingere** (**di**) *irreg.* to feign, pretend, make believe

**finire** (**di**) to finish, end (up), complete; kill; **andò a —,** finally ended; **per —,** finally

**fino** *adj.* fine, real

**fino** (**a**) *prep.* until, as far as, up to, down to, even, from; **arrivare — a loro** to reach them; **fin d'ora** in advance

**finse** (*p. abs. of* **fingere**) feigned, pretended

**finto** (*p. part. of* **fingere**) feigned, pretended

**fioco** feeble, weak, hoarse

**fiore** *m.* flower; **a fior di labbra** under one's breath; **in —,** in bloom

**fiorentino** Florentine

**fiorino** florin; **— d'oro** gold florin

**Firenze** *f.* Florence

**firma** signature

**fischiare** (**fischio**) to whistle, hiss

**fischio** whistle, hiss

**fisico** physical

**fissare** to fix, fasten; appoint; stare at; **le si comincia a — nella mente quell'idea** she is beginning to get that idea into her head; **lo fissò radiante** he beamed on him, looked radiantly at him

**fissazione** *f.* fixed idea

**fisso** *adj.* fixed, fastened; *adv.* fixedly

**fitta** crowd; **una — di scapaccioni** (*to bestow*) a shower of slaps (*on one*)

**fittizio** fictitious

**fitto** (*p. part. of* **figgere**) driven in; **s'era — in capo** he had got in his mind fiume *m.* river

flauto flute

focolare *m.* fireplace

foggiare (foggio) to fashion, make

foglia leaf

foglio sheet of paper

folgorio splendor

folla crowd, mob

folto thick

fondo back, bottom, end; là in —, over there; in —, in the background; in — a at the other end of

fonetico phonetic

fonografico *see* disco

fonografo phonograph

fontana fountain

fonte *m. or f.* source, spring; — alpestre mountain spring

forchetta fork

forma form

formaggio cheese

formica ant

fornire to furnish; *poet.* finish

'ornito (*p. part. of* fornire) furnished

foro forum

forse perhaps

forte *adj.* strong, hard, loud; *adv.* strongly, aloud, in a loud voice; fatta —, strengthened; sempre più —, still harder, still louder

fortuna fortune, good luck; per —, fortunately; per sua —, fortunately for him

forza force, expression

forzare (forzo) to force

forzato (*p. part. of* forzare) forced

fosco dark, gloomy

fossi, fosse, fossero (*p. subj. of* essere) I (he, she, it, they) were; *as auxiliaries* were, had

fosti (*p. abs. of* essere) you were, you are no more

fra among, between, in

fracido drenched; — di pioggia drenched in the rain

fragoletta little strawberry

fragore *m.* uproar, clamor

Francesco Francis

francese French

Francia France

franco *adj.* frank, bold; *adv.* frankly, boldly

frase *f.* sentence

frastaglio slash, slit

frastuono clatter

frate *m.* friar; Frati Minori Minor Brothers (Franciscan Friars)

fratello brother

frattura fracture

frecciata arrow shot

freddo cold

fremito quiver

frequentare (frequento) to frequent, attend

frequentato (*p. part. of* frequentare) frequented, attended

frequente frequent

frequentemente frequently

fresco fresh

fretta hurry, haste; in —, hastily

fronte *f.* forehead; di —, opposite

frontespizio frontispiece

frotta crowd; in —, in groups

frumento wheat

frutto (*pl.* frutti *or* frutta *f.*) fruit

fucile *m.* rifle, musket

fuggire (fuggo) to flee, run away

fulminare (fulmino) to strike by lightning, strike

fumante smoking

fumare to smoke, steam

fumido smoky

fumo smoke

fuoco fire; canto del —, fireside

fuori (di) out, outside; dal di —, from the outside; fuor che except; mandar — una parola to utter a word

furia fury, haste

furibondo furious

furiosamente furiously

furiosissimo very furious

furioso furious; tutto —, in a fit of rage

furore *m.* fury

futuro future

## G

gabinetto cabinet; — di lettura little reading room

galantuomo (*pl.* galantuomini) good man, man of honor

galleria gallery

galletto young cock

gamba leg

garbo manner; skill

garzone *m.* boy

gattino kitten

gatto cat

gelato ice, ice cream

gelidamente gelidly, coldly

gelosia jealousy

gemere (gemo) to moan

gendarme *m.* gendarme

generale general; comandante —, commander in chief

generalmente generally

genere *m.* gender, kind

generosità generosity

generoso generous, noble

genio genius

gennaio January

Genova Genoa

gente *f.* people; — affollata crowd

gentile kind, gentle, lovely, refined

gentilissimo very kind

gentiluomo (*pl.* gentiluomini) gentleman, nobleman

geografia geography

geografico geographic; carta geografica map

Germania Germany

gesso chalk

gesticolante gesticulating

gesticolare (gesticolo) to gesticulate

gesto gesture

Gesù Jesus

gettare (getto) to throw

ghiottone *m.* glutton

ghiribizzo whim, caprice

già already; yes

giaciglio litter

Gianni Johnny

giardino garden

Gibilterra Gibraltar

gigante *m.* giant

ginestra broom plant

ginnasio high school, preparatory school

ginocchio (*pl.* ginocchi *or* ginocchia *f.*) knee; *poet.* ai tuoi ginocchi at thy feet

giocando (*pres. part. of* giocare) playing

giocare (gioco) to play; — a carte play cards; — di scherma fence

gioco play, game, gambling; casa di —, gambling house

giocondo jocund, gay

gioia joy

gioiello jewel

Giorgio George

giornata day (*in its duration, or referring to weather or work*); mezza la —, half day, half days at a time; tutta la —, all day

giorno day; buon —! good day! good morning! di —, by day; dove si perde il —, where the sun sets; giorni fa a few days ago; i giorni andati the preceding days; **un —**, a day, one day, some day

**Giosuè** Joshua

**giovane** *adj.* young; *n. m. or f.* young man, young woman, young one

**giovanetto** lad, young man

**giovanissimo** very young

**Giovanni** John

**giovanotto** fellow

**giovinezza** youth

**girare** to turn, go around, walk around, wander

**giro** tour, turn; ɛra stata in **—**, she had been wandering

**giù** down; e **—** dal lɛtto and I fell out of the bed

**giudicare** (giudico) to judge

**giudice** *m.* judge, justice; **signor —**, your Honor

**giudizio** judgment, good judgment

**giugno** June

**Giuliano** Julian

**giungere** *irreg.* to arrive; join

**giunsi** (*p. abs. of* giungere) I arrived *or* joined

**giunto** (*p. part. of* giungere) arrived, joined

**giurare** to swear

**Giusɛppe** Joseph

**giusta** according

**giustizia** justice; **in mano alla —**, in the hands of Justice

**giusto** just, right

**gli** *art. pl. of* lo

**gli** *pron.* to him (it), for him (it), from him (it)

**glielo, gliela** it to him (her, you); **glieli, gliele** them to him (her, you)

**gliene** of it to him (her, you); some of it to him (her, you)

**gloria** glory

**glorioso** glorious

**godere** (gɔdo) to enjoy; **— di** delight in

**godrɛi** (*cond. of* godere) I would *or* should enjoy

**goduto** (*p. part. of* godere) enjoyed

**goffamente** awkwardly

**gola** throat, neck; narrow passage, flue

**golfo** gulf, bay

**gomito** elbow; **alzare il —**, to drink hard

**gondola** gondola

**gɔtico** Gothic

**gradire** to accept, welcome

**grammatica** grammar

**gran** *apocopation of* **grande**

**grande** great, big, large, grand; **Canal Grande** Grand Canal

**grandezza** greatness, grandeur

**grandioso** grandiose, grand

**grandissimo** very great (big, large, grand)

**grappolo** cluster of grapes

**grasso** fat

**gratuito** furnished gratuitously

**grave** grave, serious

**grazia** grace, favor

**grazie** thanks

**grazioso** graceful, gracious, pretty

**grɛco** Greek

**gregge** *m.* flock, herd; sheepfold

**greggia** *poet. for* gregge

**grembiulino** little apron

**gridare** to shout, cry, scream, shriek; **piangere e —**, weep and cry

**grido** (*pl.* **gridi** *or* **grida** *f.*) cry, shriek

**grondante** streaming; **— di sudore** all in a sweat

**grɔsso** large, bulky, heavy

**grɔtta** grotto

**gru** *f.* crane

**gruppo** group

**guadagnare** to gain, earn, reach

**guadagno** profit

**guado** ford; **passare a —,** to ford

**guaio** misfortune, trouble, predicament

**guancia** cheek

**guardare** to look (at), gaze, face

**guardia** guard; **far —,** to keep guard; **restare a —,** remain to guard

**guardiano** warden, keeper

**guarigione** *f.* recovery

**guarire** to cure; get cured, recover

**guatare** to spy about

**guazzare** to splash

**guerra** war; **— di religione** religious war; **— mondiale** World War

**guerreggiare** (**guerreggio**) to be engaged in warfare, fight

**gufo** owl

**guglia** spire

**guidare** to guide

**guizzare** to quiver

**guscio** shell

**gusto** taste, liking, zest, gusto


# H

**historia** *obs.* history


# I

**i** *pl. of* **il**

**idea** idea

**ideale** ideal

**idilliaco** idyllic

**ieri** yesterday; **— sera** last night; **— stesso, dopo che ...,** yesterday, immediately after ...

**ignobile** ignoble

**ignorante** ignorant

**ignoto** unknown; **milite —,** unknown soldier

**il** (*pl.* **i**) the

**illuda** (*pres. subj. of* **illudere**) may deceive

**illudere** *irreg.* (**illusi, illuso**) to deceive

**illuminare** (**illumino**) to light

**illuminato** (*p. part. of* **illuminare**) lighted

**illusione** *f.* illusion

**illustrazione** *f.* illustration, picture

**illustre** illustrious

**imbacuccare** to muffle up

**imbandigione** *f. obs.* laid table

**imbarazzato** (*p. part. of* **imbarazzare**) embarrassed

**imbarazzo** embarrassment, predicament

**imbarcarsi** to embark; **imbarcatosi** having embarked

**imbarco** embarking

**imbecille** *m.* fool

**imbiondare** (**imbiondo**) to render blond, shine yellow on

**imboccatura** entrance, beginning

**imbrogliarsi** (**m'imbroglio**) to grow embarrassed

**imbrunare** to grow dark

**imitando** (*pres. part. of* **imitare**) imitating

**imitare** (**imito**) to imitate

**immaginare** (**immagino**) to imagine

**immagine** *f.* image, statue

**immancabile** unfailing, usual

**immensità** immensity

**immenso** immense

**immobile** motionless, unmoved

**immortale** immortal, eternal

**impalato** stiff

**impallidire** to grow pale

**imparare** to learn

**imparato** (*p. part. of* **imparare**) learned

**impassibile** impassive, unmoved

**impazzire** to become insane

**impegno** determination, fervor; care

imperatore *m.* emperor

imperituro everlasting

impero empire

impetuosamente impetuously

impiccare to hang

impiegare (impiego) to employ

impiegato (*p. part. of* impiegare) employed; *n.* clerk, employee

implorare (imploro) to implore

imponente imposing

imporre *irreg.* (impongo, imposi, imposto) to impose; si lascia —, he lets himself be imposed upon

importante important

importanza importance

importare (importo) to import, matter

importuno annoying

impossibile impossible

imposta impost, tax

imposta shutter

imposto (*p. part. of* imporre) imposed

impotenza impotence

imprecare (impreco) to swear, curse

imprecazione *f.* curse

impresa undertaking

imprestare (impresto) to lend

imprimere *irreg.* (impressi, impresso) to impress

impronta imprint

improvvisamente suddenly

improvviso sudden; all'—, suddenly

imprudente imprudent

impudente impudent

in in, at, to, into, on, through, during

inarcarsi to bend, arch one's back

inarticolato inarticulate

inaspettatamente unexpectedly

inaspettato unexpected

inaugurare (inauguro) to inaugurate, start

incantevole enchanting, charming

incanto charm

incarico errand; aver l'— di to be asked to

incerto uncertain, vague

inchinarsi to bow (down)

inchino bow

inchiodare (inchiodo) to nail, fasten

incitamento incitement, incentive

incolpare (incolpo) to accuse, incriminate

incominciare (incomincio) to begin

incontrare (incontro) to meet (with); incontrarsi meet each other

incontrasse (*p. subj. of* incontrare) would meet

incontro (a) toward, facing, to meet

incrociare (incrocio) to cross

incrociato (*p. part. of* incrociare) crossed

incrocicchiare (incrocicchio) to cross

inculcare to inculcate, teach

incurvare to curve down

indicare (indico) to indicate, point to, point out, show

indice *m.* forefinger; index

Indie *f. pl.* Indies

indietro (a) behind; si fece —, drew back; voltarsi —, to turn

indifferente indifferent

indipendente independent

indipendenza independence

indirizzo address

indispensabile indispensable

indispettire to vex

indispettito (*p. part. of* indispettire) vexed, angry; *adv.* angrily

individuo individual, fellow

indizio sign

indole *f.* natural disposition, temper

indomani: l'—, the following day; l'— mattina the following morning

indorare (indoro) to gild

indugiare (indugio) to delay

industria industry

industriale industrial

inesorabilmente inexorably, relentlessly

inespugnabile impregnable

inevitabile inevitable

infastidire to annoy

infastidito (*p. part. of* infastidire) annoyed, disgusted

inferno hell, inferno

infervorarsi (m'infervoro) to become excited

infilare to thread; — una via take a street

influenza influence

infrangere *irreg.* to smash

infranto (*p. part. of* infrangere) smashed

ingannare to deceive, cheat; ingannarsi be mistaken, be wrong

inganno deceit

ingegno talent, mind, ability

ingelosirsi to become jealous

Inghilterra England

inginocchiarsi (m'inginocchio) to kneel (down)

ingiuria injury, insult, abuse

inglese English

ingombro covered, loaded

ingordo greedy

inimicizia enmity, animosity

innamoramento falling in love

innamorarsi (m'innamoro) di to fall in love (with)

innamorato (*p. part. of* innamorare) enamored, in love; *n.* lover; essere — di to be in love with

innanzi (a) before, forward; tirare —, to go on

innato inborn

inno hymn; ch'inni sonavano which sounded like hymns

innocente innocent

inoltrare (inoltro) to forward, advance

inoltrato (*p. part. of* inoltrare) advanced; a sera inoltrata late in the evening

inquilino tenant

insegnare (insegno) to teach

inseparabile inseparable

inservibile unserviceable, of no use

insieme (con *or* a) together (with)

insistere *irreg.* to insist

insomma in short, all in all, in fact, finally; oh —! come now !

insuperato unsurpassed

intanto meanwhile

intatto intact

intavolare (intavolo) to start; — discussioni indulge in discussions

intelligenza intelligence, brains

intendere *irreg.* (intendo, intesi, inteso) to hear, understand

intensificare (intensifico) to intensify

intenso intense, intensive

intento intent

intenzione *f.* intention; avevo l'— di I meant to

interamente entirely

interessante interesting

interesse *m.* interest

interno interior

intero entire, whole, in order

interrogare (interrogo) to question

interrompere *irreg.* (interrompo, interrotto) to interrupt

**interrotto** (*p. part. of* **interrompere**) interrupted

**interruppi** (*p. abs. of* **interrompere**) I interrupted

**intese** (*p. abs. of* **intendere**) he (she) heard *or* understood

**intimamente** intimately

**intimo** *adj.* intimate; *n.* intimate friend

**intorno** (**a**) around, about; — **per** round about

**intra di** *poet.* among

**intreccio** plot

**inutile** useless; ɛ — **dire** no use saying

**inutilmente** uselessly, in vain

**invadere** *irreg.* (**invasi, invaso**) to invade, overcome

**invaghire** to charm

**invaghito** (*p. part. of* **invaghire**) charmed

**invano** in vain

**invase** (*p. abs. of* **invadere**) invaded, overcame

**invece** instead, on the contrary

**inveire** to inveigh

**inverno** winter

**invidioso** envious

**invitare** to invite

**invitato** guest

**invito** invitation

**io** I; **anch'**—, I also; — **stesso** I myself

**ira** wrath, anger

**iracondo** irascible

**irato** furious, raging

**irresistibile** irresistible

**irritato** (*p. part. of* **irritare**) angered

**irriverente** irreverent

**isciacquio** washing (*of the sea*)

**isola** island

**isoletta** small island

**ispirare** to inspire

**ispirato** (*p. part. of* **ispirare**) inspired

**istantaneo** instantaneous, momentary

**istinto** instinct; **per** —, by instinct

**istituto** institute, institution

**istituzione** *f.* institution

**Italia** Italy

**italiano** Italian

**italico** Italian

**italo-americano** Italo-American

**Iugoslavia** Jugoslavia

## L

**la** *art.* the; *pron.* her, it, you

**là** *adv.* there; — **presso** near-by; — **sotto** directly under; **di — a poco** shortly after

**labbro** (*pl.* **labbri** *or* **labbra** *f.*) lip; **a fior di labbra** under one's breath

**lacrima** tear

**laggiù** down there, over there

**lagnarsi** to complain

**lago** lake

**laguna** lagoon

**lamentarsi** (**mi lamento**) to lament, complain, moan

**lamento** moan

**lampeggiare** (**lampeggio**) to flash; **lampeggiando lo sguardo** when her eyes sparkled

**lana** wool, fleece

**lanciare** (**lancio**) to fling

**languore** *m.* languor; **Edmondo dai languori** languid Edmund

**lanterna** lantern

**lanzo** lansquenet (*foot soldier*): **Loggia dei Lanzi** *do not translate*

**largire** to dispense

**largo** wide, broad, great, large

**lasciare** (**lascio**) to let, leave, leave off, allow; **lascia fare a tuo padre** let your father do it; **si lascia imporre** he lets himself be imposed upon

lassù there above
Laterano Lateran
latino Latin
lato side; di —, sideways
laudare (laudo) obs., see lodare
lava lava
lavagna blackboard
lavorare (lavoro) to work
lavoro work
le art. pl. of la
le pron. to her (it, you); them,
   you
legare (lego) to tie, bind
leggere irreg. (leggo, lessi, letto)
   to read
leggermente slightly, gently
leggero or leggiero light, slight;
   alla leggera too lightly
leggiadria beauty
legnaiuolo carpenter
legno wood; ship
lei her, she, you
lentamente slowly
lento adj. slow; adv. slowly; a
   lenti passi slowly
leone m. lion
lesse (p. abs. of leggere) he (she)
   read
leticare (letico) to quarrel, argue
lettera letter
letteratura literature
letto n. bed; camera da —, bedroom; mettersi a —, to go to
   bed
letto (p. part. of leggere) read
lettore m. reader
lettura reading; gabinetto di —,
   little reading room; sala di
   —, reading room
levare (levo) to take off, take
   away; give rise, be up; appena levato il sole as soon as
   the sun was up; levarsi rise,
   bound, get up, get out, move
   away; si levò in piedi he rose
   to his feet
lezione f. lesson

li obs. art. pl. of lo
li pron. them
lì adv. there; — davanti there
   before me (you, him, etc.);
   di — a un'ora an hour later
liberale liberal
liberamente freely, unmolested
liberare (libero) to free, rid, re-
   lease, send forth
liberissimo very free, very independent
libero free, rid
libertà liberty, freedom
libraio bookseller
libreria bookshop
libro book
liceo lyceum, college
lieto merry, gay, happy, cheer-
   ful; — di delighted with
lieve adj. light, slight, little; adv.
   lightly
lievemente lightly, slightly,
   gently
limitare m. threshold
limite m. limit
limpido limpid, bright
lince f. lynx
lingua tongue, language
linguistico linguistic
Lipari f. pl. Lipari Islands
lira lira
lisciare (liscio) to polish, clean
liscio smooth; — come olio
   smooth as glass
litigante m. or f. litigant, pleader
litorale m. shore
livido livid
lo art. the
lo pron. him, it, one, so
lodare (lodo) to praise; sia
   lodato il Cielo! Heaven be
   praised!
lode f. praise
Lodovico Ludovic
loggia balcony, open gallery
   loggia
logoro worn out, old

**lombardo** Lombard

**Londra** London

**lontano** far, far away, distant; **lontano lontano** in the dim distance; **di —**, from far away; **più —**, farther; **i lontani** those far away

**Lorenzo** Lawrence

**loro** *pers. pron.* them, they, themselves, to them (themselves), you, to you

**loro** *poss. adj. or pron.* their, theirs, your, yours

**luccicare** (**luccico**) to gleam

**luccichio** sparkling

**luccioletta** firefly

**luce** *f.* light

**lucente** shining

**lucerna** oil lamp

**luglio** July

**lugubre** mournful

**lui** him, he; **— stesso** he himself; **anche —**, he also; **di —**, of his; **proprio —**, he in person

**Luigi** Louis

**lume** *m.* light, lamp; **far —**, to light (up), make light

**lumicino** little lamp

**luna** moon

**lunghesso** *or* **lungh'esso** along

**lunghissimo** very long

**lungo** *adj. or adv.* long; **a —**, at length; *prep.* along

**luogo** place; **— di nascita** birthplace; **aver —**, to take place; **dar —**, give rise; **in ogni —**, everywhere

**lupo** wolf

**lusso** luxury

**lustreggiare** (**lustreggio**) to shine

## M

**ma** but; **— sì!** why yes!

**macchina** machine, engine; **scritto a —**, typewritten

**macchinalmente** mechanically

**macello** slaughter, massacre

**machiavellico** Machiavellian

**Madonna** Madonna

**madore** *m.* moisture

**madre** *f.* mother

**maestoso** majestic

**maestro** master, teacher

**magari** even

**maggio** May; **a mezzo —**, in Maytime

**maggiore** major, greater; **il —**, the greater *or* greatest; **Lago Maggiore** Lake Maggiore

**magnificare** (**magnifico**) to enlarge upon, extol

**magnifico** magnificent

**mah!** well!

**mai** ever, never; **— più** never again; **più che —**, more than ever

**malamente** badly, disagreeably

**malandrino** cutthroat, ruffian

**malatino** sick little boy

**malato** ill, sick

**malattia** illness, disease

**maldicenza** evil speaking, slander

**male** *adv.* badly; **mal volentieri** unwillingly

**male** *n. m.* evil, harm; **la prese a —**, he took it badly; **in bene o in —**, in something good or bad; **nulla di —**, nothing wrong

**maledetto** (*p. part. of* **maledire**) cursed

**maledicendo** (*pres. part. of* **maledire**) cursing

**maledire** *irreg.* (*p. part.* **maledetto**) to curse

**maledizione** *f.* curse

**malgrado** in spite of

**malinconia** melancholy

**malinconico** melancholic, sad

**malincuore: a —**, reluctantly

**malizia** ruse, wile, cunning way

**malo** bad; **a mala pena** hardly, with great difficulty

**mamma** mamma, mother

**mancare** to lack, be without, miss, fail; **mancava** was missing; **non manca che** the only thing missing is

**mandare** to send (forth); — **a chiamare** send for; — **giù** put down, send down, swallow; **s'era fatto — certi libri** he had certain books sent him

**mandato** (*p. part. of* **mandare**) sent

**mangiare** (**mangio**) to eat; **tavola da —,** dining table

**mangiucchiare** (**mangiucchio**) to nibble

**maniera** manner, way; **a quella —,** like that

**mano** *f.* hand; **battere le mani** to clap the hands; **dare una —,** lend a helping hand; **in —,** in his (her) hand; **in — alla giustizia** in the hands of Justice; **per la —,** by the hand; **stretta di —,** handshake; **tenere in —,** hold in one hand; **trar di —,** stone's throw

**mansueto** meek

**mantello** mantle, cloak, cape

**mantenere** *irreg.* (**mantengo, mantenni**) to maintain, keep, support

**maomettano** Mohammedan

**marcare** to mark

**Marco** Mark

**mare** *m.* sea

**maresciallo** marshal

**Maria** Mary

**marina** navy, marine; sea

**marmo** marble

**martello** hammer

**marzo** March

**mascella** jaw

**maschera** mask

**maschio** male

**Maso** Tom

**massima** maxim

**massimamente** above all

**massimo** greatest

**matematica** mathematics

**matematico** mathematic

**materasso** mattress

**materia** matter, subject

**materiale** material

**materno** motherly, maternal, mother (*adj.*)

**Matilde** Mathilda

**matita** pencil

**mattina** *or* **mattino** morning; **la — dopo** *or* **l'indomani —,** the following morning

**mattiniero** early rising

**matto** *adj.* mad, crazy; *n.* madman

**mazzolino** little bouquet

**me** me, I, myself, to me; **a —!** my turn!

**medicare** (**medico**) to give medical treatment

**medicina** medicine

**medico** physician, doctor

**medioevale** medieval

**Mediterraneo** Mediterranean

**meglio** better; — **di te** better than you; **come — ho potuto** the best I could; **nulla di —,** nothing better

**membro** (*pl.* **membri** *or* **membra** *f.*) limb; member

**memoria** memory

**menare** (**meno**) to lead, take; get; throw; **e mena schiaffi in aria** and paws the air

**menasse** (*p. subj. of* **menare**) led; — **ceffoni** gave cuffs

**mendico** beggar

**meno** less; **il —,** the least; **nè più nè —,** exactly so; **tanto —,** still less

**menomo** slightest

**mensa** table

**mente** *f.* mind, head; **a —,** in

memory; **le si comincia a fissare nella —** quell'idea she is beginning to get that idea into her head; **occhio di —,** mind's eye

**mentire (mento)** to lie

**mento** chin

**mentre** while, as, whereas

**meraviglia** marvel, surprise, wonder, amazement; **a —,** surprisingly well

**meravigliarsi (mi meraviglio)** to marvel, wonder, be puzzled

**meraviglioso** marvelous

**mercante** *m.* merchant, business man

**mercantuccio** petty merchant

**mercato** market, fair

**merciaio** haberdasher

**mercoledì** *m.* Wednesday; **il —,** on Wednesdays

**merenda** lunch, picnic

**meridionale** southern

**meritare (merito)** to merit, deserve

**merlotto** young blackbird

**mesata** monthly allowance, monthly pay

**meschinello** poor thing

**meschino** wretch

**mese** *m.* month; **in capo a un —,** at the end of a month

**messa** mass

**messe** *f.* harvest

**messere** *m. obs.* sir, master

**messo** (*p. part. of* **mettere**) put, placed

**metà** half

**metropoli** *f.* metropolis

**mettere** *irreg.* (**metto, misi, messo**) to put (on), place; **— in brani** tear to pieces; **— nella necessità** force

**mettersi** *irreg.* (*see* **mettere**) to put oneself; **— a** begin; **— a letto** go to bed; **— a sedere** sit up; **— in spalla** take on

one's shoulders; **mi misi in allegria** I began to feel gay; **s'era messo al caso di** he had become able to

**mezzanotte** *f.* midnight

**mezzo** *adj.* half, half a, one half; *n.* middle, center; means, way; **in — a** in the middle *or* midst of, in the center of, between, among

**mi** me, to me, myself

**miei** *pl. of* **mio**

**miglio** (*pl.* **miglia** *f.*) mile

**miglioramento** improvement

**migliore** better; **era — consiglio** it was wiser; **il —,** the best

**migrare** to migrate

**mila** *pl. of* **mille**

**Milano** *f.* Milan

**milione** *m.* million

**militare** *adj.* military; *n. m.* soldier

**milite** *m.* militiaman; **— ignoto** unknown soldier

**mille** (*pl.* **mila**) a (one) thousand

**minacciare** (**minaccio**) **di** to menace, threaten

**minaccioso** threatening

**miniera** mine; **— d'oro** gold mine

**minore** less, smaller, younger, minor; **Frati Minori** Minor Brothers (Franciscan Friars)

**minuscolo** tiny

**minuto** *adj.* minute, precise; *n.* minute, moment

**minuzioso** punctilious

**mio** (*pl.* **miei**) my, mine, my own, of my (mine, my own)

**miracolo** miracle; **fare un bel —,** to perform a wonderful miracle

**mirare** to look (upon)

**misericordia** mercy

**misi, mise, misero** (*p. abs. of* **mettere**) I (he, she, it, they) put misterioso mysterious

misura measure

misurare (misuro) to measure

mite mild

modɛllo model

modɛrno modern

modɛstia modesty; non sapere dove stia di casa la —, not to know what modesty is

modɛsto modest

mɔdo manner, way; a — suo his own way; in — che so that; in — da so as to; in tal —, thus

moglie f. (pl. mogli) wife

mɔlla spring

mollemente gently, softly

molto adj. much, many, great; adv. very, very much, greatly; non passɔ — che a little after

momento moment, instant; ancora un —, a moment more

mɔnaco monk, friar

monastɛro monastery, cloister

mondiale world-wide, universal; civiltà —, world civilization; guerra —, World War

mondo world; a questo —, in this world; cɔse del —, worldly things; da che — ɛ —, from the time of creation

monelleria prank

moneta coin

mɔnna (contraction of madɔnna) obs. lady

monɔtono monotonous

montagna mountain

montano mountainous; lago —, mountain lake

montare (monto) to mount

monte m. mountain

monumentale monumental

monumento monument

mɔrdere irreg. (mɔrdo, mɔrsi, mɔrso) to bite

morire irreg. (muɔio, mɔrto) to die

mormorare (mɔrmoro) to murmur, whisper

mormorio murmuring, muttering

mɔrse (p. abs. of mɔrdere) bit

mɔrte f. death

mɔrto (p. part. of morire) dead; n. dead man

mɔssa movement

mɔsse (p. abs. of muɔvere) moved

mostra show, demonstration

mostrare (mostro) to show point out; pretend

mostro monster

motivo motive, cause

mɔtto joke, motto

mɔvere see muɔvere

movesse (p. subj. of muɔvere) moved

movimento movement, motion

mucchio heap, pile

mugnaio miller

mugolio continual moaning

mulino mill

mulo mule

multa fine

municipio municipality

muɔri (impve. of morire) die; vedi Napoli e pɔi —, see Naples and die

muɔvere irreg. (muɔvo, mɔssi mɔsso) to move; pareva non si movesse it hardly seemed to move

muro (pl. muri or mura f.) wall darei la tɛsta nel —, I would dash my head against the wall

musɛo museum

musica music

musicale musical

musicante m. musician

mutamento change

mutare to change; s'ɛra mutato had been changed

muto mute, silent, speechless

## N

**N***a***poli** *f.* Naples

**nasale** nasal

**n***a***scere** *irreg.* (**n***a***cqui**) to be born, spring forth, originate

**n***a***scita** birth; **lu***o***go di** —, birthplace

**nascondere** *irreg.* (**nasc***o***ndo, nasc***o***si, nasc***o***sto**) to hide

**naso** nose

**Natale** *m.* Christmas

**nat***i***o** *poet. see* **nativo**

**nativo** native

**nato** (*p. part. of* **n***a***scere**) born

**natura** nature

**naturale** natural

**naturalmente** of course, naturally

**nave** *f.* boat; **v***o***lti alla parte opposta alla direzione della** —, turned in the opposite direction from the ship's course

**navic***e***lla** little boat

**navigare** (**n***a***vigo**) to navigate, sail

**navigatore** *m.* navigator

**navigazione** *f.* navigation, sailing

**nazionale** national

**nazione** *f.* nation

**ne** of it (them, him, her); some of it (them), any of it (them)

**ne la** *poet. for* **nella**

**ne'** = **nei**

**nè** nor; **nè . . . nè** neither . . . nor; **nè più nè meno** exactly so

**n***e***bbia** mist, fog

**necess***a***rio** necessary

**necessità** necessity; **se lo mettete nella** —, if you force him

**negare** (**nego**) to deny

**negli** = **in** + **gli**

**neglig***e***nza** negligence

**nei** = **in** + **i**

**nel** = **in** + **il**

**nell'** = **in** + **l'**

**nella** = **in** + **la**

**nelle** = **in** + **le**

**nemico** enemy

**nemmeno** not even

**neppure** not even

**ner***i***ssimo** very black

**nero** black

**nessuno** *adj.* no, not any; *pron.* no one, nobody, anybody, none

**netto** clear, neat; **rilevato e** —, clearly defined

**neve** *f.* snow

**nevicare** *imp. v.* (**n***e***vica**) to snow

**nevoso** snowy

**Niccol***ò*** Nicholas

**nidi***a***ta** brood

**nido** nest

**ni***e***nte** nothing; — **affatto** not at all; **ma** —, but nothing of the kind

**n***o*** no; **perchè** —? why not? **risposto di** —, having answered in the negative; **un** — **tondo** a positive no

**n***o***bile** noble

**nocchi***e***ro** pilot

**noi** we, us; — **due** the two of us

**n***o***ia** weariness, tedium, trouble

**no'l** = **non il** = **non lo**

**nome** *m.* name; **il quale aveva** —, whose name was

**nominare** (**n***o***mino**) to name, name as

**non** not; **non** + *verb* + **che** only; **se non** + *numeral* but

**n***o***rd** *m.* north; **del** —, northern

**normanno** Norman

**n***o***stro** our, ours, of our, of ours

**n***o***ta** note; **degno di** —, worthy of being mentioned

**not***a***io** notary

**notare** (**n***o***to**) to note, notice; **si not***ò*** it was noticed

**not***i***zia** piece of news, news

**nɔtte** *f.* night; — **avanzata** late in the night; — **d'invɛrno** winter night; **di** —, at night; **questa** — (*followed by a verb in the past*) last night, (*followed by a verb in the present or future*) tonight; **tutta la** —, the whole night

**novanta** ninety

**nɔve** nine; **vɛrso le** —, toward nine o'clock

**novecɛnto** nine hundred

**novɛlla** short story, tale

**novellare** (**novɛllo**) to tell tales; **e novellando viɛn** and she tells

**novellatore** *m.* narrator, story-teller

**novɛllo** new

**novɛmbre** *m.* November

**novizio** novice

**nudo** bare

**nulla** nothing, anything; — **di mɛglio** nothing better; **non hɔ** —, nothing is the matter with me

**numero** number

**numeroso** numerous

**nuovamente** newly; again

**nuɔvo** new; unusual, rare; **di** —, again, once more

**nuvola** cloud

# O

**o** or; **o ... o** either ... or

**o ! o ! oh !**

**obbligato** (*p. part. of* **obbligare**) obliged

**occasione** *f.* occasion, opportunity

**occhiata** glance

**ɔcchio** eye; — **di mente** mind's eye; **a ɔcchi chiusi** with one's eyes closed; **teneva d'**—, he kept his eyes on

**occorrere** *irreg.* (**occorro, occorsi,** occorso) to be needed, be necessary; occur

**occupare** (**ɔccupo**) to occupy

**occupato** (*p. part. of* **occupare**) occupied

**ɔdi** (*pres. ind. of* **udire**) you hear

**ɔdio** hatred

**odorare** (**odoro**) to smell

**odore** *m.* odor

**offɛrta** offer

**offrire** *irreg.* (**ɔffro, offɛrsi, offɛrto**) to offer, present

**oggɛtto** object

**ɔggi** today, nowadays; **da** — **in pɔi** from today on

**ogni** every, each, any; — **cɔsa** everything; **da** — **parte** from everywhere; **in** — **luɔgo** everywhere

**ognuno** everyone, everybody, each one

**ɔh ! oh ! ho !**

**ohimè !** alas !

**Olanda** Holland

**olimpico** Olympian

**ɔlio** oil; **liscio come** —, smooth as glass

**oliveto** olive grove

**oltre** beyond; **passare** —, to go on

**ombra** shadow

**ombroso** shaded

**onda** wave

**onde** of *or* with which, for which reason, so that, wherefore, whence

**onestà** honesty

**onestamente** honestly

**onɛsto** honest

**onniveggɛnte** all-seeing

**onorare** (**onoro**) to honor

**onore** *m.* honor

**ɔpera** work, deed, task, service, help; literary work, artistic production, opera; — **di carità** charity

**opinione** *f.* opinion

**opportunità** opportunity

**opportuno** opportune, convenient

**opposto** opposite; **vɔlti alla parte opposta alla direzione della nave** turned in the opposite direction from the ship's course

**oppure** or

**ɔpra** *see* **ɔpera**

**or** *see* **ora** *adv.*

**ora** *adv.* now; **or —,** just now; **ora . . . ora** now . . . then; **da — in pɔi** from now on; **fin d'—,** in advance

**ora** *n.* hour, time; **a un'—,** at one o'clock; **di lì a un'—,** an hour later

**oramai** now, by now, by that time

**orario** time-table

**ordinanza** orderly

**ordinare** (**ordino**) to order, prescribe, tell, give an order for

**ordinario** ordinary; **d'—,** ordinarily

**ordine** *m.* order, rank, importance; **per —,** by order

**orecchio** ear

**organizzare** to organize

**organizzato** (*p. part. of* **organizzare**) organized

**orgoglio** pride

**origine** *f.* origin, cause

**ormai** *see* **ɔramai**

**ornare** (**orno**) to adorn

**ɔro** gold; **miniɛra d'—,** gold mine

**ɔrrido** horrid, horrible

**ɔrrore** *m.* horror

**ɔrso** bear

**ɔrto** kitchen garden

**osare** (**ɔso**) to dare

**oscurità** obscurity, darkness

**ospedale** *m.* hospital

**ɔspite** *m. or f.* guest, host

**osservare** (**ossɛrvo**) to observe, notice, watch; fulfill

**osservato** (*p. part. of* **osservare**) observed, noticed, watched; fulfilled

**osservatore** *m.* observer

**ɔste** *m.* host, innkeeper

**osteria** tavern, inn

**ostinato** obstinate, determined, untiring

**ottanta** eighty

**ottenere** *irreg.* (**ottɛngo, ottenni**) to obtain

**ottenne** (*p. abs. of* **ottenere**) obtained

**ɔtto** eight; **alle —,** at eight o'clock; **sugli — anni** about eight years old

**ottobrata** October excursion, October picnic

**ottobre** *m.* October

**ottocɛnto** eight hundred

**ove** where

**ɔvo** *see* **uɔvo; Castɛllo dell'Ɔvo** *do not translate*

## P

**pace** *f.* peace; **giudice di —,** justice of the peace

**Padova** Padua

**padre** *m.* father

**padrone** *m.* master, chief, owner

**paese** *m.* country, land; town, home, place

**paesɛllo** little town

**pagare** to pay

**pagina** page

**paglia** straw; **cappɛllo di —,** straw hat

**paio** (*pl.* **paia** *f.*) pair, couple, a few

**paiɔlo** kettle

**palazzo** palace

**pallido** pale

**palma** palm (*of the hand; tree, branch*)

palmo palm (*of the hand, linear measure*); **vano d'un —,** a space as wide as your hand

**palpare** to feel

**palpitante** trembling

p**a**ncia stomach

**pane** *m.* bread, loaf of bread

**panno** cloth; **panni** cloths *or* clothes

**panorama** *m.* panorama

**panteismo** pantheism (*belief that the universe, as a whole, is God*)

P**a**olo Paul

**Papa** *m.* Pope

p**a**palina skullcap

**pappagallo** parrot

**par** *see* p**a**io

**par** = **pare** (*pres. ind. of* **parere**) seems, looks like

**paragonare** (**paragono**) to compare

**parap**ε**tto** railing

**parbleu !** (*French*) by Jove !

**parco** *adj.* frugal

**parco** *n.* park

par**e**cchio quite some; **parecchi, par**e**cchie** several

par**e**nte *m. or f.* relative

**parere** *irreg.* (**p**a**io**) to seem, look, look like; **a Lei pare** it seems to you; **che te ne pare ?** what do you think of it ? **come gli pareva e piaceva** as his fancy dictated; **vi pare ?** do you think so ?

**Parigi** *f.* Paris

**parlando** (*pres. part. of* **parlare**) speaking

**parlare** to speak, talk; **non parlo** I say nothing

**parlasse** (*p. subj. of* **parlare**) spoke

**parlato** (*p. part. of* **parlare**) spoken

par**ɔ**la word; **senza far —,** without uttering a word; **senza**

**rispondere —,** without replying

p**a**rroco parish priest

**parrucca** wig

**parte** *f.* part, portion, share; side, direction; party; **da —,** apart; **d'altra —,** on the other hand; **dall'altra —,** on the other side; **da ogni —,** from everywhere; **da quella —,** in that direction; **da una —,** at *or* to one side; **la maggior —,** the greater part *or* number; **la — bassa** the lower part; **nelle parti di pon**ε**nte** in the western lands; **udite le parti** having heard both parties

**part**ε**nza** departure

**particolare** *m.* detail

**particolarità** detail

**particolarmente** particularly

**partire** (**parto**) to depart, leave, go away, sail

**partisse** (*p. subj. of* **partire**) was going away

**parve** (*p. abs. of* **parere**) seemed

p**a**scolo pasture

pass**a**ggio passage

**passando** (*pres. part. of* **passare**) passing

**passare** to pass, go through; elapse, spend (*of time*); **— a guado** ford; **— oltre** go on; **non pass**ɔ **molto che** a little after

**passato** (*p. part. of* **passare**) passed, past, spent; *adj.* old, former; *n.* past

**passeggiare** (**pass**e**ggio**) to walk (*back and forth*); **— per la stanza** pace the room

**passeggiata** walk, ride, drive

**passeggi**ε**ro** passenger

**passo** step, pace; **a — cadenzato** with measured steps; **fare un —,** to take a step; **passi in cad**ε**nza** measured steps

pastore *m.* shepherd

patire to suffer (from), be affected by

patisse (*p: subj. of* patire) suffered

patria country, fatherland; in —, home, to his country

patto agreement

paura fear

pauroso fearful, afraid

pausa pause

pavimento floor

pazienza patience

pazza mad woman

pazzia madness, insanity

pazzo *adj.* mad, insane, silly; *n.* insane man, insane person; da pazzi madly

peana pæan (*song of triumph*); correa per l'aere una —, a pæan rang through the air

peccare (pecco) to sin

peccato sin; peccato! what a pity! too bad!

pecora sheep

Pedro *Spanish for* Peter

peggio worse; e quella —, and she did worse

pei = per + i

pellegrinaggio pilgrimage; in —, on a pilgrimage

pellegrino pilgrim

pellicceria fur shop

pelo hair; andare a un — da to be very close to

pena pain, anguish; penalty, punishment; a mala —, hardly, with great difficulty; mi fai —, I feel sorry for you

penisola peninsula

penitenza penance

penna pen; — stilografica fountain pen

pensare (penso) a to think, plan

pensasse (*p. subj. of* pensare) thought, was *or* were thinking

penserebbe (*cond. of* pensare) would *or* should think

pensiero thought, meditation

pensieroso pensive

pensoso pensive

pentimento repentance

per *conj.* to, in order to

per *prep.* for, by, to, because of, on account of, across, through, on, along, about

perchè why, because, so that; — no? why not?

perciò therefore, consequently

percorrere *irreg.* (percorro, percorsi, percorso) to run through

perdere *irreg.* (perdo, persi, perso) to lose; — la bussola lose one's mind; dove si perde il giorno where the sun sets

perdonare (perdono) to forgive

perdono pardon, forgiveness

perfetto perfect

perfezione *f.* perfection

perfino even

Pericle Pericles

pericolo peril, danger

periodico periodical; sala dei periodici periodical room

perla pearl

perlustrazione *f.* reconnoitering

permesso permission

permettere *irreg.* (permetto, permisi, permesso) to permit, allow

permutarsi to change

però however

perorare (peroro) to plead

perpetuamente perpetually

perseveranza perseverance

perso (*p. part. of* perdere) lost

persona person, figure, body; persone people; per tutta la —, all over his (her) body

personaggio personage, person

persuadere *irreg.* (persuasi, persuaso) to persuade

persuasero (*p. abs. of* persuadere) they persuaded; si —, they became convinced

**pervenire** *irreg.* (**pervɛngo, pervenni**) to come, arrive

**pesantemente** heavily

**pescatore** *m.* fisherman

**peso** burden, load

**pesta** trampling

**pestare** (**pesto**) to pound, trample; **— coi piɛdi** stamp; *n. m.* stamping

**pesto** (*contraction of* **pestato**, *p. part. of* **pestare**) trampled; **ɛra buio —**, the darkness was impenetrable

**pettinare** (**pɛttino**) to comb

**pɛtto** breast; **— a —**, very close

**pɛzzo** piece; **da un —**, for quite a while; **dopo un bɛl —**, after quite a while; **tutto d'un —**, upright

**piacere** *irreg.* (**piaccio, piacqui**) to please; **come gli pareva e piaceva** as his fancy dictated; **mi piace** I like, **vi piace** you like, **gli piace** he likes; *n. m.* pleasure; pleased to meet you (*on being introduced to somebody*); **con —**, gladly

**piacesse** (*p. subj. of* **piacere**) pleased; **le —**, she liked

**piacevole** pleasant, pleasing, agreeable

**piacevolíssimo** very agreeable

**piacque** (*p. abs. of* **piacere**) pleased

**piaggia** plain

**piana** plain

**piangere** *irreg.* to cry, weep, wail; **— e gridare** weep and cry

**piano** *adj.* flat, even, smooth, soft; *adv.* softly, quietly; **pian piano** very quietly

**piano** *n.* floor; plain; **pian terreno** ground floor

**piantare** to plant, fix

**pianto** weeping, tears; **in —**, crying

**pianura** plain

**piatto** plate, dish; viand

**piazza** square, place; **in —**, in *or* on *or* to the square

**piazzale** *m.* terrace

**piazzetta** *or* **piazzuɔla** little square

**picchiare** (**picchio**) to knock, beat, pound

**piccino** little one, little dear

**piccoletto** wee, tiny

**piccolezza** trifle

**piccolino** wee, tiny

**piccolíssimo** very little *or* small

**piccolo** little, small

**piɛde** *m.* foot; **a piɛ di** at the foot of; **a piɛdi** on foot; **a piɛdi nudi** barefooted; **andare a piɛdi** to walk; **in punta di piɛdi** *or* **sulle punte dei piɛdi** on tiptoe; **si levɔ in piɛdi** he rose to his feet; **tra i piɛdi** near, in the way

**piegare** (**piɛgo**) to fold, turn

**piɛna** flood

**piɛno** full; **— di** filled with

**pietà** pity; piety

**piɛtra** stone

**Piɛtro** Peter

**pigliare** (**piglio**) to take, catch

**pigliarli** = **pigliare** + **li**

**pignatta** kitchen pot

**piɔggia** rain; **fracido di —**, drenched in the rain

**piroscafo** steamer, liner

**più, di più** more, in addition, plus, any more, most, rather; *def. art.* + **più** the most; **— che mai** more than ever; **— di** more than; **mai —**, never again; **nè — nè meno** exactly so; **non** + *verb* + **più** no longer; **sɛmpre —**, more and more; **tanto — che** especially since; **tanto — ... quanto —**, all the more ... because; **tutt'al —**, at the most

**piuttɔsto** rather

**placidamente** placidly

**plotone** *m.* squad

**plumbeo** leaden

**plurale** *m.* plural

**pɔ'** *apocopation of* **pɔco; di' un—,** just say; **un — di** some, a little, a bit, a little while, rather

**pɔchi, pɔche** *pl. of* **pɔco**

**pochino** little bit

**pochissimo** very little

**pɔco** little, short; **pɔchi, -e** few; **— o punto** little or nothing; **a — a —**, little by little; **ancora un —**, a while longer; **di là a —**, soon after; **un — di** *see* **un pɔ' di; un — dopo** *or* **— dopo** soon after, a little later

**poesia** poetry, poem

**poɛta** *m.* poet

**pɔi** then, after, afterwards, besides; **da ɔggi in —**, from today on; **da ora in —**, from now on

**poichè** because, since

**polɛmico** polemic, controversial

**política** politics

**político** *adj.* political; *n.* politician

**pɔllice** *m.* thumb

**pollo** chicken

**polpetta** croquette; **— di carne** meat ball

**poltrone** *m.* lazy fellow; **— di ragazzo** lazy boy

**pomeriggio** afternoon

**pomodɔro** tomato

**Pompɛi** *f.* Pompeii

**ponɛnte** *m.* west; **nelle parti di —**, in the western lands; **vɛrso —**, westward

**ponte** *m.* bridge; **— dei Sospiri** Bridge of Sighs; **— di Rialto** Rialto Bridge

**popolano** commoner; **i popolani** the common people

**popolare** popular

**popolazione** *f.* population, populace

**popolino** common people

**pɔpolo** people

**popoloso** populous, populated

**poppa** stern

**pɔrco** pig, swine

**pɔrgere** *irreg.* (**pɔrgo, pɔrsi, pɔrto**) to offer, hold out

**porre** *irreg.* (**pongo, posi, posto**) to put

**pɔrse** (*p. abs. of* **pɔrgere**) held out

**pɔrta** door, gate; **— di casa** house door

**portafɔgli** *m.* pocketbook

**portando** (*pres. part. of* **portare**) carrying

**portare** (**pɔrto**) to carry, bring, bear, take; wear; **— in tavola** serve at the table; **portarsi** conduct oneself

**pɔrto** port, harbor

**pɔsa** rest; **senza —**, restlessly

**posare** (**pɔso**) to put, place, lay down, rest

**pose** (*p. abs. of* **porre**) put; **si — a tracɔlla** he slung over his shoulder

**posizione** *f.* position, location

**possessore** *m.* possessor

**possiamo** (*pres. ind. of* **potere**) we can *or* may

**possíbile** possible

**pɔsso, pɔssono** (*pres. ind. of* **potere**) I (they) can *or* may

**postale** postal

**posto** (*p. part. of* **porre**) placed, located, situated; **le hɔ — affɛtto** I am attached to her; *n.* place; **al —**, in order; **rimesso a —**, put back in its place

**potɛnza** power

potere *irreg.* (pɔsso) to be able, can, may; — a mala pena have a hard time; come mɛglio hɔ potuto the best I could; poteva ɛssere it could have been

potessi, potesse, potessero (*p. subj. of* potere) I (he, shɛ, it, they) could *or* might

potranno (*fut. of* potere) they can

potrɛbbe (*cond. of* potere) could

poveretta poor thing

poveretto poor fellow

poverino poor man

poverissimo very poor

povero *adj.* poor; *n.* poor man, beggar

povertà poverty; per —, because of poverty

pranzo dinner

praticare (pratico) to practise

prato meadow, lawn

preambolo preamble

precɛdere (precɛdo) to precede

preceduto (*p. part. of* precɛdere) preceded

precipitarsi (mi precipito) to precipitate oneself, rush

precipitoso *adj.* precipitous; *adv.* precipitately

precipizio precipice; a — steeply

precisamente precisely

precisione *f.* precision

preciso precise, definite

predetto (*p. part. of* predire) predicted, foretold

prɛdica sermon; fare una —, to deliver a sermon

predicatore *m.* preacher; Frati Predicatori Dominican Friars

predire *irreg.* (*p. part.* predetto) to predict, foretell

preferire to prefer

pregare (prɛgo) to pray, beg; si fece —, allowed them to beg

preghiɛra prayer

pregiare (prɛgio) to prize

preludio prelude

prɛndere *irreg.* (prɛndo, presi, preso) to take (up); — a begin; — in prɛstito borrow; — sonno fall asleep

prɛndi, prendiamo (*impve. of* prɛndere) take, let us take

prɛndili = prɛndi (*impve.*) + li take them

preparare to prepare

preparativo preparation

prese (*p. abs. of* prɛndere) took; — a he began; — sonno he fell asleep; la — a male he took it badly

presentare (presɛnto) to present, offer

presɛnte present; esser —, to witness

presɛnza presence

presi (*p. abs. of* prɛndere) I took; — in prɛstito I borrowed

preso (*p. part. of* prɛndere) taken, taken up

prɛsso near; là —, near-by

prestare (prɛsto) to lend

prestigio prestige

prɛstito loan; prɛndere in —, to borrow

presto soon, early

prɛte *m.* priest

pretɛsto pretext

prezioso precious

prɛzzo price

prigione *f.* prison

prigionia imprisonment, captivity

prima (di) before, sooner, first; — di tutto to begin with

primamente first

primissimo very first

primo first, first one; al — vedere at the first sight of; dei primi among the first ones; per il —, as the first one

principale principal, main, most important

principe *m*. prince, lord

principio beginning; fin dal —
dei secoli from the beginning
of time

probabile probable

procedere (procedo) to proceed,
go on; behave; *n. m.* behav-
ior

proclamare to proclaim

proclamato (*p. part. of* proclamare) proclaimed

procurare to procure

professore *m*. professor, teacher

profilo profile

profondamente deeply

profondere *irreg.* (profondo, pro-
fusi, profuso) to lavish

profondo profound, deep; il più
— dell'anima the bottom of
one's soul

progetto project, plan

programma *m*. program

progresso progress

promesso (*p. part. of* promettere)
promised; I Promessi Sposi
The Betrothed

promettere *irreg.* (prometto, pro-
misi, promesso) to promise

promise (*p. abs. of* promettere)
promised

prontamente promptly, quickly

pronto ready

pronunzia pronunciation

pronunziare (pronunzio) to pro-
nounce, utter

pronunziato (*p. part. of* pronunziare) pronounced

propinquo *obs.* next, near-by

proporzione *f*. proportion, size

proposito purpose, subject

proposta proposal, offer

proprietà property, piece of
property, estate

proprio *adj.* own, one's own;
proper, just, right; *adv.* really,
precisely, very; — lui he in
person

prorompere *irreg.* (prorompo,
prorotto) to break out

proruppe (*p. abs. of* prorompere)
broke out, burst out

proteggere *irreg.* (proteggo, pro-
tessi, protetto) to protect

protesta protestation

protezione *f*. protection

prova proof, experiment, trial

provare (provo) to prove, try;
feel

provassi (*p. subj. of* provare) I
proved *or* felt

proverbio proverb

provvedere *irreg.* (provvedo) to
provide, see to, take care of

provvido provident

prudentemente prudently

pubblico public

pulcino chick

punta point; in — di piedi *or*
sulle punte dei piedi on tiptoe

punto point, spot, place, moment; di tutto —, very nicely;
essere sul — di to be about to;
poco o —, little or nothing

può (*pres. ind. of* potere) he (she,
it, you) can, may, might;
non — essere that cannot be

puoi (*pres. ind. of* potere) you
can

pupilla pupil (*of the eyes*); le
mie pupille my eyes

pure yet, also, even, even
though; pur di only to

purezza purity

purissimo very pure, very clear

purtroppo unfortunately

## Q

qua here

quaderno notebook, exercise
book

qualche some, a few (*used with
singular nouns*); — cosa (di)
something

**qualcuno** somebody, anybody, some

**quale** what, which, which one, as, as a, such as; **il —, la —, i quali, le quali** who, whom, that, which

**qualità** quality

**qualsiasi** any

**qualunque** whatever, any

**quando** when, whenever

**quantità** quantity

**quanto** how much, how many, as much as; **— più ... tanto** the more ... the more; **tanto ... —, as ... as; tanto più ... —,** all the more ... because

**quarantadue** forty-two

**quarantina** about forty; **sulla —,** in the forties

**quartiere** *m.* apartment

**quarto** fourth

**quasi** almost, nearly, as if

**quassù** up *or* over here

**quattro** four

**quattrocento** four hundred; **il Quattrocento** the 15th century

**quegli** *adj.* (*pl. of* **quello**) those; *pron.* that man

**quei** (*pl. of* **quel**) those

**quello, quel** *adj.* that, those; *pron.* he, him, that man, that one, the former; **— che** what, whatever; **uno di quelli** one of them

**questi** *adj.* (*pl. of* **questo**) these; *pron.* the latter, that fellow

**questo** *adj.* this, these; *pron.* this man, this one, the latter; **questa notte** (*followed by a verb in the past*) last night; (*followed by a verb in the present or future*) tonight

**qui** here, there; **— sotto** down below

**quieto** quiet

**quindi** therefore, hence

**quindici** fifteen

## R

**rabbuffare** to dishevel

**rabbuffato** (*p. part. of* **rabbuffare**) disheveled

**raccogliere** *irreg.* (**raccolgo, raccolsi, raccolto**) to gather, pick up

**raccoglierle** = **raccogliere** + **le** to pick them up

**raccolto** (*p. part. of* **raccogliere**) picked up, having picked up

**raccontando** (*pres. part. of* **raccontare**) telling, by telling

**raccontare** (**racconto**) to relate, tell, tell a story

**racconto** story, tale, recital; **fare un —,** to tell a story

**radere** *irreg.* (**rasi, raso**) to shave

**radiante** radiant; **lo fissò —,** he beamed on him

**radice** *f.* root

**rado** *adj.* scattered; *adv.* slowly; **di —,** rarely

**Raffaello** Raphael

**ragazza** girl

**ragazzo** boy, child

**raggiante** *see* **radiante**

**raggiungere** *irreg.* to reach

**raggiunto** (*p. part. of* **raggiungere**) reached

**raggomitolare** (**raggomitolo**) to coil; **si raggomitolava tutta** she clasped herself tightly

**ragionare** (**ragiono**) to reason, discuss

**ragione** *f.* reason, brains; **aver —,** to be right; **aver la —,** be sane

**ramingo** wandering

**rammarico** regret

**rammentare** (**rammento**) to recall, remember, remind

**ramo** branch; **n'ha un —,** she has a touch of madness

**ramoscello** bough, little branch

rancore *m.* rancor

rannicchiarsi (mi rann*i*cchio) to crouch

rapa turnip

rapidamente rapidly

rapidissimamente very rapidly

*ra*pido rapid

rappresentare (rappres*e*nto) to represent

rappresentazione *f.* performance

raramente rarely, seldom

raro rare; qualche rara v*o*lta once in a great while

ras*e*nte very close

*r*assegna review

rasserenarsi (mi rassereno) to clear up, cheer up

rassomigliare (rassom*i*glio) a to resemble; *n. m.* resembling

raunare *poet. for* radunare to muster, assemble

ravvicinare to bring near again

ravvicinato (*p. part. of* ravvicinare) brought near again, brought close together

ravv*o*lgere *irreg.* (ravv*o*lgo, ravv*o*lsi, ravv*o*lto) to wrap

ravv*o*lto (*p. part. of* ravv*o*lgere) wrapped up

razza race, kind

re *m.* king

reale real; royal

recare (r*e*co) to bring, carry; recarsi go

rec*e*nte recent, newly risen

recentemente recently

recitare (r*e*cito) to recite, play

recitativo recitative

regalare to present, make a present of

reggimento regiment

regina queen

regnare (regno) to reign

regno realm, kingdom

r*e*gola rule; per la —, according to the rule

*r*elativamente relatively

religione *f.* religion; gu*e*rra di —, religious war

remare (r*e*mo) to row

r*e*ndere *irreg.* (r*e*ndo, resi, reso) to render, make

r*e*ndita income

replicare (r*e*plico) to reply

resid*e*nza residence

resinoso resinous

resist*e*nza resistance

restare (r*e*sto) to remain, stay, stand

restituire to return, restore

restituisci (*impve. of* restituire) return, give back

restituito (*p. part. of* restituire) returned

restituzione *f.* restitution, repayment, return

r*e*sto rest

rete *f.* net

r*e*tta: dar —, to pay attention

Rialto: Ponte di —, Rialto Bridge

riaversi *irreg.* (mi ri*o*, mi ri*e*bbi) to recover

rib*a*ttere to strike back

ribrezzo repugnance

ricadde (*p. abs. of* ricadere) fell back

ricadere *irreg.* to fall back

riccamente richly, generously

ricchezza riches, wealth; molte ricchezze great wealth

ricch*i*ssimo very rich

ricco (di) rich

ricerca research, investigation

ricevere (ricevo) to receive

ricevitore *m.* receiver, tax collector

ricevuto (*p. part. of* ricevere) received

richiedere *irreg.* (richi*e*do *or* richi*e*ggo, richi*e*si, richi*e*sto) to ask

richi*e*sto (*p. part. of* richi*e*dere) asked for

ric**i**ngere *irreg.* to gird

ricominciare (ricom**i**ncio) to begin again; si ricominci**ò** they began again

ricomp**e**nsa recompense, reward

ricompensare (ricomp**e**nso) to reward, repay

ricondurre *irreg.* (*p. part.* ricondotto) to bring back; l'hanno fatta —, they had her brought back

riconfort**a**re (riconf**o**rto) to comfort again; si riconf**o**rta is comforted

riconosc**e**nza gratitude

riconosc**e**re *irreg.* (riconosco, ricon**o**bbi) to recognize

ricordare (ric**o**rdo) *or* ricordarsi (di) to remember, recall, remind

ric**o**rrere *irreg.* (ricorro, ricorsi, ricorso) to have recourse, resort to

ricostruire to rebuild

ric**o**tta cottage cheese

ricuperare (ric**u**pero) to recover, regain

ridare *irreg.* (rid**ò**, ridi**e**di *or* rid**e**tti) to give back, give again, restore

rid**e**nte smiling

ridere *irreg.* (risi, riso) to laugh

ridestarsi (mi ridesto) to awaken

ridotto (*p. part. of* ridurre) reduced, forced

riduceva (*p. des. of* ridurre) reduced

ridurre *irreg.* (*p. part.* ridotto) to reduce

ri**e**dere (ri**e**do) *poet.* to return

rifare *irreg.* (rif**a**ccio *or* rif**ò**, rifeci) to make again, do again, repeat

riferire to refer, relate, report

riferisse (*p. subj. of* riferire) referred

rifiatare to breathe again, breathe

rifissare to fasten again

rifiutare to refuse, say no

riga line

r**i**gido rigid, stiff

rilegare (rilego) to bind

rilegato (*p. part. of* rilegare) bound

ril**e**nto: a —, slowly

rilevato in relief; — e netto clearly defined

rimandare to send back; put off, delay

rimanere *irreg.* (rimasi) to remain, be left

rimanga (*pres. subj. of* rimanere) may remain

rimase (*p. abs. of* rimanere) remained, was left

rimasto (*p. part. of* rimanere) left

rim**e**dio remedy

rimesso (*p. part. of* rimettere) put back; — a posto put back in his (her, its) place

rim**e**ttere *irreg.* (rimetto, rimisi, rimesso) to put back

rimi**se** (*p. abs. of* rimettere) put again; si — a sedere reseated himself (herself)

rim**o**rso remorse

rim**o**sso (*p. part. of* rimu**o**vere) taken away

rimproverare (rimpr**o**vero) to reprove, upbraid

Rinascimento Renaissance

rincantucciarsi (mi rincant**u**ccio) to hide oneself in a corner

rincr**e**scere *irreg.* (rincresco, rincrebbi) to irk; mi rincresce I regret; non ti rincresce? are you not sorry?

rinfusa: alla —, pell-mell; buttati giù alla —, flung here and there

ringraziamento thanks

ringraziare (ringrazio) to thank

rinnovare (rinnovo) to renew

rinunziare (rinunzio) to renounce

rinvoltare (rinvolto) to wrap

rinvoltato (*p. part. of* rinvoltare) wrapped

ripassare to repass, recross

ripetere (ripeto) to repeat

ripigliare (ripiglio) to resume

ripone (*pres. ind. of* riporre) puts *or* stores away

riporre *irreg.* (ripongo, riposi, riposto) to put *or* store away

riposare (riposo) to repose, rest

riposo rest

riprendere *irreg.* (riprendo, ripresi, ripreso) to regain; — sonno go to sleep again

riprese (*p. abs. of* riprendere) took again, started again; — la sua strada proceeded on his (her) way

riproduce (*pres. ind. of* riprodurre) reproduces

riprodurre *irreg.* (*p. part.* riprodotto) to reproduce

risaltare to stand out

risalto relief; dare — a to enhance

risanare to get well, cure

risata laughter

rischiarare to light

rischiarato (*p. part. of* rischiarare) lighted

riserbare (riserbo) *see* riservare

riservare (riservo) to reserve

risiedere (risiedo) to reside, dwell

riso (*pl.* risa *f.*) laugh, laughter; dare in uno scoppio di risa to burst into a laugh

riso (*p. part. of* ridere) laughed

risolutamente resolutely

risoluto *adj.* resolute; *adv.* resolutely

risparmiare (risparmio) to spare, save

risparmio saving; fare risparmi to save

rispetto respect

risplendere (risplendo) to shine

rispondere *irreg.* (rispondo, risposi, risposto) to answer; senza — parola without replying

rispose (*p. abs. of* rispondere) answered, replied

risposta answer, reply

risposto (*p. part. of* rispondere) answered, replied; — di no having answered in the negative

ritegno self-possession

ritentare (ritento) to try again

ritentasse (*p. subj. of* ritentare) tried again and again

ritirare to retire, withdraw

ritornare (ritorno) to return, start again

ritorno return; al —, on the return trip, on our return; fare —, to return; viaggio di —, return trip

ritratto portrait

ritrosia reserve

ritto erect

riunione *f.* meeting

riunire to assemble

riuscire (a) *irreg.* (riesco) to succeed; a che cosa riuscirai how you will succeed; doveva — delizioso it ought to be delightful

riva bank; — del mare seashore

rivedere *irreg.* (rivedo) to see again; rivedersi meet again

rivelare (rivelo) to reveal, show

riverenza reverence, bow

riviera coast

rivista review, magazine

rivolgere *irreg.* (rivolgo, rivolsi, rivolto) to turn; rivolgersi address oneself, apply, have recourse to rivolse (*p. abs. of* rivolgere) addressed, directed

rivolto (*p. part. of* rivolgere) turned; rivoltosi turning, having turned

roba things, clothes

Roberto Robert

roccia rock

roco hoarse; sentiva del —, seemed hoarse

Roma Rome

romano Roman

romanzo romance, novel

romore *m. poet. for* rumore

rompere *irreg.* (rompo, rotto) to break

ronzare (ronzo) to buzz; lounge

ronzino nag

ronzio buzzing, noise

rorido dewy, wet

Rosa Rose

rosa rose

rossastro reddish

rosso red; facendosi —, growing red

rotondo round

rotto (*p. part. of* rompere) broken

rovescio back

rovina ruin

rubare to rob, steal, steal away

rubicondo ruddy

rugiadoso dewy

ruminare (rumino) to ruminate, muse, think over

rumore *m.* noise

rumorosamente noisily

ruppe (*p. abs. of* rompere) broke, burst

ruscello brook

rusticano rustic

## S

S. *abbreviation of* San, Sant', Santo *or* Santa

sa (*pres. ind. of* sapere) he (she) knows, you know

sabato Saturday; il —, on Saturdays

sabbia sand

sacrifizio sacrifice

saggio wise

sagrestano sacristan

sai (*pres. ind. of* sapere) you know

sala hall, room; — di lettura reading room

Saladino Saladin

salgo (*pres. ind. of* salire) I ascend *or* go up

saliano *poet. for* salivano

salire *irreg.* to ascend, go up, go on, climb; — sopra come (*or* go) upstairs

salomonico Solomonic, wise

saltare to jump, leap

salto jump, spring; d'un —, with one spring

salutare to greet, bow, salute, give a salute

salute *f.* health; salvation

saluto greeting, salute; distinti saluti best wishes

salvare to save

salvezza salvation

salvo *adj.* saved; *adv.* safely

san *apocopation of* santo

sangue *m.* blood

sanguisuga bloodsucker

sanitario sanitary, medical

sanno (*pres. ind. of* sapere) they know

sano healthy

santo, san saint, holy, sacred, blessed

santuario sanctuary, shrine

sapere *irreg.* (so, seppi) to know, know how, learn, be able to; lo sapete bene you know indeed

sapessi, sapesse (*p. subj. of* sapere) I (he, she, you) knew

sapore *m.* taste

saprei, saprebbe (*cond. of* sapere)

I (he, she, you) would *or* should know (how)

**Sardegna** Sardinia

**sarebbe** (*cond. of* ɛssere) he (she, it) would *or* should be, is supposed to be; *as auxiliary* should *or* would be, have

**sarto** tailor

**sasso** stone

**savio** *adj.* wise; *n.* wise man, sage, savant

**sbadigliare** (**sbadiglio**) to yawn

**sbarcare** to disembark, land

**sbiɛco** aslant; **di —**, sideways

**sbigottimento** dismay

**sbuffare** to blow, puff, pant; fret

**scaffale** *m.* shelf

**scala** stairs, stairway; **sulla —**, on the steps; **Teatro della Scala** Scala Theater

**scaldarsi** to warm oneself

**scalino** step

**scalpiccio** shuffling

**scalzo** barefoot

**scambiare** (**scambio**) to exchange

**scampagnata** outing, picnic

**scampanare** to ring bells, chime; *n. m.* ringing of bells

**scansarsi** to draw back

**scapaccione** *m.* slap

**scappare** to run

**scarto** discard; jolt

**scavare** to excavate, dig

**scavato** (*p. part. of* **scavare**) excavated

**scegliere** *irreg.* (**scelgo, scelsi, scelto**) to choose, select, elect

**scelto** (*p. part. of* **scegliere**) chosen, selected, elected

**scɛna** scene; affair

**scɛndere** *irreg.* (**scendo, scesi, sceso**) to descend, go down, come down, get down, drop

**scese, scɛsero** (*p. abs. of* scen-

dere) he (she, you, they) went down *or* dropped

**scɛda** card

**scherma** fencing; **giocar di —**, to fence

**schermitore** *m.* fencer

**schermo** shield, protection; **farsi —**, to shield

**schernire** to scoff, jeer, ridicule

**scherzo** joke, bit of fun

**schiaffo** slap; **e mena schiaffi in aria** and paws the air

**schiamazzare** to grow noisy

**schiɛna** back

**schiɛra** troop

**schietto** *adj.* frank, plain; *adv.* frankly, plainly

**schioccare** (**schiɔcco**) to crack, snap

**schizzare** to splash

**schizzo** splash

**sciabola** saber, foil

**sciɛnza** science, knowledge

**scimmia** ape, monkey

**scimmiottare** (**scimmiɔtto**) to ape

**scintillare** to gleam, sparkle

**sciɔcco** fool

**sciogliere** *irreg.* (**sciɔlgo, sciɔlsi, sciɔlto**) to loosen, untie

**sciɔlse: si —**, (*p. abs. of* **sciɔgliersi**) separated

**Scipione** Scipio

**scɔglio** rock

**scolastico** scholastic, pertaining to school; **edifizio —**, school building

**scolorito** pale

**scommettere** *irreg.* (**scommetto, scommisi, scommesso**) to bet

**scomparire** *irreg.* (**scompaio**) to disappear

**scomparso** (*p. part. of* **scomparire**) disappeared

**scomparve** (*p. abs. of* **scomparire**) disappeared

**scomposto** disordered

**sconvolgere** *irreg.* (**sconvɔlgo,**

sconvolsi, sconvolto) to disturb, upset

sconvolto (*p. part. of* sconvolgere) disturbed, upset

scoperta discovery

scoperto (*p. part. of* scoprire) discovered

scopo purpose, aim

scoppiare (scoppio) to burst, break out

scoppio burst; diede in uno — di risa burst into a laugh

scoprire *irreg.* (scopro, scopersi, scoperto) to discover

scordare (scordo) to forget

scorgere *irreg.* (scorgo, scorsi, scorto) to perceive, espy

scornare (scorno) to deride, disgrace

scorrere *irreg.* (scorro, scorsi, scorso) to glide; facendo —, passing

scorto (*p. part. of* scorgere) perceived, *poet.* pointed out

scosse (*p. abs. of* scotere) shook, stirred

scossone *m.* violent jolt

scostare (scosto) to move

scotere *irreg.* (scuoto, scossi, scosso) to shake, stir

scrisse (*p. abs. of* scrivere) wrote

scritto (*p. part. of* scrivere) written; — a macchina typewritten

scrittore *m.* writer

scrittura writing, spelling

scrivania desk

scrivente *m. or f.* writer

scrivere *irreg.* to write

scrollare (scrollo) to shake; — le spalle shrug the shoulders

scrupoloso scrupulous

scrutare to scrutinize; sink to

scultore *m.* sculptor

scuola school

scuro dark

scusabilissimo most excusable, very natural

scusare to excuse

se *conj.* if, whether; — non but, except

se *pron.* = si *before* lo, la, li, le, ne

sè (stesso) *pron.* himself, herself, itself, yourself, oneself, themselves, yourselves; era in —, she was herself

Sebastiano Sebastian

secca shoal, shallow

seccatura annoyance

seco = con sè

secolo century; fin dal principio dei secoli from the beginning of time

secondo second

secreto *poet. for* segreto

sede *f.* seat

sedere *irreg.* (siedo *or* seggo) to sit (down), be seated; mettersi a —, sit up; stare a —, sit

sedia chair

seduto (*p. part. of* sedere) seated; s'era —, he had seated himself

sega saw

segnare (segno) to mark

segno sign, signal; aver la testa a —, to be perfectly sane

segretario secretary

segreto secret; in —, secretly

seguente following, next

seguire (seguo) to follow, take place

seguisse (*p. subj. of* seguire) would follow

seguitare (seguito) to continue

seguito continuation; following, retinue

sei six

sella saddle

selvaggio savage, wild

selvatico *see* selvaggio

**sembrare** (**sembro**) to seem, look like

**semplice** simple, plain

**semplicione** *m.* simpleton

**sempre** always, ever, constantly; — **più** more and more; — **più forte** still louder; **come** —, as usual; **una volta per** —, once for all

**senno** sense, sound judgment; **da** —, like a sensible person

**seno** breast, bosom; **agitarsi il ventaglio sul** —, to use a fan

**señor** (*Spanish*) sir

**senso** sense, meaning; **senza sensi** in a swoon

**sentenza** sentence

**sentimento** sentiment, feeling

**sentire** (**sento**) to feel, hear, listen; taste, smell; find out; **aveva dovuto** —, he must have felt; **sentiva dello stanco e del roco** seemed weary and hoarse

**sentisse, sentissero** (*p. subj. of* **sentire**) he (she, they) felt *or* heard, might feel, might hear

**senza** without; — **che** + *subj.* without; — **aver a che fare** without any connection

**separare** to separate, divide; **separarsi** part

**separato** separate

**seppe** (*p. abs. of* **sapere**) knew, learned; was able, could

**sera** evening; **a** — **inoltrata** late in the evening; **ieri** —, last night; **la** —, in the evening

**serata** evening (*in its duration or referring to weather*)

**serenata** serenade

**sereno** *adj.* serene, clear; *n.* evening air

**sergente** *m.* sergeant

**serie** *f.* series, collection, set

**serietà** gravity

**serio** serious, grave; **con un certo fare tra l'allegro e il** —, in a serio-comic way; **sul** —, seriously

**serpeggiare** (**serpeggio**) to meander

**serva** servant, maid

**servetta** young servant *or* maid

**servire** (**servo**) to serve

**servitore** *m.* servant, butler

**servizio** service, serving; **assegnati al** —, assigned to do the serving

**servo** servant

**seta** silk

**sete** *f.* thirst

**settanta** seventy

**settantadue** seventy-two

**settantina** about seventy

**sette** seven; **di** — **anni** seven years old

**settembre** *m.* September

**settimana** week

**severo** severe; **fare una voce severa** to speak severely

**sfiatarsi** to work oneself out of breath

**sfidare** to brave, challenge; **sfido io!** to be sure!

**sforzarsi** (**mi sforzo**) to make an effort

**sforzo** effort

**sfuggire** (**sfuggo**) to escape

**sghignazzare** to laugh convulsively

**sgomento** *adj.* dismayed, in dismay; *n.* dismay

**sguardo** glance, look; eyes; **dare uno** —, to direct a look; **lampeggiando lo** —, when her eyes sparkled

**si** himself, herself, itself, themselves, to himself (herself, itself, themselves); each other, one another; one, people, we, they; **si è** *obs.* it is

**sì = così**

sì yes; **ma —!** why yes! **dire di —,** to reply in the affirmative

**sia** (*pres. subj. of* εssere) is, be; *as auxiliary* is, has

**sicchè** so that

**siccome** as, since

**Sicilia** Sicily

**siciliano** Sicilian

**sicurezza** security; **delegato di pubblica —,** chief of police

**sicuro** *adj.* sure, certain, secure, safe; *adv.* surely, certainly

**siεde** (*pres. ind. of* **sedere**) sits

**sigaro** cigar

**significare** (**significo**) to mean; **che significa?** how does it happen? **cɔse che significano pɔco** things of little importance

**significato** meaning

**signora** lady, madam, Mrs.

**signore** *m.* gentleman, lord, sir, man, Mr.; **signor giudice** your Honor

**signoria** lordship, government

**signorina** young lady, Miss

**signorsì** yes, sir

**silεnte** silent

**silεnzio** silence

**sillaba** syllable

**simbolo** symbol

**simile** similar, comparable, like, such; **— ai miεi costumi** similar to me in habits

**similitudine** *f.* similitude, similarity

**Simone** Simon

**simpatia** sympathy, liking

**simulare** (**simulo**) to simulate

**sincεro** sincere

**sindaco** mayor

**singhiozzare** (**singhiozzo**) to sob; hiccup

**singhiozzo** sob; hiccup; **gli venne un —,** he hiccuped

**singolare** singular

**sinistra** left hand; **a —,** at *or* to the left (hand); **a dεstra e a —,** from right to left

**sino a** till

**Siracusa** Syracuse

**sirεna** siren

**sissignore** yes, sir

**situare** (**situo**) to situate, place

**situato** (*p. part. of* **situare**) situated, located

**slanciarsi** (**mi slancio**) to dash

**slancio** dash, start; joy

**smaltato** enamellike

**smascellarsi** (**mi smascεllo**) to dislocate one's jaws; **— dalle risa** laugh immoderately

**smesso** (*p. part. of* **smettere**) given up, put an end to it

**smettere** *irreg.* (**smetto, smisi, smesso**) to give up, put an end to

**smodato** immoderate

**smorfia** grimace; **smorfie** coaxing ways

**smorire** *irreg. obs.* (**smuɔio, smorto**) to grow pale

**smɔsso** (*p. part. of* **smuɔvere**) moved

**smuɔre** (*pres. ind. of* **smorire**) grows pale

**smuɔvere** *irreg.* (**smuɔvo, smɔssi, smɔsso**) to move, stir

**snεllo** lithe of limb, agile, slender

**sɔ** (*pres. ind. of* **sapere**) I know; **che — io?** and what not besides?

**soave** sweet

**soavemente** sweetly, gently

**soavità** sweetness

**soccorso** assistance, contribution, help

**sociale** social

**soffermarsi** (**mi soffermo**) to stop

**soffεrto** (*p. part. of* **soffrire**) suffered, endured

**soffiare** (**soffio**) to blow

**soffocare (soffoco)** to suffocate, stifle

**soffrendo** (*pres. part. of* **soffrire**) suffering

**soffribile** *adj.* endurable; *n. m.* all that can be endured

**soffrire** *irreg.* (**soffro, soffersi, sofferto**) to suffer, endure

**soggetto** subject

**soglia** threshold; — **di casa** doorstep

**sogliono** (*pres. ind. of* **solere**) are used

**sognare (sogno)** to dream

**sogno** dream

**sol** *apocopation of* **sole** *or* **solo**

**solamente** only

**solco** furrow

**soldato** soldier

**soldo** penny; **i soldi** the money

**sole** *m.* sun, sunshine; **appena levato il** —, as soon as the sun was up; **in sul calar del** —, at sunset

**solea** *poet. for* **soleva**

**solenne** solemn

**solere** *irreg.* (**soglio**) to use, be accustomed; **solevano vedersi** used to be seen

**solitario** solitary

**solito** usual, customary; **come al** —, as usual; **di** —, generally; **più del** —, more than usual

**sollecitudine** *f.* solicitude, care

**solleone** *m.* dog days; **al** —, in the dog days

**sollevare (sollevo)** to raise, lift; **sollevarsi** rise

**sollievo** relief; **a — di** as a relief for

**solo** *adj.* alone, sole, lone, only; *adv.* only

**soltanto** only; **anche** —, if only

**soma** burden, load

**somiglianza** resemblance

**somma** sum; **in** —, at last

**sommesso** low

**sommità** summit

**sonare (sono** *or* **suono)** to sound, play, ring; **ch'inni sonavano** which sounded like hymns

**sonno** sleep; **conciliare il** —, to induce sleep; **prender** —, fall asleep; **riprender** —, go to sleep again; **senza** —, without sleep, when I was not sleepy

**sopito** lulled to sleep

**sopprimere** *irreg.* (**soppressi, soppresso**) to suppress, curtail

**sopra (di)** on, upon, above

**sopraccapo** care

**sopracciglio** (*pl.* **sopracciglia** *f.*) eyebrow, brow; **aggrottare** *or* **corrugare le sopracciglia** to frown

**sopraggiungere** *irreg.* to arrive

**sopraggiunse** (*p. abs. of* **sopraggiungere**) came up, arrived

**soprano** *poet.* above

**soprappiù** *m.* superfluity

**sordo** deaf; dull

**sorella** sister

**sorgeano** *poet. for* **sorgevano**

**sorgere** *irreg.* (**sorgo, sorsi, sorto**) to arise

**sorpassare** to surpass

**sorprendere** *irreg.* (**sorprendo, sorpresi, sorpreso**) to surprise, catch

**sorpresa** surprise

**sorpreso** (*p. part. of* **sorprendere**) surprised, caught

**sorridere** *irreg.* (**sorrisi, sorriso**) to smile

**sorrise** (*p. abs. of* **sorridere**) smiled

**sorriso** smile

**sorse** (*p. abs. of* **sorgere**) rose

**sorso** sip

**sorta** sort, kind

**sorte** *f.* fate, chance, luck

**sorto** (*p. part. of* **sorgere**) risen; **sei** —, you rose sorvegliare (sorveglio) to watch, look on

sospettare (sospetto) to suspect

sospetto suspicion

sospingere *irreg.* to push

sospinse (*p. abs. of* sospingere) pushed

sospirare to sigh, long for

sospirato (*p. part. of* sospirare) sighed, longed for

sospiro sigh

sossopra upside down, topsy-turvy

sosta halt, stop

sotterrare (sotterro) to bury

sottile slender

sotto under; — voce in a low voice; là —, directly under; qui —, down below

soverchiare (soverchio) to overpower

sovrano sovereign, king

sovrumano superhuman

spaghetti *m. pl.* spaghetti

Spagna Spain

spagnolo Spaniard, Spanish

spalancare to open up, open wide

spalancato (*p. part. of* spalancare) wide open, wide stretched

spalla shoulder; alle spalle from the rear, behind one's back; mettersi in —, to take on one's shoulders; scrollare *or* stringere le spalle *or* stringersi nelle spalle shrug one's shoulders

spalliera back (*of a chair*)

spandere *irreg.* to spill

sparare to fire

sparire to disappear

spasimo spasm

spaventare (spavento) to frighten; spaventarsi become scared *or* alarmed

spaventato (*p. part. of* spaventare) frightened

spaziare (spazio) to soar, sweep; overlook

spazzolare (spazzolo) to brush

specchiarsi (mi specchio) to look at oneself (*in a mirror*)

speciale special, particular

specialmente especially

specie *f.* kind; in —, especially

spedito *adj.* quick; *adv.* quickly

spegnere *irreg.* (spengo, spensi, spento) to extinguish, put out, exhaust, destroy

spelato stripped of hair, hairless

speme *f. poet.* hope

spendere *irreg.* (spendo, spesi, speso) to spend

spensero (*p. abs. of* spegnere) they put out

spento (*p. part. of* spegnere) exhausted, gone out, closed

speranza hope

sperare (spero) to hope; sperava di sì he hoped so

spesa expense; a proprie spese at one's own expense

spesso often

spettacolo spectacle, sight, show

spettatore *m.* spectator

spiaggia shore

spiccare to take off

spiegando (*pres. part. of* spiegare) explaining

spiegare (spiego) to explain; display

spiegato (*p. part. of* spiegare) explained

spina thorn, shrub

spinga (*pres. subj. of* spingere) may push

spingere *irreg.* to push

spinto (*p. part. of* spingere) started up

spiritato wild

spirito spirit

spiritoso witty

splendea *poet. for* **splendeva**

splendere (splɛndo) to shine

splendido splendid

splendore *m.* splendor

spogliare (spɔglio) to undress

spolverare (spolvero) to dust

sponda bank, shore

sporgere *irreg.* (spɔrgo, sporsi, spɔrto) to put out

sposare (spɔso) to marry

sposo bridegroom, husband; I Promessi Spɔsi The Betrothed

spossare (spɔsso) to exhaust

spossato (*p. part. of* **spossare**) exhausted

sprecare (sprɛco) to waste

sprofondare (sprofondo) to sink, plunge

spronata spurring

sproposito folly; **fare uno** —, to commit an extravagance

spuntare to appear, peep

squallido squalid, gloomy

squartare to quarter

squilla bell

squisitezza choice quality

squisito exquisite, excellent, delicious

sta (*pres. ind. of* **stare**) is; — **per** is about to

staccare to detach

stamani this morning; **da** —, since this morning

stampo mould, kind

stanchezza weariness

stanco tired, weary; **sentiva dello** —, seemed weary

stanza room

stare *irreg.* (stɔ, stɛtti) to be, stay, stand, keep, remain, live; — **a sedere** sit; — **bɛne** feel well; — **per** be about to; — **zitto** keep silent; **come sta?** how are you? how is he? **non sapere dove stia di casa la**

modɛstia not to know what modesty is; **stava a tavolino** he sat at his desk

starɛbbe (*cond. of* **stare**) would *or* should be; **si** — **per** one would be ready to

stato *n.* state

stato (*p. part. of* **ɛssere** *and* **stare**) been

statua statue

stazzo *obs.* abode

Stefano Stephen

stella star

stɛlo stem

stɛndere *irreg.* (stɛndo, stesi, steso) to stretch out

stentatamente with effort; **campare** —, to earn a precarious livelihood

stɛnto effort; **a** —, scarcely, with difficulty

stentɔreo stentorian

sterminato endless

stese (*p. abs. of* **stɛndere**) stretched out

stessi, stesse, stɛssero (*p. subj. of* **stare**) I (he, she, it, they) were

stesso same, self, own; **iɛri** —, **dopo che** yesterday, immediately after; **lo** —, just the same; **me** —, myself, **lui** —, himself, **lɛi stessa** herself, *etc.*

stɛtte, stɛttero (*p. abs. of* **stare**) he (she, it, they) stood

stile *m.* style

stilografico: **penna stilografica** fountain pen

stimare to esteem, appreciate, prize

stivale *m.* boot

stɔ (*pres. ind. of* **stare**) I am, I stand *or* stay

stɔria history, story; — **dell'arte** art history

stɔrico historical

storiɛlla little story

strabiliare (strabílio) to astonish

stracciare (straccio) to tear

strada road, street, way; per la —, on the way; un buon tratto di —, a long distance

strage *f.* slaughter, massacre

stranezza eccentricity, strange idea, strange thing

straniero *adj.* foreign; *n.* foreigner

stranissimo very strange

strano strange, queer

straordinario extraordinary

straziante agonizing

strepito noise, uproar, racket

stretta grip; pang; data una — di mano having shaken hands

stretto (*p. part. of* stringere) pressed; stretti per il braccio arm in arm; *adj.* narrow, close, intimate, tight

strillare to shriek

stringere *irreg.* (*p. part.* stretto) to press, seize; — la mano shake hands, press one's hand; — le spalle *or* stringersi nelle spalle shrug one's shoulders; mi sento — il cuore it makes my heart ache; stringe i denti he gnashes his teeth

strinse, strinsero (*p. abs. of* stringere) he (she, they) pressed; strinse le spalle he shrugged his shoulders

strisciare (striscio) to glide, skim over, pass

Stromboli *m.* Mt. Stromboli

stropicciare (stropiccio) to rub

strumento instrument

studente *m.* student

studentessa girl student

studiare (studio) to study

studiato (*p. part. of* studiare) studied

studio study; compagno di studi fellow student

studioso *adj.* studious; *n.* scholar

stupefare *irreg.* (stupefaccio *or* stupefò, stupefeci) to stupefy

stupefatto (*p. part. of* stupefare) stupefied

stupendamente wonderfully

stupendo wonderful, superb

stupido stupid, shallow

stupito astonished, dumbfounded

stupore *m.* astonishment

su (di) on, upon, to, up; in —, up; sugli otto anni about eight years old

subalterno subaltern, junior

subitaneo instantaneous

subito immediately, at once

sublime sublime

succedersi (mi succedo) to follow each other

successo success; e con tale — che and he succeeded so well therein that

successore *m.* successor

sud *m.* south

sudare to perspire

suddito subject

sudicio filthy

sudore *m.* perspiration; grondante di —, all in a sweat

suggerire to suggest

suggerito (*p. part. of* suggerire) suggested

sugo juice, gravy, sauce

sui = su + i

sul = su + il

sulla = su + la

sulle = su + le

suo his, her, hers, its, your, yours, of his (hers, yours)

suoi *pl. of* suo

suole (*pres. ind. of* solere) is his (her) wont

suonare *see* sonare

suono sound; a — di campana

by the ringing of the church
bell

**supɛrbia** pride

**supɛrbo** proud, superb, stately

**superiore** superior, upper

**suprɛmo** supreme, highest

**sur** = **su**

**susino** plum tree

**sussiɛgo** air of dignity

**susurrare** to whisper

**svaporare** (**svaporo**) to evapo-
rate

**svegliare** (**sveglio**) to wake up *or*
awake (*somebody*); **svegliarsi**
awake

**sveglio** awake

**sventurato** wretched, unfortunate

**sviluppo** development

**svincolare** (**svíncolo**) to loosen,
free; **svincolarsi** break away

**Svizzera** Switzerland

## T

**tabaccaio** tobacconist

**tacere** *irreg.* (**taccio**, **tacqui**) to
be *or* become silent

**tacito** silent

**taciturno** taciturn, silent

**tacque**, **tacquero** (*p. abs. of*
**tacere**) he (she, they) became
silent, was *or* were silent

**tagliare** (**taglio**) to cut, carve

**tagliuzzare** to cut to shreds

**tale** such, such a, this, some,
such and such

**talento** talent, gift

**talpa** mole

**taluno** somebody

**tamburo** drum

**tanto** so much, so many, so, so
great, so long, so much so;
anyhow, besides; — **da** so as;
— **Lɛi che io** both you and I;
— **meno** still less; — **più che**
especially since; — **più** . . .

quanto **più** all the more . . .
because; **di** — **in** —, from
time to time; **quanto più** . . .
—, the more . . . the more

**tardi** late; **a più** —, until a little
later; **più** —, a little later

**tardo** slow, late

**tasca** pocket

**tattica** tactics

**tatto** tact

**tavola** table; — **da mangiare**
dining table; **a** —, at *or* to
the table; **portare in** —, to
serve at the table

**tavolino** little table, desk; **stava
a** —, he sat at his desk

**te** thee, you

**teatro** theater; — **della Scala**
Scala Theater; — **di San
Carlo** San Carlo Theater

**tela** linen cloth; — **di Russia**
khaki linen

**temɛndo** (*pres. part. of* **temere**)
fearing

**temere** (**temo**) to fear

**temperamento** temper, disposition; **non ɛra** — **da** he had
not a disposition to

**temperare** (**tɛmpero**) to temper

**temperato** (*p. part. of* **temperare**)
tempered

**temperatura** temperature

**tempɛsta** tempest, storm

**tɛmpia** temple

**tɛmpo** time, weather; **a** —, in
time; **a un** — *or* **nello stesso**
—, at the same time; **alquanto** —, for quite a time; **da
lungo** —, for a long time; **nei
tɛmpi in cui** when; **non
molto** — **dopo** not long afterward

**tɛmpra** temperament

**tenace** tenacious

**tɛndere** *irreg.* (**tɛndo**, **tesi**, **teso**)
to stretch

**tenɛnte** *m.* lieutenant

**tenentino** little lieutenant

**tenere** *irreg.* (**tɛngo, tenni**) to hold, have, keep; — **in mano** hold in one hand; **teneva d'ɔcchio** he kept his eyes on

**tenerezza** tenderness

**tɛnero** tender, fond

**tɛngono** (*pres. ind. of* **tenere**) they hold *or* keep

**tentare** (**tɛnto**) to attempt, try (to); tempt

**tentativo** attempt

**tepore** *m.* gentle heat, warmth

**tɛrme** *f. pl.* thermæ, thermal baths

**terminare** (**tɛrmino**) to end, close

**tɛrra** earth, ground, land, shore; **in** *or* **per** —, on the ground; **in** — **d'Abruzzi** in the land of Abruzzi

**terrazza** terrace

**terrazzino** little terrace, little porch

**terremɔto** earthquake

**terreno** ground; **pian** —, ground floor

**terribile** terrible

**tɛrzo** third

**tesa** brim (*of a hat*)

**teso** (*p. part. of* **tɛndere**) stretched, pointed

**tesɔro** treasure; darling

**tessuto** cloth, tissue, textile

**tɛsta** head; **aver la** — **a segno** to be perfectly sane; **darɛi la** — **nel muro** I would dash my head against the wall; **in** —, on my (his, her, *etc.*) head

**testamento** testament, will; **far** —, to make a will

**testare** (**tɛsto**) to make *or* dictate a testament

**tetto** roof

**Tevere** *m.* Tiber

**ti** thee, to thee, thyself; you, to you, yourself

**tiɛni** (*impve. of* **tenere**) keep! there!

**timidamente** timidly

**timone** *m.* rudder

**tino** (*pl.* **tini** *or* **tina** *f.*) vat

**tinta** tint, color, shade

**tipico** typical, characteristic

**tipo** type, model

**tirare** to draw, pull; fence; — **innanzi** go on; **si sentì** — . . . , he felt some one pull his . . .

**tiratina** slight tug

**titolo** title

**toccare** (**tocco**) to touch; — **a** be allotted to, be the turn of; **le ɛ̀ toccata** has fallen to her lot

**togliere** (**a**) *irreg.* (**tɔlgo, tɔlsi, tɔlto**) to take away, take from, deprive of, remove

**tɔlgono** (*pres. ind. of* **togliere**) they deprive *or* rob

**tollerare** (**tɔllero**) to tolerate

**tɔlse** (*p. abs. of* **togliere**) he (she, it, you) took away

**tɔlto** (*p. part. of* **togliere**) taken from

**tomba** tomb

**tondo** round; **un nɔ** —, a positive no

**tɔno** tone

**tɔpo** mouse

**Torino** *f.* Turin

**tormentare** (**tormento**) to torment, tease

**tornare** (**torno**) to return, result, turn; **appena tornato** on returning home; **tornɔ̀ a gridare** he shouted again

**torre** *f.* tower

**torretta** turret; — **del camino** chimney

**torricɛlla** little tower

**torta** pie, cake

**tɔrto** wrong; **aver** —, to be wrong; **non ti faccio** —, I am doing you no wrong

Toscana Tuscany

tosse *f.* cough

tossire to cough

tosto soon; **ma non sì — che** but as soon as

tovagliolino little napkin

tra among, between, in, within; — sè to himself

tracolla shoulder belt; **si pose a —,** he slung over his shoulder

tradimento treason; **a —,** treacherously

tradire to betray

tradotto (*p. part. of* **tradurre**) translated

tradurre *irreg.* (*p. part.* **tradotto**) to translate

traduzione *f.* translation

trafficare (**traffico**) to trade

traffico trade, trading

trafiggere *irreg.* to pierce

trafitto (*p. part. of* **trafiggere**) pierced (through), stung

tragedia tragedy

tramite *m.* medium, agency

tramontare (**tramonto**) to set

tranne aside from, save

tranquillo tranquil, calm

trarre *irreg.* to draw, pull, shoot; **trar di mano** stone's throw

trascorrere *irreg.* (**trascorro, trascorsi, trascorso**) to pass, spend (*time*)

trasportare (**trasporto**) to carry, transport, convey; **— a terra** bring to shore

trasse (*p. abs. of* **trarre**) drew

trattare to treat; **di che si trattava** *or* **si trattasse** what it was all about

trattato treatise

trattenere *irreg.* (**trattengo, trattenni**) to detain, restrain, hold back; **trattenersi** stop

trattenne (*p. abs. of* **trattenere**) detained, restrained, held back

tratto stretch, stroke, space;

tratto tratto *or* di — in —, from time to time; **tutt'a un —,** all of a sudden; **un buon — di strada** a long distance

tratturo *obs.* beaten track

travaglio drudgery

travestire (**travesto**) to disguise

travestito (*p. part. of* **travestire**) disguised

travolgere *irreg.* (**travolgo, travolsi, travolto**) to overpower

travolse (*p. abs. of* **travolgere**) overpowered

tre three; **tutti e —,** the three of them

trecento three hundred

tremare (**tremo**) to tremble

tremila three thousand

tremito trembling

tremolare (**tremolo**) to ripple; *n. m.* rippling

treno train

trenta thirty

trentacinque thirty-five

trentadue thirty-two

trentasei thirty-six

trepidante *adj.* trembling, anxious; *adv.* anxiously

trincare to tipple

trionfale triumphal

trionfante triumphant

triste sad

tristezza sadness

tristo bad, perverse; sad

tronco trunk; **voltandosi in —,** turning around; *adj.* abrupt

troppo too, too much, too many, more than

trovare (**trovo**) to find; **trovarsi** be, happen, happen to be

tu thou, you

tunica tunic, coat

Tunisi *f.* Tunis

tuo thy, thine, of thy, of thine; your, yours, of your, of yours

tuoi *pl. of* **tuo**

turbato upset, angry, indignant

turbinare (turbino) to whirl; che turbinava whirling

turìstico tourist

tuttavia nevertheless, still, yet

tutto *adj.* all, entire; *pron.* everything; *pl.* everybody, all; — + *adjective* very; — a un tratto all of a sudden; — contento quite happy; tutto il *or* tutta la the whole; del —, entirely; di — punto very nicely; per tutta la persona all over his (her) body; prima di —, to begin with; tutt'altro. che anything but; tutti e due both of them; tutti e tre the three of them

# U

ubbidiente obedient

ubriaco drunk

uccellino little bird

uccello bird

uccidere *irreg.* (uccisi, ucciso) to kill

uccise (*p. abs. of* uccidere) killed

udienza audience

udire *irreg.* (odo) to hear (of); udite le parti having heard both parties; s'udì they heard

udito (*p. part. of* udire) heard

udivasi = s'udiva was heard

ufficiale *m.* officer

ufficialino little officer

ufficio *or* uffizio office; Galleria degli Uffizi Uffizi Gallery

Ugo Hugh

Ugonotto Huguenot

uh ! uh ! oh !

ultimo last, latest, latter; da *or* in —, finally; l'— venuto the last comer; quest'—, the latter

umano human

umile (*poet.* umìle) humble, lowly

umore *m.* humor

un, uno, una, un' a, an, one, the one

unghia nail, claw

unico *adj.* only, sole, unique; *n.* the only one

unire to unite, connect

unità unity

universale universal

università university

uno, un a, an, one, the one, a person; — a —, one by one; l'—, each; l'un l'altro each other, to each other; l'— con l'altro with each other

uomo (*pl.* uomini) man; — di cuor duro heartless man

uovo (*pl.* uovi *or* uova *f.*) egg

urlo howl

urtare to stumble against, hit; urtarsi come in each other's way

usare (uso) to use

usato (*p. part. of* usare) used; *adj.* customary

uscio door

uscire *irreg.* (esco) to go out, come out, get out *or* away; entrasse o uscisse whether he entered or went out

uso use, custom

usuale usual

usura usury

utile useful

utilità utility, use, usefulness

uva grape

# V

va (*pres. ind. of* andare) goes; — bene it is all right

va' (*impve. of* andare) go

vacanza vacation

vada (*pres. subj. of* andare) may go; come la — a finire how it will end

vado (*pres. ind. of* andare) I go *or* am going

**vagare** to wander

**vago** beautiful, handsome

**vagone** *m.* railway car

**valere** *irreg.* to be worth

**valgo** (*pres. ind. of* **valere**) I am worth

**vallone** *m.* deep valley

**valore** *m.* valor; value, worth

**valoroso** valorous, brave, gallant

**Vanna** Jane

**vanno** (*pres. ind. of* **andare**) they go

**vano** *adj.* vain; *n.* empty space; **un — d'un palmo** a space as wide as your hand

**vantaggioso** advantageous

**vantare** to boast

**vapore** *m.* steam, steamer; **a —,** at full speed; **bastimento a —,** steamship

**varietà** variety

**vario** varied, different; *pl.* **vari** various, several

**vasto** vast, large

**Vaticano** Vatican

**vattene** (*impve. of* **andarsene**) go away

**ve** = **vi** *before* **lo, la, li, le, ne**

**vecchierella** good old woman

**vecchio** *adj.* old; *n.* old man; *pl.* old folks

**vedere** *irreg.* (**vedo**) to see; **al primo —,** at the first sight; **far —,** show; **vedi Napoli e poi muori** see Naples and die

**vedrò** (*fut. of* **vedere**) I shall see

**veduta** view

**veggio** *poet. for* **vedo**

**veglia** vigil, watching

**vegliare** (**veglio**) to watch, be vigilant, stay up

**velare** (**velo**) to veil

**velato** (*p. part. of* **velare**) veiled

**veleggiare** (**veleggio**) to sail

**velino** veil-like; **carta velina** tissue paper

**velo** veil

**vendemmia** vintage

**vendere** (**vendo**) to sell

**vendetta** vengeance, revenge

**vendicativo** vindictive, revengeful

**venendo** (*pres. part. of* **venire**) coming

**venerdì** *m.* Friday; **il —,** on Fridays

**Venezia** Venice

**venire** *irreg.* (**vengo, venni**) to come; **comandò di far — i cavalli** ordered his horses to be brought; **dove le veniva** wherever she could

**venne** (*p. abs. of* **venire**) came; **gli — un singhiozzo** he hiccuped

**ventaglio** fan; **agitarsi il — sul seno** to use a fan

**venti** twenty

**venticinque** twenty-five

**ventidue** twenty-two

**ventinove** twenty-nine

**ventiquattro** twenty-four

**vento** wind, gale

**venturo** coming, next, future

**venuto** (*p. part. of* **venire**) come; **l'ultimo —,** the last comer

**ver** *apocopation of* **verso** *prep.*

**veramente** truly, really, indeed

**verde** green

**verga** staff; **rinnovato hanno —,** they have renewed their staffs

**verginella** young maid

**vergogna** shame

**vergognarsi** (**mi vergogno**) to be ashamed

**verità** truth; **in** *or* **per —,** truly, certainly

**vero** *adj.* true, real; *n.* truth; **era —,** it was so; **partirà, non è — ?** he will leave, won't he? **non partirà, non è — ?** he will not leave, will he?

**verso** *n.* verse, line (*of poetry*); way; **non c'era —,** there was no way

**verso (di)** *prep.* toward, in the direction of; — **ponente** westward

**vestale** *f.* Vestal virgin

**veste** *f.* dress

**vestigio** (*pl.* **vestigi** *or* **vestigia** *f.*) vestige, footstep

**vestire** (**vesto**) to dress, clothe

**vestito** (*p. part. of* **vestire**) dressed; *n.* suit (*of clothes*), dress, garment

**Vesuvio** Mt. Vesuvius

**vetro** glass, windowpane, pane

**vezzeggiare** (**vezzeggio**) to endear; fondle, coax

**vi** *adv.* there, on it; **v'era** *or* **vi fu** there was

**vi** *pron.* you, yourself, yourselves, to you (yourself, yourselves)

**via** *adv.* away, off; **e** — **a casa** and home I went; **e via via** and so on

**via** *interj.* come!

**via** *n.* way, street, path, road; **in** —, on the way; **la** — **di casa** the way home; **per la** —, on his way; **per** —, in the street

**viaggiare** (**viaggio**) to travel; **viaggiando** while traveling, on his way

**viaggiatore** *m.* traveler, tourist

**viaggio** trip, journey, voyage; — **di ritorno** return trip; **essere in** —, to be traveling; **in** —, on a journey

**vicario** vicar

**vicenda** vicissitude; **a** —, one another

**vicinanza** vicinity, proximity, nearness

**vicinato** neighborhood

**vicino** *adj.* near, near-by, close, next; *n.* neighbor

**vicino (a)** *prep.* near, by

**vidi, vide, videro** (*p. abs. of* **vedere**) I (he, she, they) saw

**viene** (*pres. ind. of* **venire**) comes, is coming; **rimossa** —, is taken away

**vieni** (*pres. ind. or impve. of* **venire**) you come, come

**vietare** (**vieto**) to forbid

**vigile** watchful

**villa** villa

**villaggio** village

**villano** *adj.* rude; *n.* countryman

**vino** wine

**viola** violet

**violino** violin

**viottola** path, lane

**vipera** viper

**Virgilio** Virgil

**virtù** *f.* virtue

**visino** little face

**visita** visit, call

**visitare** (**visito**) to visit, call on

**viso** face, countenance, look; **animandosele il** —, when her face became animated; **far buon** —, to try to be pleasant; **fare un** — **lieto** put on a delighted look; **un** — **di cadavere** a face like a corpse

**vista** view, sight, eyesight

**visto** (*p. part. of* **vedere**) seen; **non** —, unseen

**vita** life, living; waist; **gli si avviticchiò alla** —, seized him about the waist

**vitellino** little calf

**vitello** calf, veal

**vittima** victim

**vittoria** victory

**Vittorio** Victor

**viva!** long live! hurrah (for)!

**vivamente** with animation, quickly, hastily, keenly

**vivanda** viand, food

**vivere** *irreg.* to live

**vivezza** vivacity

**vivo** *adj.* alive, living, lively; *adv. see* **vivamente**

**vivrò** (*fut. of* **vivere**) I shall live

**vizioso** vicious, bad

**vocabolario** vocabulary

**voce** *f.* voice; **a bassa —** *or* **sotto —,** in a low voice; **ad alta —,** aloud; **fare una — severa** to speak severely

**vociaccia** unpleasant voice

**vociare** (**vocio**) to shout

**vocina** little voice

**voglia** desire, craving

**voglio** (*pres. ind. of* **volere**) I want *or* wish

**volare** (**volo**) to fly

**volentieri** willingly, gladly; **mal —,** unwillingly

**volere** *irreg.* (**voglio, volli**) to want, wish, be willing, crave, intend; **— bene a** be fond of, love; **volersi bene** be fond of one another; **ci vuol altro** something else is needed; **come vuoi?** how do you expect? **dove volete** wherever you wish; **le voglio un bene dell'anima** I love her from the bottom of my soul

**volesse** (*p. subj. of* **volere**) wanted, wished; **— il Cielo!** Heaven willing! I wish I were! **Dio lo —!** oh, if God only willed it! **si —,** they wanted

**volgere** *irreg.* (**volgo, volsi, volto**) to turn

**volle** (*p. abs. of* **volere**) wanted, wished

**volo** flight; **a —,** in their flight

**volontà** will, willingness; **aver buona —,** to be very willing

**volpacchiotto** little fox

**volpe** *f.* fox

**volse: si —,** (*p. abs. of* **volgersi**) turned

**volta** time, turn; **a sua —,** in his turn; **ancora una —,** once more, once again; **in una —,** at the same time; **le aveva**

**dato — il cervello** her brain had been affected; **qualche rara —,** once in a great while; **una —,** once, once upon a time; **un'altra —,** again; **una — fra le altre** one time among many; **una — per sempre** once for all

**voltare** (**volto**) to turn (*somebody or something*); **voltarsi** *or* **voltarsi indietro** turn; **voltandosi in tronco** turning around

**volto** face, brow

**volto** (*p. part. of* **volgere**) turned; **volti alla parte opposta alla direzione della nave** turned in the opposite direction from the ship's course

**volubile** voluble; fickle

**volume** *m.* volume; **fa crescere di — perfino la coda** makes even its tail grow in size

**vorace** voracious, greedy

**vorrò, vorrai,** *etc.* (*fut. of* **volere**) I shall wish, *etc.*

**vostro** your, yours

**votare** *see* **vuotare**

**voto** vow; **fa' —,** make a vow

**vulcanico** volcanic

**vulcano** volcano

**vuoi** (*pres. ind. of* **volere**) you want, wish, desire

**vuole** (*pres. ind. of* **volere**) wants, you want; **ci — altro** something else is needed

**vuotare** (**vuoto**) to empty

## Z

**zappatore** *m.* tiller

**zeffiro** zephyr

**zelo** zeal

**zia** aunt

**zitto** silent; **zitto zitto** very silent(ly); **star —,** to keep silent

**zolla** clod